РУССКИЙ ЯЗЫК КАК

Н.С. Новикова, О.

УДИВИТЕЛЬНЫЕ ИСТОРИИ

116 ТЕКСТОВ
ДЛЯ ЧТЕНИЯ, ИЗУЧЕНИЯ И РАЗВЛЕЧЕНИЯ

11-е издание

УЧЕБНОЕ ПОСОБИЕ

Москва
Издательство «Флинта»
Издательство «Наука»
2012

УДК 811.161.1(0.054.6)
ББК 81.2 Рус-96
Н73

Новикова Н.С.

Н73 Удивительные истории. 116 текстов для чтения, изучения и развлечения : учеб. пособие / Н.С. Новикова, О.М. Щербакова. – 11-е изд. – М. : Флинта : Наука, 2012. – 368 с. – (Русский язык как иностранный).

ISBN 978-5-89349-393-1 (Флинта)
ISBN 978-5-02-002794-7 (Наука)

В книге собрано 116 адаптированных текстов, используемых авторами сборника в своей практической преподавательской работе. Самые разные по тематике, по степени трудности (для каждого текста указывается, на какой уровень и на какую грамматическую и/или лексическую тему он ориентирован), эти тексты имеют и общие черты: все они невелики по объему, социально нейтральны, увлекательны, с четким сюжетом (последнее означает, что их легко пересказать), максимально наполнены коммуникативно-значимой лексикой и, что не менее важно, не встречались ранее в пособиях по РКИ.

Книга предназначена для иностранцев, изучающих русский язык, для преподавателей РКИ и ориентирована преимущественно на англоговорящих — на поля сборника вынесены трудные для понимания слова с переводом на английский язык.

УДК 811.161.1(0.054.6)
ББК 81.2Рус-96

ISBN 978-5-89349-393-1 (Флинта)
ISBN 978-5-02-002794-7 (Наука)

СОДЕРЖАНИЕ

ОТ СОСТАВИТЕЛЕЙ СБОРНИКА

ДОРОГИЕ ЧИТАТЕЛИ!

Сборник текстов, предлагаемый вашему вниманию, родился из практики: работая много лет в иноязычной аудитории, авторы постоянно испытывали острый «текстовый голод»: исчерпав «запасы» текстов, приводимых в различных учебных пособиях, составители сборника сами начали активный поиск в книгах, газетах, журналах текстов, которые можно было бы использовать в учебных целях. При этом критерии отбора текстов были следующие:

— интересный сюжет (именно интересный сюжет «толкает» читателя вперед, ему хочется узнать, чем закончилась данная история);

— небольшой объем (такой текст возможно запомнить и пересказать, а значит, запомнить и стандартные речевые блоки, содержащиеся в тексте);

— социальная нейтральность (практика показывает, что тексты с социальной направленностью могут неоднозначно восприниматься иностранными учащимися и даже снижать интерес к учебе).

Именно такие критерии отбора определили некоторую «пестроту» предлагаемых текстов: от текстов по мотивам произведений русских и советских писателей, текстов по материалам журнальных публикаций последних лет — до переводных текстов по мотивам произведений зарубежных писателей, работавших в жанре короткого рассказа.

Составители сборника понимают, что преподаватели-практики могут предъявить претензии к предлагаемой книге: почему в неё включены переводные тексты? Отвечая на этот вопрос, хотим подчеркнуть: тексты, представленные в книге, — это **учебные тексты**, которые предназначены, прежде всего, для отработки определенных грамматических и лексических тем и которые, конечно, не претендуют на то, чтобы давать экскурс в сокровищницу русской литературы (для этой цели можно и нужно использовать другие тексты — произведения русских и советских классиков, максимально приближенные к оригиналу).

Отобранные тексты были адаптированы для учебных целей.

Говоря о принципах адаптации, хочется вспомнить слова великого Микельанджело, сказанные им, когда он объяснял молодым скульпторам, как сделать так, чтобы статуя была прекрасна: «Возьмите кусок мрамора и отсеките от него всё ненужное». Перефразируя совет гениального мастера, можно сказать, что при адаптации текста нужно действовать по следующему принципу: взяв оригинальное произведение, отсечь от него всё **не необходимое**.

Следуя этому принципу при адаптации отобранных текстов, составители стремились, с одной стороны, убрать из них «не необходимый» (с точки зрения языковой компетенции), устаревший или необщеупотребительный языковый материал, с другой — сохранить (прежде всего в диалогических текстах) особенности «естественного» диалога, характеризующегося обилием междометий, элипсисов и других элементов, присущих разговорной речи. И, конечно, поскольку тексты задуманы как учебные, составители постарались (по мере возможности) «привязать» тексты к конкретным грамматическим темам.

Объединяя тексты в единую книгу, авторы столкнулись с двумя проблемами: 1) как назвать сборник (ибо под его обложкой собраны, как уже было сказано, самые разные рассказы) и 2) в какой последовательности расположить тексты в книге. Размышляя над первой проблемой, авторы вспомнили, что несколько лет назад по телевизору был показан английский сериал, состоящий из маленьких интересных историй (комичных или страшных, но всегда интересных и захватывающих), который назывался «Удивительные истории» (в оригинале «Неожиданные истории» — «Stories of unexpected»). Именно так составители сборника и решили назвать свою книгу.

Вторая же проблема была решена следующим образом: все тексты (в соответствии со степенью сложности содержащегося в них лексического и грамматического материала) были распределены по четырем уровням:

— **уровень А**: тексты этого уровня можно читать со студентами, знакомыми со склонением имен существительных в единственном числе и с минимальным набором глаголов, соответствующим (по программе подготовительного факультета) середине I семестра;

— **уровень Б**: тексты этого уровня ориентированы на студентов, знающих склонение имен существительных и прилагательных в единственном и множественном числе, а также более широкий круг глаголов, что соответствует (по программе подфака) концу I семестра и началу II семестра;

— **уровень В**: тексты этого уровня ориентированы на студентов, знающих всю падежную систему и знакомых с элементами сложного синтаксиса — выражениями условия, причины, времени, безличными конструкциями и др., что соответствует (по программе подфака) середине II семестра;

— **уровень Г**: тексты этого уровня рассчитаны на студентов, знакомых с элементами сложного синтаксиса, а также с причастными и деепричастными конструкциями, что соответствует (по программе подфака) середине/концу II семестра.

В пределах каждого уровня тексты сгруппированы по трем рубрикам:

I. Тексты по мотивам рассказов русских и советских писателей.

II. «Сказки новой России» (тексты по мотивам журнальных публикаций последних лет).

III. Тексты по мотивам рассказов зарубежных писателей.

Такая разбивка текста поможет, как нам кажется, любому преподавателю-практику легко выбрать те тексты, которые, по его мнению, наиболее подходят для данной конкретной группы и для целей конкретного урока.

Каждый текст, включенный в книгу, снабжен мини-словарем — на поля сборника вынесены трудные для понимания слова с переводом на английский язык.

Отметим, что, в отличие от своих предыдущих книг*, составители сборника не дают упражнений к каждому тексту. Это объясняется прежде всего большим количеством текстов (легко представить, каким объёмным получился бы сборник из 116 текстов с упражнениями!).

С другой стороны, отсутствие упражнений дает предельную свободу педагогу: каждый текст предваряется списком тех грам-

---

* *Новикова Н.С., Щербакова О.М.* Синяя звезда. Рассказы и сказки русских и зарубежных писателей с заданиями и упражнениями: Учебное пособие. — 2-е изд. — М.: Флинта: Наука, 2002. *Новикова Н.С., Щербакова О.М.* История России от Рюрика до Андрея Боголюбского: Практикум. — М.: Флинта: Наука, 1999.

матических тем, которые можно отрабатывать на данном материале, а далее уже сам преподаватель решает, какие конкретные грамматические навыки он будет закреплять с помощью данного текста.

Более того, если какой-либо текст, отобранный педагогом с точки зрения его содержательной привлекательности для определенной группы учащихся, не будет достаточно соответствовать изучаемой грамматической теме, педагог, взяв за основу сюжетную канву, всегда может переработать текст для конкретных учебных целей, «насытив» его нужным грамматическим и/или лексическим материалом.

Говоря о работе с предлагаемыми текстами, хотелось бы дать кое-какие рекомендации, адресованные, прежде всего, начинающим преподавателям РКИ (составители сборника еще не забыли то время, когда, будучи молодыми и неопытными педагогами, они весьма смутно представляли себе всё многообразие работы с текстом: студенты прочитали текст, ответили на вопросы, пересказали... А что дальше?).

***

Итак, что можно делать с предлагаемыми текстами?

Конечно, читать, отвечать на вопросы по тексту (вопросы составляются как преподавателем, так и самыми студентами и задаются друг другу). Можно предложить студенту дать рассказу другое название и обосновать свой выбор. Почти все предлагаемые тексты имеют неожиданный конец — поэтому можно дать учащимся не весь текст, а его часть (без концовки) и предложить самим закончить эту историю.

При чтении диалогических тестов можно предложить чтение по ролям и даже инсценировки (отметим, что такая работа помогает улучшить фонетические и интонационные навыки), а также чтение через «переводчика»: один студент исполняет роль человека, говорящего только по-русски, другой — только по-английски, а третий играет роль переводчика. Наличие в таких текстах большого числа разговорных элементов дает студенту модель «естественного» диалога, помогает избавиться (хотя бы частично) от той схематичности и «ходульности» при построении диалога и монолога, которую очень часто слышим мы, педагоги, на уроке и которая, видимо, понимается студентами как норма русской речи.

Предлагаемые тексты могут также использоваться и в качестве материала для изложений, а также как тексты для домашнего чтения.

И, наконец, они могут (и должны) служить материалом для отработки грамматических навыков (с примерами составления самых разных типов грамматических упражнений на основе текста можно ознакомиться в вышеупомянутых книгах авторов).

Искренне надеемся, что данная книга понравится вам, дорогие читатели, и станет полезным помощником в вашей работе!

Составители

УРОВЕНЬ А (❄)

I. ТЕКСТЫ ПО МОТИВАМ РАССКАЗОВ РУССКИХ И СОВЕТСКИХ ПИСАТЕЛЕЙ

Идеальная женщина (рассказ идеалиста)
(по рассказу А.Чехова «Светлая личность»)

❄ • Существительные (единственное число) в разных падежах
• Виды глагола
• Прямая речь

Напротив дома, в котором я живу, стоит большой **серый** дом. Каждое утро в этом большом сером доме в окне напротив я вижу женщину.

Она для меня как солнце! Я чувствую, что я люблю ее! Скажу сразу: я люблю ее не за **красоту**, а за ее высокий **интеллект**.

Каждое утро я вижу, как она **берет** со стола газеты и **спешит** прочитать их. В это время я смотрю на ее **лицо**. Оно **показывает самые разные чувства**. Иногда **она счастлива**, улыбается и **смеется**. Иногда я вижу, что она очень **расстроена**, она **в отчаянии**. Она начинает **плакать**... Я никогда не вижу, чтобы она была **равнодушна**...

Я немного **психолог**, и, как мне кажется, я понимаю ее чувства. Когда я вижу на ее лице улыбку, я думаю:

— А, значит, в газете сегодня хорошие новости. В стране всё в порядке! Я очень рад! Как это прекрасно, что есть такая женщина, у которой такие высокие **гражданские чувства**!

Когда я вижу, что она расстроена и плачет, я думаю:

Напротив — *opposite*
Серый — *grey*
Красота — *beauty*
Интеллект — *intellect*
Брать — *to take*
Спешить — *to be in hurry*
Лицо — *face*
Показывать — *to show*
Самые разные чувства — *very different feelings*
Она счастлива — *she is happy*
Смеяться — *to laugh*
Она расстроена — *she is upset*
В отчаянии — *in despair*
Плакать — *to cry*
Равнодушна — *indifferent*
Психолог — *psychologist*

Гражданские чувства — *patriotic feelings*
Моя прекрасная незнакомка — *my beautiful stranger*
Смех — *laugh*
Плач — *cry*
Негодяй — *scoundrel*
Бросить — *to throw*
Пол — *floor*
Договориться о встрече — *to arrange meeting*
Дворник — *road sweeper*
Решить — *to decide*
Пока — *until*
Паразит — *parasite*
Строка — *line*
Репортер — *reporter*

— Ну, значит, в стране все очень плохо. Жалко. Но какая женщина!

Я люблю ее. Каждое утро я стою около окна и жду, когда увижу ее. Ночью я не могу спать и думаю о ней, **моей прекрасной незнакомке**. Это любовь!

Летом, когда ее и мои окна были открыты, я несколько раз слышал ее **смех** или **плач**. Однажды я даже слышал, как она громко сказала:

— **Негодяй**!

И **бросила** газету на **пол**. Какая женщина!

Я чувствую, что хочу **договориться** с ней **о встрече**. Поэтому я сначала пошел к **дворнику**, который живет в ее доме, дал ему 1 рубль и получил от него информацию о ней. Дворник рассказал, что она замужем, что она и ее муж нерегулярно платят за квартиру, что ее муж каждое утро уходит и приходит домой поздно вечером.

На следующий день я послал ей мою визитную карточку.

Еще через день я пришел к ней. Когда я вошел в ее квартиру, она читала газету. Я **решил** подождать, **пока** она закончит читать. Вдруг она бросила газету на пол и заплакала.

— Дорогая моя, что случилось? — спросил я. — Почему Вы плачете? Плохие новости? Скажите мне!

— Почему я плачу? — ответила она. — Я не могу не плакать! Сегодня мы должны заплатить за квартиру, а мой **паразит**-муж написал в газету только 60 строк! Вчера он написал на 11 рублей 40 копеек, а сегодня только на 3 рубля! Как мы заплатим за квартиру? Я в отчаянии! Мой муж — **негодяй**! Он должен работать, а он сидит в гостях у друзей. Боже мой, как ужасно, что я жена **репортера**!

«О женщины, женщины!» — сказал Шекспир, и сейчас я понимаю, что он хотел сказать!..

Трудная командировка
(по рассказу Б. Ласкина «Кавказский пленник»)

❄ • Существительные (единственное число) в разных падежах
• Виды глагола

Сергей лежал на пляже и смотрел на **солнце**. Смотреть было трудно. Солнце было **яркое** и **жаркое**. Небо синее и чистое. Вокруг Сергея лежали люди: красивые **загорелые** девушки, спортивные молодые люди... Все они отдыхали на юге и, конечно, думали, что Сергей тоже отдыхает. Но это была неправда. Сергей приехал на юг в **командировку**.

Солнце — *sun*
Яркий — *bright*
Жаркое — *heated*
Загорелый — *tanned*

Командировка — *business trip*

Перед командировкой директор сказал Сергею:

— Вы должны сделать работу очень быстро и вернуться домой через 2—3 дня. Я понимаю, конечно, море, солнце, но работа — это работа!

Сергей сказал:

— Конечно, Александр Иванович! Вы меня знаете не первый день. Вы знаете, что рабочие проблемы для меня самые **важные**.

Важный — *important*

Через 4 дня на юге Сергей понял, что **спешить** не надо. Конечно, можно было сделать всё за 2—3 дня. Но человек, который должен был **подписать** документы, уехал в Киев. Конечно, можно было позвонить в Киев, сказать, что Сергей ждёт его, но... Этот человек может вернуться слишком быстро, и тогда Сергей тоже должен будет вернуться домой. А на пляже было так хорошо!

Спешить — *to be in a hurry*

Подписать — *to sign*

Первые дни Сергей отдыхал на пляже один. Потом он встретился с человеком, ко-

Санаторий — *sanatorium*
Пригласить — *to invite*

торый отдыхал в **санатории**. Этот человек **пригласил** Сергея в гости в санаторий, там были и другие приятные люди... Через 2 дня у Сергея была большая компания. И, конечно, каждый день был пляж, экскурсии, бары. У него абсолютно не было времени работать!

Вкусный — *tasty*
Гора — *mountain*
На фоне — *against a background of*
Лошадь — *horse*
Шашка — *sword*
Дырка — *hole*

Через неделю Сергей и его новые друзья пошли на рынок, чтобы купить **вкусное** молодое вино. Около рынка работал фотограф. У него была интересная картина: **гора** и **на фоне** горы человек на **лошади**. В руке у человека была **шашка**, а вместо головы была **дырка**. Каждый мог сделать фотографию: положить голову в дырку и получить фото — на лошади на фоне горы.

Решить — *to decide*

Конечно, Сергей и его друзья сделали эти фотографии. Фотограф сказал, что фотографии будут готовы вечером. Вечером Сергей получил фотографию. Фотография была красивая, и он **решил** послать её жене. Он взял бумагу и написал 2 письма: одно большое письмо жене, где он написал, как он ничего не делает и как хорошо он отдыхает в командировке, какие у него приятные друзья в санатории, а второе, маленькое, — директору. Там он написал, что он много работает и не может вернуться домой, потому что ждёт человека, который должен подписать документы.

Конверт — *envelope*

Когда Сергей уже написал эти письма и хотел пойти на почту, чтобы купить **конверты**, он увидел Андрея. Это был его новый друг, который отдыхал в санатории. Андрей сказал, что он идёт на почту и может послать письма Сергея. Сергей написал на бумаге адрес жены и адрес офиса и дал Андрею.

Срочный — *urgent*
Удивлён — *to be surprised*

Через 3 дня в санаторий на его имя пришла **срочная** телеграмма от директора: «Срочно вернитесь домой». Сергей был **удивлён**: почему директор послал телеграмму в санаторий? Откуда он узнал, что Сергей часто приходит в санаторий? Телеграмма пришла во вторник, а в среду Сергей вернулся домой. Жена была очень рада, что он вернулся. Сергей спросил:

— Ты получила моё письмо?

— Получила. Но оно очень странное! Почему ты написал мне так официально?

Сергей взял письмо и с **ужасом** понял, что его жена получила письмо для директора. Значит, начальник получил другое письмо...

Ужас — *horror*

На следующий день, когда Сергей пришёл на работу, он сразу пошёл к директору. Секретарь сказала, что директор уехал в министерство, а потом внимательно посмотрела на Сергея и сказала:

— Директор был очень удивлён, когда получил ваше письмо. Вот, он просил вернуть его вам.

Сергей взял письмо. Это было его письмо жене. Там он писал, как хорошо он отдыхает на юге...

— А больше в конверте ничего не было? — спросил он.

— Было, — сказала секретарь. — Была ваша фотография на лошади. Мы не знали, Сергей, что вы **джигит**!

— А где сейчас эта фотография?

— В **стенгазете**. На стене, около кабинета директора висит стенгазета, чтобы все могли её прочитать и увидеть вас на лошади...

Джигит — *skilful horseman*

Стенгазета — *newsletter displayed on the wall*

Сергей нашёл стенгазету. Статья о нём называлась «Трудная командировка». Текст был такой: «Наш коллега уже очень давно находится в командировке на юге. Работа там, на пляже, очень трудная, как написал в письме наш коллега. Он послал в офис не только письмо, но и фотографию...»

В центре статьи была его фотография. На фото Сергей сидел на лошади на фоне горы. В руке у него была шашка.

— Мама! — сказал Сергей и закрыл глаза.

Сильная рука
(по одноимённому рассказу Б. Ласкина)

- Существительные (единственное число) в разных падежах
- Виды глагола

Робкий — *shy*
Встретиться — *to meet*
Начальник — *boss*
Бояться — *to be afraid*
Попросить — *to ask*
Перевести — *to move, to transfer*
Отдел — *department*

Скажу сразу: я очень **робкий** человек. Каждый раз, когда я должен **встретиться** с **начальником** и **разговаривать** с ним, я всегда **боюсь**.

Недавно мне нужно было **попросить** начальника **перевести** меня в другой **отдел**, потому что работа там была очень интересная, и я хотел там работать. Какие проблемы? — скажете вы. Нужно пойти к начальнику и поговорить. Но я не могу!

Известный — *famous*

У меня есть друг, с которым мы вместе учились в школе. Сейчас он очень **известный** человек, его знает вся страна. Я не буду говорить его фамилию, скажу только, что его зовут Костя.

Очередь — *line*

В тот вечер я был на стадионе. Команда ЦСКА играла со «Спартаком». Во время перерыва, когда я стоял в **очереди** в буфете, кто-то закрыл мне глаза руками. Это были мужские руки. Я подумал несколько секунд и сказал: Костя!

Убрать — *to take away*
Ошибиться — *to be mistaken*

Человек **убрал** руки, я посмотрел на него и понял, что я не **ошибся** — это был Костя.

— Как ты понял, что это я? — спросил он.

— Интуиция, — ответил я.

Несколько минут мы разговаривали о матче, а потом Костя спросил:

— Что ты делаешь завтра после обеда?

— Я свободен, я сейчас в **отпуске**, — ответил я.

Отпуск — *vacation*

— Прекрасно! — сказал Костя. — Я приглашаю тебя в гости. Вот тебе мой новый адрес, это новая квартира, мы **переехали** месяц **назад**. Жду тебя завтра в 16.00.

Переехать — *to move*
Назад — *ago*

На следующий день, когда я ехал к Косте, я не думал, что буду говорить с ним о моей проблеме. Я просто хотел встретиться с ним, поговорить.

Костя **показал** мне квартиру, а потом мы пошли ужинать в кухню. Мы сидели, ели, пили и, сам не знаю как, я рассказал Косте, как я боюсь поговорить с начальником.

Показать — *to show*

— Ты хочешь, чтобы я ему позвонил? — спросил Костя.

— Нет, — ответил я. — Не надо. Если ты позвонишь, он **сразу** поймёт, что я тебя попросил. Не хочу!

Сразу — *at once*

— Как хочешь, — сказал Костя.

Мы выпили ещё пива, ещё немного поговорили и **вдруг** Костя спросил:

— Почему ты **нервничаешь**?

— Я не нервничаю, — сказал я. — Со мной **всё в порядке**.

Вдруг — *suddenly*
Нервничать — *to fret*
Все в порядке — *everything is OK*

— Нет, я вижу, что ты нервничаешь, — сказал Костя. — Ты думаешь о разговоре с начальником?

— Нет, — сказал я. — Всё в порядке, правда.

Но Костя сказал:

— Ты знаешь номер телефона начальника? Я хочу ему позвонить.

— Может быть, не надо

— Надо, — сказал Костя. — Как его зовут?

Я сказал, что его зовут Анатолий Андреевич, и дал Косте номер его телефона.

Костя позвонил моему начальнику и сказал:

— Алло, Анатолий Андреевич? Извините, с вами говорит — И Костя сказал свою фамилию. — Дело в том, что у вас работает один мой старый друг. Мы недавно встретились, поговорили, и я узнал, что он очень хочет работать в другом отделе. Работа там ему очень нравится. Да, он талантливый человек... Что? Да, **вы правы**, он очень робкий. Если можно, **помогите** ему, Анатолий Андреевич. Спасибо. Спасибо... Да, у меня есть ещё одна **просьба**. Я хотел бы, чтобы он не знал, что я вам звонил. Если он узнает — ему будет неприятно, он будет спрашивать меня: «Кто тебя просил?» Вы меня понимаете? Ну, спасибо. До свидания.

Вы правы — *you are right*
Помочь — *to help*
Просьба — *request*

Костя положил трубку.

— Ну, — сказал я. — Как он с тобой говорил?

— Нормально. Когда ты к нему пойдёшь?

— Завтра.

— Но ты ещё в отпуске.

— Это не важно. Я пойду завтра.

— Хорошо. И после визита к начальнику — сразу ко мне, расскажешь, как и что.

— Конечно, — ответил я.

На следующий день я пошёл к начальнику. Он хорошо встретил меня и внимательно слушал, что я говорю. Когда я **закончил**, он сказал:

Закончить — *to finish*

— Я хотел бы вам сказать, что о вас очень хорошо говорят...

Он сделал паузу, чтобы я понял, что он **тактичный** человек, и закончил:

Тактичный — *tactful*

— О вас очень хорошо говорят в отделе.

— Приятно слышать, — сказал я.

Мне было легко, но и немного **стыдно**, я вдруг подумал, что, может быть, лучше было сделать всё без **звонка** Кости?

— О чём вы думаете? — спросил начальник. — Вы меня не слушаете?

— Нет, я вас внимательно слушаю! — ответил я.

Через 10 минут я вышел от начальника. У меня было очень хорошее **настроение**. Начальник сказал, что я буду работать там, где хочу.

Через полчаса я приехал к Косте с коньяком. Я рассказал Косте о визите к начальнику.

— Значит, мой звонок тебе помог? — спросил Костя.

— Конечно, — ответил я. — Спасибо!

— А твоя жена уже знает, что у тебя всё в порядке? — спросил Костя.

— Нет, я не был дома, и у меня не было времени позвонить.

— Позвони ей прямо сейчас, — сказал Костя. — У меня около **подъезда** есть **телефон-автомат**.

— Я могу позвонить и отсюда, — сказал я и пошёл к телефону.

Я уже хотел **взять** трубку, но Костя сказал:

— Отсюда ты позвонить не можешь. Уже неделю этот телефон стоит тут только как декорация. Телефонная станция должна **включить** телефон на следующей неделе. Ну, что ты смотришь на меня? **Надеюсь**, **ты** не **расстроен**? Ты боялся пойти к начальнику и боялся, что тебе будет стыдно, если я ему позвоню. Я решил эти две проблемы. Я позвонил твоему начальнику из телефона, который не работает. Мне кажется, я хорошо помог тебе. А сейчас пойди позвони жене из телефона-автомата и быстро **возвращайся**: мы должны выпить этот коньяк за нас и за нашу **дружбу**!

Стыдно — *ashamed*

Звонок — *call*

Настроение — *mood*

Подъезд — *entrance*

Телефон-автомат — *paid-phone*

Взять — *to take*

Включить — *to turn on*

Надеяться — *to hope*

Ты расстроен — *you are upset*

Возвращаться — *to return*

Дружба — *friendship*

Письмо незнакомки
(по одноимённому рассказу В. Драгунского)

❄ • Существительные (единственное число) в разных падежах
• Глаголы движения
• Виды глагола

Незнакомка — *stranger (female)*
Дежурная по этажу — *woman, who is on duty in the floor*
Розовый — *pink*
Конверт — *envelope*
Номер — *room (in hotel)*
Шум — *noise*

— Вам письмо. От дамы, — сказала **дежурная по этажу** и дала Пастушкову **розовый конверт**.

Пастушков вошел в свой **номер**. Окно было открыто. За окном была весна, теплый вечер, **шум** большого города. Пастушков открыл конверт.

«Дорогой Евгений Васильевич, — читал он, — я узнала, что Вы сегодня приехали в наш город. Как я рада — не могу сказать! Я так давно хотела встретиться с Вами, увидеть вас, поговорить, рассказать, что я чувствую, когда читаю Ваши книги... Да, я всегда читаю все, что Вы пишете, и так люблю Ваши книги! Встретиться с Вами — это **огромное счастье** для меня...»

Огромный — *huge*
Счастье — *happiness*
Прелесть — *charming*
Замечательно — *remarkable*
Найти — *to find*
Вам будет легко — *you will feel at ease*
Вспомнить — *to recall*
Страницы — *pages*
Пролететь — *to fly through*
Ветер — *wind*
Приключение — *adventure*
Положить — *to put*
Плащ — *raincoat*
Вешалка — *hanger*

— **Прелесть**! — сказал Пастушков.

«...Я знаю, что Вы **замечательно** интересный человек, и прошу Вас: приходите ко мне, **найдите** для меня минутку... Я знаю, как Вы заняты, но каждый человек иногда может отдохнуть, правда? Приходите, пожалуйста. Я сейчас одна, мой муж уехал на дачу. Я живу совсем недалеко от центра. Улица Сергиевская, дом 5, квартира 20, второй этаж, троллейбус «А». Я сделаю так, что **Вам будет** приятно и **легко**...»

Пастушков улыбнулся. Он **вспомнил страницы** Мопассана и почувствовал, как по комнате **пролетел ветер приключений**.

«...Прийти можно сегодня от 7 до 9». Пастушков **положил** письмо на стол и взял **плащ** с **вешалки**.

— Прелесть! — **вслух** сказал Пастушков. — Поеду! Поеду, войду и скажу: «Здравствуйте! Я получил Ваше письмо, дорогая м-м... Как ее зовут? Забыл посмотреть!»

Пастушков опять взял письмо.

«...Прийти можно сегодня от 7 до 9. Должна Вам сказать, что после 9 будет уже **неудобно**, потому что я и мои внуки **ложимся спать** в 10.30. Приходите, мы будем Вас ждать. Ваша А.И.С.»

Пастушков медленно **повесил** плащ на вешалку.

Вслух — *out loud*

Неудобно — *not comfortable*

Ложиться спать — *to go to bed*

Повесить — *to hang*

Что со мной?

(по одноимённому рассказу А. Фединца)

❄ • Существительные и прилагательные (единственное число) в разных падежах

Я не знаю, что со мной. Но я чувствую, что что-то со мной не так. Утром я не могу **проснуться**. **Принимаю таблетку** кофеина. Не помогает. Принимаю вторую Мне уже лучше, встаю. Иду на работу. Сижу. Чувствую странное **возбуждение**. Принимаю **успокоительное**. Не помогает. Принимаю ещё. Чувствую, что хочу спать. Пью чёрный кофе. Не помогает. Пью ещё. Чувствую себя лучше.

Обед. У меня нет аппетита. Принимаю **капли**. Помогает. Ем. Хочу есть ещё. Ем ещё. После обеда хочу спать. Пью кофе. Сначала одну **чашку**, потом вторую. Уже не хочу спать.

Вечером ужинаю, ложусь спать. Хочу немного почитать, но глаза закрываются. Принимаю кофеин — две таблетки. Чувствую себя лучше. Уже не хочу спать. Лежу, читаю.

Час **ночи** — читаю.

Два часа ночи — читаю.

Чувствовать — *to feel*

Проснуться — *to wake up*

Принимать — *to take*

Таблетка — *tablet*

Возбуждение — *excitement*

Успокоительное — *sedative*

Капли — *medicine drops*

Чашка — *cup*

Ночь — *night*

Пора — *it's time*
Снотворное — *soporific, sleeping pill*
Заболеть — *to fall ill*

Три часа ночи — читаю.

Пора спать. Что делать? Принимаю **снотворное**. Сначала одну таблетку, потом вторую. Сплю.

А утром не могу проснуться.

Что со мной? Может быть, я **заболел?**

Как её фамилия?
(по одноимённому рассказу Г. Рыклина)

❄ • Существительные и местоимения (единственное число) в разных падежах
• Виды глагола
• Прямая речь

Фамилия — *family name*
Неудобно — *uncomfortable*
Имя — *name*
Отчество — *patronymic*

В кабинет начальника вошла секретарь.

— Здравствуйте, Платон Николаевич.

— Здравствуйте... Лиза.

— Простите, Лиза работала вчера, а сегодня — я. Меня зовут Лида.

— Очень рад. Я вас слушаю, Лида.

— Я, Платон Николаевич, давно хотела спросить вас, но мне было **неудобно**.

— Почему неудобно, Лида? Спрашивайте!

— Я хотела спросить вас — как моя фамилия?

— Чья фамилия?

— Моя.

— Странно... Зачем вам надо это знать? То есть я хотел сказать, почему вы вдруг спрашиваете меня об этом?

— Платон Николаевич... Мне кажется, я тоже человек, и у меня есть **имя**, **отчество** и фамилия. Хорошая фамилия. Но я часто слышу, как вы говорите: «Дайте ей этот документ», «Скажите ей, чтобы она позвонила», «Она всё это сделает». И я подумала, может быть, вы не знаете, кто я и как моя фамилия? А мы уже два года работаем вместе.

В это время в комнате Лиды зазвонил телефон. Она **заспешила**:

— Кто-то звонит. Мне надо идти. **Простите за беспокойство**, Платон Николаевич.

Девушка быстро вышла из кабинета. А Платон Николаевич сидел и думал:

— Как, **в самом деле**, её фамилия? Она **права**. Да, права... Но как её фамилия?

Заспешить — *to be in a hurry.*
Простите за беспокойство — *excuse me for the trouble*
В самом деле — *really*
Прав (-а, ы) — *right*

II. «СКАЗКИ НОВОЙ РОССИИ» (ТЕКСТЫ ПО МОТИВАМ ЖУРНАЛЬНЫХ ПУБЛИКАЦИЙ ПОСЛЕДНИХ ЛЕТ)

Фифти-фифти
(по одноимённому рассказу С. Романова)

❄ • Существительные и местоимения (единственное число) в разных падежах
• Настоящее время глаголов
• Прямая речь

Обычная квартира. В центре комнаты стоит стол, на столе лежит **толстая** книга. На стене висят непонятные астрологические **таблицы** и **схемы**.

За столом сидит **старик** и читает газету. Звонок в дверь. Старик идет открыть дверь. В комнату входит молодая женщина и говорит:

— Я много слышала о Вас, дедушка. Подруги сказали, что вы можете сказать **точно**, кто **родится** — мальчик или девочка. Я потому и пришла к Вам, хочу спросить: мальчик у меня будет или девочка?

— Нет проблем, — говорит старик, — **тариф** знаешь?

Толстый — *fat*
Таблица — *table*
Схема — *shema*
Старик — *oldman*
Точно — *exactly*
Родиться — *to be born*
Тариф — *tariff*

Класть — *to put*
Живот — *stomach*
Молчать — *to keep silence*

Женщина **кладет** на стол 50 рублей. Старик кладет руку на её **живот**. Минуту он **молчит** и думает. Потом спрашивает:

— А твой муж кого хочет?

— Мальчика.

— Вот мальчик и будет.

Улыбаться — *to smile*

Женщина **улыбается** и кладет на стол еще 50 рублей.

— Спасибо, дедушка.

Карман — *pocket*
(По)ставить — *to put*
Подпись — *signature*
Учёт — *record*
Точность — *accuracy*
Ошибиться — *make a mistake*

Старик берет деньги, кладет их в **карман** и говорит женщине:

— Вот здесь, в книге, **поставь** свою **подпись**. У меня **учёт**, как в аптеке. И гарантия **точности** — 99%. А если я **ошибся** — деньги верну.

Будущий (-ая, ее, ие) — *future*
Опять — *again*

Будущая мама ставит свою подпись в книге и уходит. Через полгода она **опять** в комнате старика:

— Вы сказали, что будет мальчик, а родилась девочка, — говорит она.

Нужный (-ая, ое, ые) — *necessary*
Страница — *page*

Старик берет книгу, находит **нужную страницу**:

— Как фамилия? Сидорова?

— Да.

— Так я тебе и сказал, что будет девочка! У меня 99% точности. Смотри: это твоя подпись?

С удивлением — *with surprise*

— Да, моя, — женщина **с удивлением** смотрит на свою подпись рядом со словом «девочка». — А я слышала, что вы сказали, что будет мальчик

— Ты меня плохо слушала. Я сказал: «Мальчика не будет».

Тогда — *then*

— **Тогда** извините, дедушка.

Женщина уходит. Старик закрывает за ней дверь, возвращается к столу и говорит:

Угадать — *to guess*

— Да, в этот раз не **угадал**. Ну, что делать — фифти-фифти!

Рождественская сказка

❄ • Существительные и прилагательные (единственное число) в разных падежах
• Виды глагола
• Выражение времени

Это случилось под **Рождество**. В доме на улице Тверская жил симпатичный мужчина. У него не было семьи, и он жил один. Вечером этот мужчина любил сидеть дома около **камина** и читать газету.

В **подвале** дома жила маленькая **мышка**. Она часто **ходила в гости** к мужчине, который жил в квартире с камином. Ей очень нравилось здесь. На кухне она всегда могла **найти** хлеб и сыр на полке в шкафу.

Но однажды к хозяину квартиры пришла одна малоприятная женщина. Она с утра до вечера **убирала** квартиру, и мышка уже не могла найти сыр и хлеб на полке в шкафу. Эта малоприятная дама всё **убрала** в холодильник. Хлеба и сыра не было и на следующий день, и через неделю, и через месяц. Пять месяцев эта женщина всё убирала в холодильник. Мышка забыла дорогу в квартиру с камином.

Пришла зима, стало холодно. И было трудно найти **еду** на улице. Был холодный вечер. На улице шёл снег. В этот день мышка была очень **голодная**. Она ничего не ела целый день, поэтому вечером она **решила** пойти к мужчине, который жил в квартире с камином.

Она долго смотрела на мужчину, который, как обычно, сидел около камина и читал газету. Мышка **надеялась**, что он увидит её и даст ей хлеб и сыр. Она ждала долго.

Наконец, мужчина прочитал газету, положил её на стол и пошёл на кухню готовить ужин.

Там он увидел мышку.

Рождество — *Christmas*
Камин — *fireplace*
Подвал — *cellar*
Мышка — *mouse*
Ходить в гости — *to go with the visit*
Найти — *to find*
Убирать — *to clean*
Убрать — *to put away*
Еда — *food*
Голодный — *hungry*
Решить — *to decide*
Надеяться — *to hope*

— Что ты здесь делаешь? — спросил он. — Я не **приглашал** тебя!

Приглашать — *to invite*

Мышка очень хотела рассказать ему, какая она голодная, сколько времени она ничего не ела, но как сказать ему об этом, она не знала. Она не могла говорить на человеческом языке.

Хозяин квартиры приготовил ужин. Это был вкусный ужин: хлеб и сыр. Ах, как маленькая мышка любила хлеб и сыр!

«Как сказать ему об этом? — думала мышка. — Может быть, принести ему красивую **бумагу**? Я видела её внизу, в подвале».

Бумага — *paper*

Человек был очень добрый. Он не мог долго смотреть на голодную мышку и дал ей немного хлеба и сыра. Мышка была очень рада. Она быстро съела всё, а потом сказала: «Я хочу сделать тебе **подарок**», — и **побежала** в подвал.

Подарок — *present*
Побежать — *to run*

Мужчина, конечно, ничего не понял, потому что он не понимал мышиный язык.

Через 30 минут мышка **вернулась**.

Вернуться — *to return*

«Как! Опять ты здесь! — сказал хозяин квартиры. — Я дал тебе всё, что у меня есть. Что ещё ты хочешь?»

А мышка **принесла** ему красивую **зелёную** бумагу. Это был её подарок. Мужчина взял бумагу. Это была банкнота в 100 долларов.

Принести — *to bring*
Зелёный — *green*

«Боже мой! Где ты взяла это?! Откуда ты принесла это?!» — спросил он.

Но маленькая мышка ничего не ответила, потому что, как мы уже знаем, она не могла говорить на человеческом языке.

И сейчас, когда мышка голодная, она идёт в гости к мужчине, который живёт в квартире с камином. Он всегда ждёт её и даёт ей хлеб и сыр, а мышка приносит ему красивую зелёную бумажку.

Вы спросите, откуда она каждый раз берёт сто долларов? Это очень просто. Внизу, где живёт маленькая мышка, в **стене** есть **клад**, где много красивой зелёной бумаги...

Стена — *wall*
Клад — *hidden treasure, hoard*

III. ТЕКСТЫ ПО МОТИВАМ РАССКАЗОВ ЗАРУБЕЖНЫХ ПИСАТЕЛЕЙ

Волшебные булочки
(по рассказу О'Генри «Чародейные булочки»)

❄ • Существительные и местоимения (единственное число) в разных падежах
• Виды глагола

Мисс Марта была приятная женщина. Ей было 40 лет. У неё был маленький магазин, 2000$ в банке и **сентиментальное сердце**. И ещё у неё была очень большая проблема: она не была замужем и очень хотела найти мужа. 2—3 раза в неделю в её магазин приходил один покупатель. Ему было лет 45, у него были приятные манеры и сильный немецкий акцент. Он всегда покупал 2 **чёрствые** булочки. **Свежая** булочка стоила 5 центов. Чёрствая булочка стоила 2,5 цента. Он покупал только 2 чёрствые булочки и ничего больше.

Один раз мисс Марта увидела на его руке **краску**. Она подумала, что он **художник**, он очень **бедный**, у него совсем нет денег, и поэтому он ест только чёрствые булочки и пьёт только воду.

Утром, когда мисс Марта завтракала, она всегда грустно думала, что бедный художник сейчас ест чёрствые булочки. Она так хотела, чтобы он мог есть вместе с ней её **вкусный** завтрак! Как я уже сказал, у неё было сентиментальное сердце.

Мисс Марта думала, что этот человек художник, но она не была **уверена**. А она хотела знать точно. Поэтому она **придумала** такой план.

У неё в спальне висела **картина**. Она купила эту картину на **аукционе** много лет на-

Волшебный — *magic*
Булочка — *loaf*
Сентиментальный — *sentimental*
Сердце — *heart*
Чёрствый — *stale*
Свежий — *fresh*
Краска — *paint*
Художник — *artist*
Бедный — *poor*
Грустно — *sadly*
Вкусный — *tasty*
Уверен (-а, ы) — *to be sure*
Придумать — *to invent*
Картина — *painting*
Аукцион — *auction*

Пейзаж — *landscape*
Мраморный — *marble*
Обратить внимание — *to pay attention*
Поставить — *to put*
Умный — *clever*
Прийти в восторг — *to be thrilled by*
Искусство — *art*
Лицо — *face*
Ах, если бы — *If it would be*
Класть (imperf) — *to put*
Шум — *noise*
Сирена — *siren*
Пожарная машина — *fire machine*
Надрезать — *to cut into*
Положить (perf) — *to put*

зад. Это был **пейзаж** в Венеции. **Мраморное** палаццо, много воды, много света, гондолы на воде... Каждый художник должен был **обратить внимание** на картину!

Мисс Марта **поставила** картину в магазине около кассы. Через 2 дня покупатель пришёл в магазин. Он, как всегда, купил 2 чёрствые булочки и сказал:

— Какая у вас красивая картина, мадам!

— Да? — Мисс Марта подумала, какая она **умная** и **пришла в восторг**. — Я так люблю **искусство** и...

Она хотела сказать «и художников», но не сказала. Потом она спросила:

— Вам нравится эта картина?

Покупатель сказал:

— Тут неправильная перспектива. До свидания, мадам.

Он взял чёрствые булочки и вышел. Мисс Марта подумала: «Какое у него приятное **лицо**, как хорошо он знает искусство! Он посмотрел на картину только один раз и сразу сказал, что перспектива неправильная... И такой человек должен есть чёрствые булочки? **Ах, если бы**...».

Мисс Марта купила новое платье и работала в магазине только в нём. Она приготовила специальный суперкрем, чтобы лицо было белое, и каждый вечер **клала** этот крем на лицо. И думала, думала, думала...

Однажды покупатель, как всегда, пришёл в магазин, дал мисс Марте 5 центов и сказал: «2 чёрствые булочки, пожалуйста». В это время и он, и мисс Марта услышали на улице **шум**, **сирену** и увидели, как по улице едет **пожарная машина**. Покупатель, как любой нормальный человек, вышел из магазина, чтобы посмотреть, что случилось. И тогда мисс Марта поняла, что она должна делать: она **надрезала** булочки и **положила** в них масло.

Потом она положила булочки в пакет. Покупатель вернулся в магазин, взял пакет, сказал «спасибо» и ушёл.

Когда он ушёл, мисс Марта начала думать: правильно или неправильно она сделала. Может быть, он подумает, что женщина не должна делать **первый шаг**? А, может быть, должна?

Весь день она могла думать только об этом. Она думала: что будет?

После обеда она увидела, что в магазин входят 2 человека. Один был её художник, второй — молодой человек. Мисс Марта видела его первый раз.

Художник был весь красный, он **с ненавистью** смотрел на мисс Марту и громко повторял:

— **Dummkopf**!

Молодой человек сказал:

— Не надо, пойдём домой!

Но художник сказал:

— Я не хочу уходить домой! Я хочу ей всё сказать! Вы **наглая** старая кошка!

Мисс Марта была **в ужасе**. Она смотрела на него и ничего не понимала.

— Пойдём, ты уже всё сказал! **Достаточно**! — сказал молодой человек.

Он взял художника за **плечо**, и они вышли из магазина. Через минуту молодой человек вернулся в магазин один. Он сказал мисс Марте:

— Извините его, он очень **расстроен**. Вы, как мне кажется, не понимаете, что случилось. **Дело в том**, **что** этот человек — архитектор, мой коллега. Он 3 месяца готовил проект **здания** новой **мэрии**. Он готовил этот проект для **конкурса**. Вы, **наверно**, знаете, а, может быть, не знаете, что сначала проекты делают в карандаше, а потом нужно **убрать** карандаш. И лучше всего убирает карандаш

Первый шаг — *first step*

С ненавистью — *with the hatred*

Dummkopf (нем.) — *fool*

Наглый — *impudent*

В ужасе — *in a horror*

Достаточно — *enough*

Плечо — *shoulder*

Расстроен (-а, ы) — *upset*

Дело в том, что — *the point is that*

Здание — *building*

Мэрия — *city hall*

Конкурс — *competition*

Наверно — *probably*

Убрать — *to remove*

чёрствый хлеб. Поэтому он регулярно покупал у вас чёрствые булочки. Вчера вечером проект был почти готов, нужно было только чуть-чуть убрать карандаш. А сегодня, ваше масло... Вы понимаете... Извините...

Снять — *to take off*
Надеть — *to put on*
Мусор — *rubbish*

И молодой человек ушёл. Мисс Марта пошла в спальню, **сняла** новое платье и **надела** старое. Потом она взяла суперкрем и положила его в пакет для **мусора**.

Опасная болезнь
(по рассказу А. Несина «Мученик поневоле»)

❄ • Существительные (единственное число) в разных падежах
• Виды глагола
• Прямая речь

В автобусе было очень много людей. Около двери стоял странный пассажир, на которого смотрели все другие пассажиры.

Повязка — *bandage*
Синяк — *bruise*
Предложить — *to offer*

Его левая рука была в гипсе, на голове была **повязка**, под глазом большой **синяк**. Один пассажир встал и **предложил** ему своё место.

— Спасибо! — сказал инвалид и сел.

— О, это ты, Сельман! — сказал пассажир, который предложил ему своё место. — Я не понял, что это ты! Что с тобой? Что случилось?

— Ой, здравствуй, Сарафеттин! Лучше не спрашивай! Я в гипсе уже целый месяц...

— А что говорят врачи?

Честно — *honestly*
Заразный — *infectious*

— Ох! Врачи мне не помогут. Скажу тебе **честно**: у меня очень **заразная** болезнь.

Сарафеттин был удивлён:

— Но если ты болен, почему ты не дома? Ты должен лежать!

— Я не могу сидеть дома. Я получил эту болезнь от сына. У него эта болезнь хроническая. И у меня сейчас тоже. Мой сын, понимаешь, играл в футбол. После **матча** приходил домой, как с фронта. Потом, слава Богу, он, наконец, **сломал** ногу и не может сейчас играть. Я был очень рад, жена тоже. Мы говорили: «**Пусть** будет без ноги, но **живой**!» После этого мой сын стал **болельщиком**. В день матча всегда едет на стадион. А какой он приходит со стадиона! Без **голоса**, с синяком тут, там... Наконец я подумал, что я сам должен посмотреть, что он делает там, на стадионе. И мы поехали туда вместе.

Началась игра. **Мне**, конечно, **было всё равно**, какая команда **выиграет**. Я смотрел, как реагируют люди на стадионе. И вдруг **забили гол**. Это был прекрасный гол — я сам видел! А судья не **засчитал** этот гол! Я очень не люблю **несправедливость**! И я начал **кричать**, как другие болельщики. Вдруг я услышал, как **сзади** кто-то сказал, что судья правильно не засчитал гол.

«Нет, — сказал я. — Судья сделал неправильно! Это был прекрасный гол! Наверное, судья получил **взятку**!» Тогда этот человек говорит мне: «**Скотина**!». Я ответил ему, что скотина — это его отец, а не я. Как только я сказал эти слова, я **упал** от **удара**. Я, понимаешь, первый раз был на матче и не знал, какой характер у болельщиков.

После этого команда, из-за которой я **пролил кровь**, стала дорога моему сердцу. Другие люди тоже **вошли в азарт**. Никто уже не видел, что делают на поле. Все **били** друг друга. Я тоже начал бить какого-то человека и **чуть не убил** его. Хорошо, что он **вовремя** сказал, что болеет за мою команду. Потом какой-то мужчина начал бить меня. Я кричу сыну: «Помоги!», а он не слышит: он на поле бьёт судью.

Я **пришёл в себя** в больнице...

Матч — *match*
Сломать — *to break*
Пусть — *let it be*
Живой — *alive*
Болельщик — *fan*
Голос — *voice*
Мне было всё равно — *it was all the same to me*
Выиграть — *to win*
Забить гол — *to score*
Засчитать — *to allow*
Несправедливость — *injustice*
Кричать — *to cry*
Сзади — *behind*
Взятка — *bribe*
Скотина — *swine*
Упасть — *to fall down*
Удар — *blow*
Пролить кровь — *to spill blood*
Войти в азарт — *to get carried away*
Бить — *to beat*
Чуть не — *almost, nearly*
Убить — *to kill*
Вовремя — *on time*
Прийти в себя — *to come to oneself*

— И после этого ты болен? — спросил Сарафеттин.

— Нет, что ты! Я опять ходил на стадион в воскресенье. Играла моя команда! Я не мог сидеть дома... Ох, как у меня всё болит...

Автобус остановился. Сельман встал:

— До свидания, Сарафеттин.

— До свидания, Сельман. Ты сейчас идёшь к доктору?

— Нет, что ты! Сегодня такая игра! Ох! Боюсь опоздать!

УРОВЕНЬ Б (❄❄)

I. ТЕКСТЫ ПО МОТИВАМ РАССКАЗОВ РУССКИХ И СОВЕТСКИХ ПИСАТЕЛЕЙ

Гипнотизёр

(по рассказу А. Чехова «На магнетическом сеансе»)

❄❄
- Существительные и местоимения (единственное и множественное число) в разных падежах
- Безличные конструкции
- Глаголы с частицей **–ся**
- Виды глагола

Большой зал был **полон** народа. Все пришли посмотреть, как работает гипнотизёр.

Он делал настоящие **чудеса**. Он **заставлял** людей спать, ходить и говорить во сне.

Вдруг гипнотизёр **подошёл** ко мне.

— Мне кажется, — сказал он, — что у вас очень **податливая натура**. Не хотите ли **уснуть**?

Ну, почему не уснуть? Пожалуйста, милый, **попробуй**. Я сел на стул **посредине** зала. Гипнотизёр сел на стул напротив, взял меня за руку и начал внимательно смотреть мне в глаза.

Стало **тихо**. Мы сидим и смотрим в глаза друг друга. Минута, две... Спать почему-то не хочется. Ещё 5 минут, 7 минут...

— Он не **засыпает**! — сказал кто-то. — Браво! Молодец!

Сидим, смотрим. Спать совсем не хочется. На **собрании** мне всегда хочется спать, а здесь нет. Публика начинает тихо смеяться. Гипнотизёр не знает, что делать, ему стыдно, что он ничего не может сделать со мной.

Гипнотизёр — *hypnosiser*
Полон (-а, ы) — *full*
Чудеса — *miracles*
Заставлять — *to make to*
Подойти — *to approach*
Податливый — *pliable*
Натура — *nature*
Уснуть — *to fall asleep*
Попробовать — *to try*
Посредине — *in the middle*
Тихо — *quietly*
Засыпать — *to fall asleep*
Собрание — *meeting*

Хватит — *that's enough*

На ощупь — *by touch*

Способность — *talent*

К сожалению — *unfortunately*

Объяснение — *explanation*

Свинство — *filth*

Честность — *honesty*

Объяснить — *to explain*

Сердиться — *to be angry*

Иметь в виду — *to mean*

— Не засыпает! — говорит тот же голос. — **Хватит**, не надо!

И вдруг в этот момент я почувствовал, что кто-то вложил мне в руку бумажку. Мой отец был доктором, а доктора **на ощупь** могут узнать деньги.

По теории Дарвина я получил от отца эту **способность** и узнал в бумажке десять рублей. Конечно, я сразу заснул.

— Браво, гипнотизёр! — закричали в публике.

В зале был доктор. Он подошёл ко мне, посмотрел и сказал:

— Н-да... Заснул.

— Чем это объяснить? — спросила какая-то дама.

Доктор ответил:

— **К сожалению**, у нас есть только факты, **объяснения** нет.

У вас есть факты, а у меня — 10 рублей! Мне лучше. Спасибо гипнотизёру за эти деньги, а объяснения мне не нужны.

P.S. Ну не **свинство**?!

Только что узнал, что деньги вложил в мою руку не гипнотизёр, а Пётр Фёдорович, мой начальник.

— Это, — говорит, — я сделал, чтобы проверить твою **честность**... Стыдно! Нехорошо, некрасиво.

— Но у меня дети, семья, — хотел **объяснить** я. — Мать старая, жена... Сейчас всё так дорого...

— Нехорошо, стыдно, — продолжал начальник. — Я думал, что ты честный человек, а ты...

Пришлось вернуть ему деньги. Что делать?

— Я на тебя не **сержусь**! — сказал начальник. — Но ОНА! Она тоже денег захотела. Тоже заснула!

Под словом ОНА мой начальник **имеет в виду** свою жену Марию Никитичну.

Радость
(по одноимённому рассказу А. Чехова)

❄❄ • Существительные (единственное число) в разных падежах
• Виды глагола

Было 11 часов ночи. **Возбужденный** Митя Иванов влетел в квартиру родителей и быстро начал бегать по комнате. Родители собирались ложиться спать. Сестра лежала в кровати и читала книгу. Младшие братья уже спали.

— Откуда ты? — удивились родители. — Что с тобой?

— Ох, не спрашивайте! Я и **представить себе** не мог, что так будет! Это фантастика!

Митя засмеялся и сел в кресло, потому что вдруг **обнаружил**, что **от радости** не может стоять.

— Что ты **имеешь в виду**? Что случилось? — еще раз спросила мать.

— Это фантастика! — повторил Митя. — Вы не можете себе представить!

— Вот, смотрите! — И Митя положил на стол газету.

Сестра встала и подошла к брату. Младшие братья тоже **проснулись**.

— Но что случилось? Почему ты **нервничаешь**? — спросил отец.

— Я не нервничаю, это я от радости. — сказал Митя. — Раньше только вы знали, что живет в Москве Дмитрий Иванов, а сейчас вся Россия узнает! Обо мне сообщили в газете!

— Что? Где?

— Вот, в газете! Читайте!

Отец Мити взял очки и начал читать: «29 декабря в 11 часов вечера Дмитрий Иванов...»

— Видите, видите? Дальше!

«Дмитрий Иванов выходил из ресторана, **пьяный**...»

Возбуждённый — *excited*

Представить себе — *to imagine*

Обнаружить — *to find out*

От радости — *because of joy*

Иметь в виду — *to mean*

Проснуться — *to wake up to fret*

Нервничать — *to be nervous*

Пьяный — *drunk*

Упасть — *to fall down*
Попасть — *to get*
Оформить протокол — *to draw up a protocol*

— Все точно! — сказал Митя, — это я ходил в ресторан с Петром Ивановичем.

«...выходил из ресторана пьяный, **упал** и **попал** под лошадь. О том, что случилось, **оформили протокол**. В полиции Дмитрий Иванов получил медицинскую помощь».

— Ну, прочитали? Вся Россия обо мне знает! Дайте мне газету!

Митя взял газету и положил ее в карман:

— Пойду к Петровым, потом к Наталье Ивановне, Александру Васильевичу! Извините, спешу!

И радостный Митя быстро ушел.

Дачники
(По одноимённому рассказу А. Чехова)

❄❄ • Существительные (единственное число) в разных падежах
• Безличные конструкции
• Виды глагола
• Прямая речь

Дачник — *summer resident*
Небо — *sky*
Желтый — *yellow*
Луна — *moon*
Пара — *couple*
Ей было завидно — *she felt envious*
Во сне — *in a dream*
Лес — *forest*
С любовью — *with love*

По дачной платформе гуляла молодая пара. Они очень любили друг друга и были счастливы. Погода была прекрасная, на **небе** висела большая **желтая луна**. Она смотрела на **пару**, и **ей**, казалось, **было завидно**, что она одна на небе.

— Как хорошо, Саша, как хорошо! — говорила жена. — Мне кажется, что мы видим все это **во сне**. Посмотри, какой красивый **лес**! А там, далеко, слышишь, идет поезд!

— Да, слышу, — сказал Саша и **с любовью** посмотрел на жену. — Правда, очень хорошо, Варя! А что у нас сегодня на ужин?

Курица — *chicken*
Достаточно — *enough*

— Салат и **курица**. Курица маленькая, но нам **достаточно**. Смотри, поезд уже близко... Как хорошо!

— Посмотрим на поезд и пойдем домой, — сказал Саша, — Хорошо мы с тобой живем, Варя! Фантастически хорошо!

Поезд остановился около станции.

— Ах! Ах! — услышали **вдруг** Варя и Саша. — Смотрите, это Варя! И Саша! Вот они! Варя! Саша! Ах!

Вдруг — *suddenly*

Из поезда вышли две девочки, за ними **толстая** немолодая женщина, за ней **тощий** немолодой мужчина, потом два мальчика с багажом, за ними гувернантка, за гувернанткой бабушка.

Толстый — *fat*
Тощий — *skinny*

— А вот и мы! Вот и мы! — сказал тощий мужчина Саше. — Ты уже, конечно, думаешь: почему **дядя** не едет в гости? Коля, Костя, Нина, Ира, дети... **Целуйте** кузена Сашу! Мы приехали на 4—5 дней. **Ты, надеюсь, рад**?

Дядя — *uncle*
Целовать — *to kiss*
Надеяться — *to hope*
Ты рад — *Are you glad?*

Когда муж и жена увидели дядю с семьей, они **пришли в ужас**. Саша смотрел на дядю и с ужасом думал, что будет: он и жена отдадут гостям свои комнаты, **подушки** и **одеяла**; гости за пять минут съедят салат и курицу, кузены будут громко **кричать** в комнате, тетя будет с утра до вечера говорить, как она больна и какие плохие сейчас врачи...

Прийти в ужас — *to be horrified*
Подушка — *pillow*
Одеяло — *blanket*
Кричать — *to shout*

И сейчас Саша уже **с ненавистью** посмотрел на жену и тихо сказал:

— Это они к тебе приехали! **Чёрт их возьми**!

С ненавистью — *with hatred*
Чёрт их возьми! — *Damn them!*

— Нет, к тебе! Это не мой, а твой дядя! — тоже с ненавистью ответила жена.

И она с улыбкой сказала гостям:

— **Милости просим**!

Милости просим — *Welcome*!

Из-за облака вышла луна. Она смотрела на Сашу и Варю и, казалось, ей было приятно, что она одна, что у нее нет дяди.

Саша с трудом сделал приятное лицо и сказал:

— **Добро пожаловать**, дорогие гости!

Добро пожаловать! — *Welcome*!

Шутка
(по рассказу А. Чехова «Шуточка»)

❄❄ • Существительные и прилагательные (единственное число) в разных падежах
• Виды глагола
• Глаголы движения

Мороз — *frost*
Гора — *mountain*
Санки — *sled*

Сужасом — *with the horror*
Ей кажется — *it seems to her*
Согласиться — *to agree*
Лететь — *to fly*
Шуметь — *to make a noise*

Внимательно — *attentively*

Курить — *to smoke*
Перчатка — *glove*

Грустно — *sadly*
Волновать — *to worry*

Зимний день... Сильный **мороз**. Наденька и я стоим на высокой **горе**. Около нас стоят **санки**.

— Поехали вниз, Надежда Петровна! Только один раз! С нами ничего не случится.

Но Наденька боится. Она **с ужасом** смотрит вниз, и **ей кажется**, что она умрёт, если съедет с горы.

— Я прошу вас! Не бойтесь!

Наконец Наденька **согласилась**, и мы быстро **летим** вниз. Ветер **шумит** так сильно, что мы почти ничего не слышим.

— Я вас люблю, Наденька, — тихо говорю я.

Санки бегут медленнее, и мы, наконец, внизу.

— Я никогда больше не поеду, — говорит с ужасом Наденька.

Через некоторое время она **внимательно** смотрит на меня и хочет понять: сказал ли я четыре слова или ей показалось из-за ветра. А я стою около неё, **курю** и внимательно смотрю на свои **перчатки**.

Потом мы долго гуляем около горы. Наденька **грустно** смотрит на меня. «Да или нет»? — этот вопрос очень **волнует** её. Она ждёт, когда я начну говорить первый. Она хочет что-то сказать, что-то спросить, но не знает как.

— А давайте ещё раз съедем с горы! — говорит она.

И мы ещё раз пошли наверх, сели на санки и полетели. И опять, когда ветер начал сильно шуметь, я тихо сказал:

— Я люблю вас, Наденька.

Мы внизу. Наденька смотрит на гору, потом на меня и внимательно слушает мой **равнодушный** голос. На её лице можно прочитать:

— **В чём дело**? Кто сказал эти слова? Он, или мне показалось?

Бедная девочка **сердится** и готова заплакать.

— Может быть, мы пойдём домой? — говорю я.

— Нет, мне нравится здесь. Поехали ещё раз!

Мы летим с горы третий раз, и я вижу, что она смотрит на меня. Но я закрыл рот **платком**, начал **кашлять**, и когда **подъехали** к середине горы, быстро сказал:

— Я люблю вас, Наденька.

Наденька **молчит** и о чём-то думает. Я **провожаю** её домой. Она идёт очень медленно, и ждёт, когда я повторю эти четыре слова. Кажется, она думает:

— Это не может быть ветер. Я не хочу, чтобы это был ветер!

На другой день я получил письмо: «Если вы пойдёте гулять, заходите за мной! Н.»

И мы начали гулять каждый день вместе. И каждый раз, когда мы летим с горы, я говорю: «Я люблю вас, Наденька».

Скоро Наденька **привыкла** слушать эти слова. Она привыкла к ним, как к морфию. Она до сих пор не знает, чьи это слова, но она не может жить без них.

Однажды я увидел, что Наденька сама решила съехать с горы. Она очень боится, но она должна узнать: услышит она сладкие слова без меня или нет. Наденька села на санки и полетела вниз. Я не знаю: слышит ли она что-нибудь.

Наденька уже внизу. По-моему, она сама не знает, что она слышала. Она так боялась

Равнодушный — *indifferent*
В чём дело? — *What's the matter?*
Сердиться — *to get angry*

Платок — *handkerchief*
Кашлять — *to cough*
Подъехать — *to approach*
Молчать — *to be silent*
Провожать — *to accompany*

Привыкнуть — *to get used to*

там, одна, на горе, что не могла ничего слышать.

Весна — *spring*
Навсегда — *forever*
Как это было давно! — *How long ago it was!*
Замужем — *married*

Наступила **весна**, март. Гора стоит без снега. Мы не гуляем в парке, и Наденька уже не может услышать слова любви. Завтра я уеду в Петербург, может быть, **навсегда**.

Как это было давно! Сейчас Наденька уже **замужем**, и у неё дети. Но я уверен, что время, когда мы гуляли вместе, и слова «я вас люблю» Наденька никогда не забудет.

Шутить — *to joke*

И я сейчас не понимаю, почему я говорил эти слова, зачем **шутил**...

Как я делал предложение
(по одноимённому рассказу А. Чехова)

❄❄ • Существительные (единственное и множественное число) и прилагательные (единственное число) в разных падежах
• Виды глагола
• Прямая речь

Предложение — *proposal*
Приданое — *dowry*
Образован (-на, ны) — *educated*
Скамейка — *bench*
Скучать — *to miss*
Волноваться — *to be worry*
Судьба — *fortune*
Зависеть от — *to depend on*

Был чудесный вечер. Я оделся и поехал к ней. Она молодая, красивая девушка с **приданым** тридцать тысяч. Она немного **образованна** и любит меня, автора, как кошка.

Я нашёл её на нашей любимой **скамейке.**

— Разве можно так опаздывать? Ведь вы знаете, как я **скучаю**!

Я очень **волновался**, потому что в этот день я приехал, чтобы решить свою **судьбу**. Всё **зависело** от этого вечера.

— Почему вы молчите? — спросила она.

— Гм... Я, Варвара Петровна, хочу поговорить с вами. Я не могу больше молчать.

Варя тоже начала волноваться. Она знала, о чём я хотел говорить.

Чувство — *feeling*

— Зачем молчать? Рано или поздно надо открыть свои **чувства**. Вы, конечно, уже поняли, зачем я хожу сюда каждый день, Варвара Петровна.

— Ну?

— Что говорить? Люблю, и всё. Ужасно люблю! Варвара Петровна, почему вы молчите?

— Что вам?

— Нет?

Варя **улыбнулась** и тихо ответила:

— Почему нет?

Я **схватил** её руку, поцеловал. В моей **груди** стало так тепло, **как будто** поставили самовар. Я понял, что Варя любит меня. И вот, когда я понял, что у меня будет хорошенькая жена, хорошие деньги и хорошая карьера, что-то случилось со мной. Я захотел показать, что у меня есть принципы.

— Варвара Петровна! — начал я. — Я должен сказать вам, кто я и что я. Да, я **честный** человек и много работаю. У меня есть будущее... Но я беден... У меня ничего нет.

— Я знаю, — сказала она.

— Я получаю копейки за свои литературные работы. Я **привык** жить бедно. Я могу неделю не обедать... Но вы! Вы, для которой **немодный** цветок уже большое несчастье, **неужели** вы согласитесь **оставить** всё **ради** меня?

— У меня есть деньги! У меня приданое!

— **Ерунда**! Что мы будем делать, когда закончатся ваши деньги? Поверьте, дорогая, я знаю, что говорю! Подумайте, пока не поздно!

— У меня есть приданое!

— Сколько? Двадцать, тридцать тысяч! Ха-ха! Миллион? И потом я не могу взять ваши деньги... Нет! Никогда! Я слишком **горд**!

Варя **задумалась**. Я был рад. «Если задумалась, значит, **уважает** меня», — думал я.

Варя слушала, слушала... Наконец она встала и сказала:

Улыбнуться — *to smile*
Схватить — *to seize*
Грудь — *chest*
Как будто — *as if*
Честный — *honest*
Привыкнуть — *to get used to*
Немодный — *not fashionable*
Неужели — *really*
Оставить — *to leave*
Ради — *for the sake of*
Ерунда — *trifle*
Горд — *proud*
Задуматься — *to begin to think*
Уважать — *to respect*

Пара — *couple*
Обмануть — *to cheat*

— Спасибо вам. Вы хорошо сделали, что сказали мне правду. Я не могу... Я не **пара** вам... Если я пойду за вас, я **обману** вас. Я не могу стать вашей женой. Я не привыкла ходить пешком, люблю дорогие пирожные и потом платья... Нет! Прощайте!

И она ушла. А я? Я стоял, как дурак. Когда я пришёл в себя, я понял, что я сделал, но было уже поздно. Я вернулся домой ни с чем.

Через три дня я опять поехал к Варе. Мне сказали, что она больна и скоро уедет с отцом в Петербург, к бабушке.

Бить — *to beat*
Исправить — *to improve*
Посоветовать — *to advice*

Сейчас я лежу на кровати и **бью** себя по голове. Читатель, как всё **исправить**? Как вернуть свои слова обратно? Что сказать ей и написать? **Посоветуйте**!

Как спать хочется!
(по одноимённому рассказу А. Чехова)

❄❄ • Существительные и прилагательные (единственное число) в разных падежах
• Виды глагола
• Прямая речь

Лечь — *to lay down*

— Как спать хочется! — думал я. — Приду с работы домой и **лягу** спать.

Дома я быстро пообедал и через десять минут уже лежал в постели. Хорошо жить на свете!

Заснуть — *to fall asleep*
Вдруг — *suddenly*
Повернуться — *to turn*
Бок — *side*
Одеяло — *blanket*

Я уже почти **заснул**, как **вдруг** кто-то громко закричал за стеной:

— Иван Осипович, сюда!

Я открыл глаза. В соседнем номере открыли бутылку. Я **повернулся** на другой **бок** и закрыл голову **одеялом**.

— «Я вас любил, любовь ещё, быть может...» — запел баритон в соседнем номере.

— Почему у вас нет пианино? — спросил другой голос.

— Чёрт, — сказал я. — Не дадут заснуть.

Открыли другую бутылку. Кто-то ходил по комнате. Кто-то закрывал и открывал дверь.

Я положил на голову подушку.

— Тимофей, принеси самовар! Если придёт блондин в **шубе**, скажи ему, что мы здесь...

Шуба — *fur-coat*

Я встал и постучал в стену. В соседнем номере стало тихо. Я опять закрыл глаза. Но через минуту опять начали шуметь.

— Господа! — крикнул я. — Когда, наконец, это закончится? Я болен и спать хочу.

— Спите, вам никто не **мешает**; а если вы больны, идите к доктору! «Любовь, любовь...» — баритон опять запел.

Мешать — *to disturb*

— Это **непорядочно**, — сказал я.

Непорядочно — *dishonorable*

— **Молчать**! — сказал за стеной **старческий** голос.

Молчать! — *shut up!*

Старческий — *old person's*

— А вы кто такой?

— Молчать!!!

— Пьяный мужик!

— Молчать!!! — десять раз повторил старческий голос.

Я страшно **рассердился**.

Рассердиться — *to get angry*

— Если вы не замолчите, — крикнул я, — я пошлю за полицией! Тимофей!

— Молчать!!! — ещё раз крикнул старческий голос.

Я встал и побежал в соседний номер.

Там пили. На столе стояли бутылки. На диване лежал **лысый** старик, а около него известная в городе кокотка-блондинка. Он лежал, смотрел на мою стену и кричал:

Лысый — *bald*

— Молчать!!!

Я открыл рот, чтобы начать скандал, и... о ужас!!! Я узнал директора банка, где я работаю. **Сон** и **злость** немедленно **слетели** с меня. Я выбежал из номера.

Сон — *dream*

Злость — *malice*

Слететь — *to fall down*

Догадаться — *to guess*
Испугать — *to scare*
Племянница — *niece*

Целый месяц директор не смотрел на меня и ничего не говорил. Наконец, он сказал мне:

— Я думал, что вы сами **догадаетесь**... Но я вижу, что вы не понимаете... Мы не можем работать вместе... Вы так **испугали** мою **племянницу** в гостинице... Вы понимаете?

Я понял, что для меня это конец.

Женщина без предрассудков
(по одноимённому рассказу А. Чехова)

❄❄ • Существительные и прилагательные (единственное число) в разных падежах
• Виды глагола
• Прямая речь
• Глаголы с частицей «-ся»
• Краткие прилагательные

Предрассудок — *prejudice*
Широкоплечий — *board-shouldered*
Необыкновенно — *unusually*
Силён — *strong*
Храбр — *brave*
Смел — *bold*
Бояться — *to be afraid*
Бледнеть — *to turn pale*
Дрожать — *to tremble*
Отказать — *to refuse*
Предложение — *proposal*
Страстно — *with passion*
Нетерпение — *impatience*
Лошадь — *horse*
Уверен — *sure*

Максим Кузьмич Салютов был высокий **широкоплечий** атлет. Он был **необыкновенно силён**, **храбр**, **смел** и никогда ничего не **боялся**.

Но что случилось с ним, когда он заговорил о своей любви Елене Гавриловне! Он **бледнел**, краснел, **дрожал**. Вы думаете, он боялся, что она **откажет**? Нет. Елена Гавриловна давно любила его и ждала **предложения** руки и сердца. Она, маленькая, хорошенькая брюнетка, **страстно** любила его и готова была каждую минуту умереть от **нетерпения**. Ему уже тридцать, у него не много денег, но как он красив, умён, как он танцует и ездит на **лошади**!

Он и сам знал, что она любит его. Он был **уверен** в этом, но одна **мысль** не давала ему жить.

— Будьте моей женой! — говорил он Елене Гавриловне. — Я вас люблю!

И сам думал:

«Могу ли я быть её мужем? Нет! Если бы она знала моё **прошлое**!»

Но когда Елена Гавриловна тоже сказала ему, что она любит его, он **почувствовал** себя счастливым.

Дома он думал:

«**Подлец** я! **Бесчестный** человек. Я должен рассказать ей всё. Но я не сделал, и я, значит, подлец! Я расскажу ей всё до **свадьбы**».

Но он не сделал этого. Молодые поженились. Бедный Максим Кузьмич был страшно несчастлив. «Расскажу ей всё сейчас, прямо в спальне», — решил он.

Он взял её за руку и сказал:

— Я должен **объясниться**...

— Что с тобой, Макс? Ты болен?

— Я должен рассказать тебе всё, Лёля... Садись... Ты должна знать всё о моём прошлом.

Лёля сделала большие глаза и **улыбнулась**.

— Ну, я слушаю, — сказала она.

— Я родился в бедной семье. Ты **ужаснёшься**, когда всё узнаешь... Когда я был мальчиком, я продавал яблоки... **груши**...

— Ты?!

— Милая, это ещё не так ужасно. О, я несчастный! Ты **разлюбишь** меня, когда узнаешь!

— Но что?

— Когда мне было двадцать лет... я был... прости меня! Только не уходи от меня! Я был клоуном в цирке!

— Ты?! Клоуном?

И Лёля весело засмеялась.

— Ха-ха-ха... Ты был клоуном? Ты? Максимка, милый, покажи что-нибудь!

Она подбежала к Салютову и **обняла** его...

— Покажи что-нибудь, милый!

— Ты смеёшься надо мной?

— Ну, сделай что-нибудь! А на **канате** ты умеешь ходить?

Мысль — *thought*
Прошлое — *past*
Почувствовать — *to feel*
Подлец — *scoundrel*
Бесчестный — *dishonorable*
Свадьба — *wedding*
Объясниться — *to explain (oneself)*
Улыбнуться — *to smile*
Ужаснуться — *to be terrified*
Груша — *pear*
Разлюбить — *to stop loving*
Обнять — *to embrace*
Канат — *tightrope*

Сердиться — *to be angry*

Он долго стоял и ничего не понимал, почему она просит его показать что-нибудь. Но он был счастлив, что она не **сердится.** И Максим Кузьмич подошёл к кровати и стал на голову.

— Браво, Макс! Ха-ха! Ещё!

Макс сделал salto mortale...

Шум — *noise*
Стучать — *to knock*

Утром родители Лёли страшно удивились, когда услышали **шум** наверху.

— Кто там **стучит**? — спрашивали они друг друга.

Осторожно — *carefully*
Чуть не — *nearly*

Папаша пошёл наверх. Он подошёл к двери, за которой спали молодые. Шум шёл оттуда. Папаша постоял немного, потом он **осторожно** открыл дверь и **чуть не** умер от удивления: посреди спальни Максим Кузьмич делал salto mortale, около него стояла Лёля и аплодировала. Они были счастливы.

Антрепренёр под диваном
(по одноимённому рассказу А. Чехова)

❄❄
- Существительные и прилагательные (единственное число) в разных падежах
- Виды глагола
- Императив
- Прямая речь
- Глаголы с частицей **-ся**

Антрепренёр — *impresario*
Спектакль — *performance*
Переодеваться — *to change one's clothes*
Остаться — *to remain*
Вздох — *sigh*
Звук — *sound*
Вскрикнуть — *to exclaim*

На сцене театра шёл **спектакль**. Клавдия Матвеевна Дольская-Каучукова, молодая симпатичная артистка, вбежала в свою комнату и начала быстро **переодеваться**. И вот, когда она **осталась** в костюме Евы, и взяла другое платье, она вдруг услышала чей-то **вздох**. **Звук** шёл из-под дивана.

— Кто здесь?! — **вскрикнула** она и закрылась платьем.

— Это я... я... — тихо сказал кто-то из-под дивана. — Не бойтесь, это я...

Артистка узнала голос антрепренёра Индюкова.

— Вы?! — **рассердилась** она и покраснела, как пион. — Это значит, вы всё время лежали здесь?

— **Душенька** моя! — **зашептал** Индюков, — не сердитесь! Убейте, но не **шумите**! Ничего я не видел, не вижу и видеть не хочу! Послушайте меня, старика. Из Москвы приехал муж моей Глашеньки, Прындин. Сейчас он в театре и **ищет** меня. Ужасно! Кроме Глашеньки, я ему должен ещё пять тысяч!

— **А мне какое дело**? **Убирайтесь** отсюда сейчас же!

— Душенька, я вас очень прошу, помогите! Где я ещё могу **спрятаться**, если не здесь, в вашей комнате. Он везде меня найдёт, а сюда не **догадается** зайти. **Умоляю**!

— Уходите, мне пора уже одеваться. Убирайтесь, или я закричу.

— Тише!.. Надежда вы моя! Я буду давать вам пятьдесят рублей к зарплате, только **разрешите** остаться здесь!

Но артистка не захотела слушать. Она подбежала к двери, чтобы крикнуть.

Индюков **схватил** её за ногу.

— Семьдесят пять рублей!

— **Врёте**!

— **Обещаю**!

Актриса немного подумала и сказала:

— Ну, ладно, только потом не забудьте, что вы обещали. Можете сидеть здесь, — согласилась Дольская-Каучукова.

Спектакль закончился. Артистке подарили большой букет цветов. Когда она шла к себе, за сценой она встретила Индюкова.

— Вы представляете, душенька, я **ошибся**. Это был не Прындин.

— Но вы помните, что мне обещали? — спросила артистка.

Рассердиться — *to become angry*
Душенька — *darling*
Зашептать — *to start to whisper*
Шуметь — *to make a noise*
Искать — *to look for*
А мне какое дело? — *That's not my business*
Убирайтесь! — *get away!*
Спрятаться — *to hide*
Догадаться — *to guess*
Умолять — *to entreat*
Разрешить — *to permit*
Схватить — *to catch*
Врать — *to lie*
Обещать — *to promise*
Ошибиться — *to be mistaken*

Неизвестный — *unfamiliar person*

— Помню, дорогая моя, но это не Прындин был, а какой-то другой человек. Почему я должен платить за него? Я честный человек, душенька. Если бы это Прындин был, то, конечно, я бы сделал, что обещал, а это кто-то **неизвестный**. За что же платить?

Из дневника одной девицы
(по одноимённому рассказу А. Чехова)

❄❄ • Существительные и прилагательные (единственное число) в разных падежах
• Виды глагола

Статный — *stately*
Усы — *moustache*
Прелесть — *charming*
Делать вид — *to pretend*
Бедняжка — *poor fellow*
Послать воздушный поцелуй — *to blow a kiss*
Улыбнуться — *to smile*
Влюблён (а, ы) — *to be in love*
Ради — *for the sake of*
Велеть — *to order*
Жулик — *rogue*
Порядочный — *respectable*
Бросить — *to throw*
Стена — *wall*
Стучать — *to beat*
Завидовать — *to envy*
Ревновать — *to be jealous*
Остановить — *to stop*

13-го октября. Наконец и на моей улице праздник. Перед моим окном уже пятый день с утра до поздней ночи ходит высокий, **статный** брюнет и смотрит на наши окна. **Усы** — **прелесть**! Я **делаю вид,** что не вижу его.

15-го. Сегодня с утра дождь, а он, **бедняжка**, ходит. Я **послала** ему **воздушный поцелуй**. Он **улыбнулся**. Кто он? Сестра Варя говорит, что он в неё **влюблён** и что **ради** неё он стоит под дождём. Какая она глупая! Как может брюнет любить брюнетку? Мама **велела** нам получше одеться и сидеть около окна. «Может быть, он **жулик**, а может быть, и **порядочный** господин», — сказала она.

16-го. Я **бросила** ему записку. Он написал на **стене**: «Я согласен, но позже». Почему сердце так **стучит**?

17-го. Варя **завидует** и **ревнует**. Сегодня он **остановил** полицейского, долго говорил ему что-то и показывал на наши окна. Интригу задумал! **Подкупить** хочет. Тираны, деспоты эти мужчины, но как **хитры** и прекрасны!

18-го. Сегодня приехал ночью брат Серёжа. Как только он лёг в постель, пришла полиция и арестовала его.

19-го. Паразит! Значит, он эти двенадцать дней ждал Серёжу, который **растратил казённые** деньги и **скрылся**.

Сегодня он написал на стене: «Я свободен и могу». **Скотина**... Я показала ему язык.

Подкупить — *to bribe*
Хитёр, хитра, хитры — *insidious*
Растратить — *to embezzle*
Казённые деньги — *petty cash*
Скрыться — *to hide*
Скотина — *swine*

Умный муж
(по рассказу А. Чехова «В почтовом отделении»)

❄❄ • Существительные и прилагательные (единственное число) в разных падежах
• Виды глагола
• Прямая речь
• Отрицательные местоимения

Вчера мы **хоронили** молоденькую жену нашего старого коллеги Сладкоперцева. После **кладбища** мы поехали к нему домой на **поминки**. Когда принесли блины, **старик вдовец горько** заплакал и сказал:

— Блины такие же красивые, как и покойница.

— Да, — согласились мы, — она **действительно** была красавица.

— Да. Но, господа, любил я её не за красоту и не за хороший характер, а за то, что она никогда мне не **изменяла**. Ей было только двадцать, а мне скоро шестьдесят будет. Но она была мне **верна**!

Никто, конечно, не **поверил**.

— Вы не верите, а я вам **докажу**. Я слова такие знаю, это как **пароль**. Надо сказать эти слова и можешь спать спокойно. Жена никогда не изменит тебе.

— Какие это слова? — спросили мы.

Хоронить — *to bury*
Кладбище — *cemetery*
Поминки — *funeral, repast*
Старик — *old man*
Вдовец — *widower*
Горько — *bitterly*
Действительно — *really, indeed*

Изменять — *to betray*
Верна — *faithful*
Поверить — *to believe*
Доказать — *to prove*
Пароль — *password*

Достаточно — *enough*

— Самые простые. **Достаточно** было сказать, что у моей жены есть любовник — начальник полиции Иван Алексеевич Залихвацкий, и уже никто и никогда не **ухаживал** за моей женой, потому что все **боялись** его **гнева**.

Ухаживать — *to court*
Бояться — *to be afraid*
Гнев — *anger*
Удивиться — *to be surprised*
Хитрость *cunning*
Обмануть — *to cheat*
Обидно — *it's offensive*

— Значит, ваша жена не жила с Иваном Алексеевичем? — **удивились** мы.

— Нет, это моя **хитрость**. Ну, как я **обманул** вас?

Мы сидели и молчали, и нам было **обидно**.

— Ну, подожди, ты увидишь, что будет, если ещё раз женишься на молоденькой девушке, — тихо сказал один из нас.

Спасибо за совет
(по рассказу А. Чехова «Знамение времени»)

❄❄ • Существительные и прилагательные (единственное число) в разных падежах
• Виды глагола
• Прямая речь
• Глаголы с частицей **-ся**

Объясняться в любви — *to make a declaration of love*
Потерять — *to lose*
Появилась — *to appear*
Помешать — *to disturb*
Осторожен (а, ы) — *careful*
Не скажи лишнее — *don't say too much*
Делать предложение — *to make a proposal*

Молодой человек **объяснялся в любви**.

— Жить я без вас не могу, моя дорогая! Как только я увидел вас, я **потерял** сон! Дорогая моя, скажите мне... Да или нет?

Девушка открыла рот, чтобы ответить, но в этот момент дверь открылась и **появилась** голова брата.

— Лили, на минуту! — сказал брат.

Лили вышла из комнаты.

— Что тебе надо? — спросила она.

— Извини, моя дорогая, что я **помешал** вам, но я твой брат и я должен сказать тебе, чтобы ты была **осторожна** с этим господином. Не скажи что-нибудь **лишнее**!

— Но он **делает** мне **предложение**!

— Это твоё дело. Ты можешь делать, что хочешь, но только будь осторожна. Я знаю его. Он большой **подлец**! Сразу пойдёт в полицию и расскажет всё, если что...

Подлец — *scoundrel*

— Merci, Макс. Хорошо, что ты сказал, а я и не знала!

Девушка **вернулась** в комнату. Она ответила молодому человеку «да», **целовалась** с ним, **обнималась**, но была осторожна: говорила только о любви.

Вернуться — *to return*
Целоваться — *to kiss*
Обниматься — *to embrace*

Живой товар

(по одноимённому рассказу А. Чехова)

❄❄
- Существительные и прилагательные (единственное число) в разных падежах
- Виды глагола
- Прямая речь
- Глаголы движения
- Глаголы с частицей **-ся**

I

Грохольский был **влюблён**. Он любил много раз, а сейчас, как он думал, нашёл свой идеал. Грохольский был влюблён в Лизу.

Влюблён — *to be in love with*

— Послушай, — начал он. — Я пришёл поговорить с тобой, моя дорогая. Надо решить, что делать.

— Что делать? — **лениво** повторила за ним Лиза.

Лениво — *lazy*

— Да, что делать? Я не могу **делить** тебя с твоим мужем. Потом ты любишь меня... Для любви нужна полная свобода. А ты разве свободна? И потом, разве можно жить с человеком, которого ты не любишь, даже **ненавидишь**? Мы **обманываем** его, а это нечестно. Надо сказать ему правду.

Делить — *to share*
Ненавидеть — *to hate*
Обманывать — *to deceive*

— Всё рассказать? Это невозможно! Я вчера говорила тебе, что это невозможно!

— Почему?

Обидеться — *to get offended*

Задуматься — *to start to think*

Обнять — *to embrace*

Шея — *neck*

Побелеть — *to turn pale*

Звать — *to call*

Мерзость — *baseness*

— Он **обидится**, будет кричать... Разве ты не знаешь, какой он?

— Да, — сказал он. — Он больше чем обидится. Он потеряет счастье. Сказать ему — значит убить его.

Грохольский **задумался**.

— Пусть будет всё, как всегда, — сказала Лиза. — Он сам узнает, если захочет.

— Но это плохо. Ты моя, и мы должны быть вместе.

— Хорошо, — сказала она и заплакала.

— Что ты? — заволновался Грохольский. — Лиза! Не плачь!

Лиза **обняла** Грохольского и сказала:

— Мне жаль его.

Вдруг Грохольский быстро отошёл от неё, и она также быстро села в кресло. В комнату вошёл муж. Он видел, как Лиза висела на белой аристократической **шее** Грохольского.

Лицо мужа **побелело**. Грохольский, Лиза и муж молчали минуты три. Наконец муж глупо улыбнулся и сказал:

— Здравствуйте.

— Здравствуйте, — тихо ответил Грохольский.

— Я вас видел вчера на балу, — сказал Бугров (так **звали** мужа).

— Я был там... был... Танцевали?

— Да... с Люкоцкой... Тяжело танцует, очень тяжело, но говорит много. (Пауза.)

— Да... скучно было. И я вас видел...

Грохольский не мог больше сидеть. Он быстро встал, взял свою шляпу и вышел из комнаты.

Как только Грохольский ушёл, Бугров подошёл к своей жене и заговорил:

— Если ещё раз я увижу его здесь, я тебя... Убью! Понимаешь? А-а-а... Боишься! **Мерзость**!

Бугров схватил её за руку.

— Бессовестная **дрянь**! **Пошлая**! У тебя нет **стыда**! — кричал он. — И с кем! Хороша жена и мать! Молчать! В Сибирь пойду, а убью! Не хочу я тебя видеть!

Бугров кричал долго. Наконец он устал и **успокоился**.

— Ладно, я **прощаю** тебя, уже в шестой раз прощаю. Думай в следующий раз.

И Бугров поцеловал жену.

Вдруг в комнату влетел Грохольский.

— Иван Петрович, — начал он. —Давайте не будем играть комедию! **Хватит** обманывать друг друга! Я не могу больше! Я жить без неё не могу. Она тоже. Эта женщина не ваша. Я люблю её.

— А она? — спросил **насмешливо** Бугров.

— Спросите её! Как ей трудно жить с нелюбимым человеком!

— А она? — повторил уже не насмешливым тоном Бугров.

— Она любит меня!

Бугров покраснел и посмотрел на Лизу. Она сидела и плакала. Глаза Лизы говорили ему, что Грохольский прав, что дело серьёзно.

— Я дам вам другое счастье, — опять заговорил Грохольский. — Что вы хотите? Я богатый человек. Ну, сколько вы хотите? Пятьдесят тысяч? Сто? Я готов!

— Боже мой, — подумал Иван Петрович, и его сердце быстро застучало.

Он **представил себе**, как он поедет на дачу, на **охоту**, как будет пить чай на свежем воздухе. Сто тысяч!

— Иван Петрович, скажите что-нибудь!

— Мм... Сто пятьдесят тысяч! — ответил Бугров.

— Хорошо, — сказал Грохольский. — Согласен! Я сейчас...

Дрянь — *scoundrel*
Пошлый — *vulgar*
Стыд — *shame*
Успокоиться — *to calm down*
Прощать — *to forgive*

Хватит — *it's enough*

Насмешливо — *mockingly*

Представить себе — *to imagine*
Охота — *hunt*

Родиться — *to be born*
Надежда — *hope*
Мечтать — *to dream*
Стараться — *to try*
Пачка — *bundle*
Снять — *to rent*
Перила — *banisters*
Нежный — *delicate*
Посуда — *dish*
Мебель — *furniture*
Завидовать — *to envy*
Коляска — *carriage*
Вскрикнуть — *to exclaim*

Грохольский надел шляпу и убежал. Лиза тихо вышла из комнаты.

Бугров встал и подошёл к окну. Ему было стыдно, но в душе уже **родились** красивые **надежды**. Он будет богат!

Бугров остался один и начал **мечтать**. Он мечтал долго. Уже стало темно, а он мечтал и **старался** не думать о Лизе. Вдруг он услышал около себя тихий голос Грохольского:

— Я принёс, Иван Петрович!

Грохольский положил перед Бугровым **пачку** денег и пошёл искать свою Лизу.

Итак, между мужем и женой было решено, что Лиза будет жить с Грохольским, а их маленький сын Мишутка останется с отцом.

II

Лиза и Грохольский отдыхали на даче в Крыму. Грохольский **снял** эту дачу за тысячу рублей в год. Это было очень дорого, но дача была такая хорошенькая: тонкие стены, тонкие **перила**, везде цветы. Она была похожа на **нежную** барышню.

Был чудесный августовский вечер. Лиза и Грохольский сидели на террасе. Грохольский читал журнал «Новое время», а Лиза смотрела, что делают соседи на другой даче. Туда привезли много **посуды**, красивую **мебель**, рояль. «Какое богатство», — думала Лиза. Стало совсем темно, а Лиза всё смотрела и **завидовала**. К даче подъехала **коляска**, в которой сидел какой-то господин в цилиндре и маленький мальчик.

Лиза вдруг **вскрикнула**.

— Что с тобой? — спросил Грохольский.

— Ничего... Показалось...

Грохольский подошёл к Лизе и обнял её.

— Какая чудесная погода! — сказал он. — Какой воздух! Чувствуешь? Я, Лиза, очень счастлив. Но я всё время думаю о твоём муже.

Где он? Что с ним? Как он, несчастный, без тебя? Разве деньги, которые я дал ему, могут **заменить** тебя? Он очень любил тебя?

— Очень!

— Ну вот, видишь! Он или **запил**, или... Я боюсь за него.

— Я пойду спать, — сказала Лиза. — Пора.

Во сне она видела мужчину в цилиндре, как он бил Грохольского, ездил с ней в коляске и рассказывал ей о своей любви. В эту ночь Лиза была счастлива. Утром она подошла к окну и посмотрела на соседнюю дачу. Она уже не сомневалась. Это был он.

На террасе дачи стоял стол, а за столом сидел Иван Петрович и пил чай. Он пил чай с большим аппетитом. На одном колене сидел Мишутка и мешал ему пить чай. Потом, когда Бугров выпил свой чай, он сел с Мишуткой в коляску и поехал **кататься**.

— Гриша! Гриша! — побежала Лиза к Грохольскому. — Приехали!

— Кто приехал? — спросил Грохольский.

— Иван и Мишутка приехали! Они на соседней даче чай пили!

— Кто приехал? Куда?

— Иван и Мишутка!

— Муж приехал? — спросил он и побледнел.

— Ну да...

— Зачем?

— Наверно, они будут жить здесь.

— Где он сейчас?

— Он поехал с Мишуткой кататься.

— Какая **неожиданная** встреча, — сказал Грохольский. — Мы можем Мишутку пригласить в гости, а с ним **неудобно** встречаться. О чём я с ним буду говорить? И ему тоже будет неудобно. У меня, Лиза, ужасно голова болит... Я, наверно, заболел. Пойду лягу в кровать.

Заменить — *to take the place of*
Запить — *to take to drink*
Кататься — *to go for a drive*
Неожиданный — *unexpected*
Неудобно — *uncomfortably*

Стонать — *to groan*

Горько — *bitter*
Поцеловать — *to kiss*

Покраснеть — *to blush*
Скучать — *to miss*

Грохольский болел целый день. Он пил тёплую воду, **стонал**, и Лизе пришлось всё это время сидеть около него. Ей было очень скучно.

Вечером на соседнюю дачу приехали гости. Они играли на рояле, пили, ели, смеялись. Иван Петрович рассказал анекдот и так громко, что все соседи слышали. Там было очень весело. Мишутка тоже сидел с ними.

«Мишутка не плачет, — подумала Лиза, — значит, он не помнит свою маму. Значит, он забыл меня!»

И на душе у Лизы стало ужасно **горько**. Она плакала всю ночь. Ей хотелось поговорить с Мишуткой, **поцеловать** его.

Утром, когда Лиза и Грохольский пили чай, на соседней даче завтракали.

— Я очень рад, — тихо сказал Грохольский, — что он живёт так хорошо. Ты лучше уйди, Лиза. Что будет, если он увидит тебя? Я не готов разговаривать с ним сейчас.

Вдруг они увидели, что Бугров смотрит прямо на них. Он сделал удивлённое лицо и закричал:

— Это вы?! И вы здесь? Здравствуйте!

Потом Бугров сбежал с террасы, перебежал через дорогу и через несколько секунд уже был на их территории.

— Здравствуйте, — опять заговорил он, — и вы здесь?

— Да и мы здесь... Очень приятно видеть вас.

— Ну, а ты, Лиза, как? Здорова?

— Здорова, — ответила Лиза и **покраснела**.

— Ты, наверно, **скучаешь** без Мишутки. Он здесь, со мной. Я сейчас пришлю его вам. Мне надо сейчас ехать в гости.

И Иван Петрович побежал обратно.

— Несчастный! — сказал Грохольский.

— Почему он несчастный? — спросила Лиза.

— Сейчас уже он не может сказать тебе «моя Лиза».

«Дурак!» — подумала Лиза.

Вечером Лиза была с Мишуткой.

Счастливая жизнь закончилась для Грохольского. Каждый день Иван Петрович ходил к ним в гости. Он приходил во время обеда и сидел очень долго. Ему нужно было покупать водку к обеду, которую не любил Грохольский. Бугров пил много и говорил весь обед. Потом он брал на руки Мишутку и плакал:

— Сын мой! Кто я? Я **подлец**! Я продал твою мать! Где твоя мать? Да, я подлец!

Подлец — *scoundrel*

Днём Иван Петрович всё время был с Лизой. Он гулял с ней, рассказывал анекдоты, катался на коляске Грохольского, пока тот болел.

Грохольский любил целовать Лизу. Он не мог жить без поцелуя. Сейчас, когда в доме всё время был Бугров, Грохольскому уже было неудобно целоваться.

Однажды Бугров приехал на дачу не один, с ним были женщины. Они стояли на террасе Бугрова и смеялись.

Целый день Лиза и Грохольский слышали этот смех. Грохольский был рад, что Иван Петрович нашёл своё счастье и оставил их, наконец, в **покое**.

Покой — *peace*

Прошла неделя. Поздно вечером Грохольский вышел на улицу и увидел на соседней даче Лизу. Она стояла на террасе Бугрова и смеялась.

«Все женщины сфинксы», — решил Грохольский.

Когда Лиза вернулась домой и тихо вошла в спальню, Грохольский закричал:

— Так вот вы как! Спасибо, сударыня! Вы понимаете, что это **безнравственно**!

Безнравственно — *immoral*

Вина — *fault*

Лиза, конечно, заплакала. Женщины, когда чувствуют свою **вину**, всегда плачут.

— Зачем вы пошли туда? Что ему нужно? Я отдал ему почти всё! — продолжал кричать Грохольский. — Я сейчас пойду и поговорю с ним!

Поразить — *to astonish*

Роскошь — *luxury*

И он пошёл к Бугрову. Апартаменты Ивана Петровича **поразили** его. Он никогда не видел такой **роскоши**. На очень дорогом диване сидел Мишутка и кричал. Бугров тоже был здесь.

Беспорядок — *mess*

— Извините за **беспорядок**, — начал Бугров. — Садитесь, пожалуйста. А ты замолчи, **паразит**, — сказал он Мишутке.

Паразит — *parasite*

— Иван Петрович! — удивился Грохольский. — Разве можно так разговаривать с ребёнком?

Наказать — *to punish*

— А пусть он не кричит... Замолчи! **Накажу**!

Просьба — *request*

— Я к вам по делу, Иван Петрович, — продолжал Грохольский. — У меня **просьба** к вам.

— Какая?

— Не могли бы вы уехать отсюда?

— Я и сам думал об этом. Хорошо, я уеду. Только, что я буду делать с мебелью? Купите мою мебель. Она не дорогая... Восемь, десять тысяч.

— Хорошо, Я дам вам десять.

Шаг — *step*

— Отлично! Завтра я уеду. Здесь жить очень дорого. Каждый **шаг** тысяча рублей. Я не могу так... У меня семья.

Грохольский ушёл. Вечером он прислал десять тысяч. На следующий день Бугров и Мишутка уехали.

III

Наступила весна. А Лиза с Грохольским, как и раньше, жили на даче. Лиза скучала и плакала. Она часто вспоминала, как она жила, когда была замужем за Бугровым, как они ходили в театр и в гости. А здесь, с Грохольским, который всё время болел, тихо, **пусто**, **скучно**! Никого нет!

Пусто — *empty*
Скучно — *boringly*

А Грохольский, как и раньше, был счастлив. Никто не мешал ему целовать Лизу каждую минуту. Но скоро он заплатил за свой эгоизм. В начале мая Грохольский **потерял** всё: и любимую женщину, и...

Потерять — *to lose*

Бугров опять приехал в Крым. В этот раз он не снял дачу напротив, а ездил с Мишуткой в разные города. Иногда приезжал в гости на дачу Грохольского. Он говорил только с Грохольским. С Лизой он молчал. И Грохольский был спокоен.

Но однажды в саду Грохольский услышал два голоса. Это были Лиза и Бугров.

— Милая моя, — говорил Иван Петрович Лизе, — я подлец. Я продал тебя.

— Давай уедем отсюда, — плакала Лиза. — Мне скучно.

— Нельзя. Я деньги взял.

— А ты отдай их!

— У меня уже ничего нет.

— Но я не могу здесь жить! Мне скучно!

— Что делать? А **мне**, ты думаешь, без тебя **весело**? Я к тебе сегодня ночью приду...

Мне весело — *I am having fun*

Грохольский не мог больше слушать.

— Иван Петрович! — сказал он **умирающим** голосом. — Я всё слышал и видел. Это нечестно, но я вас не **виню**... Вы тоже любите её. Но поймите, что она моя! Я не могу жить без неё! Уезжайте отсюда **навсегда**!

Умирающий — *dying*
Винить — *to blame*
Навсегда — *forever*

— Куда я поеду? — спросил Бугров. — У меня нет денег.

— У меня есть небольшое, но хорошее **имение**. Я **дарю** вам его. Только уезжайте!

Имение — *estate*
Дарить — *to make a present*

— Хорошо, я уеду, — улыбнулся Бугров.

И Бугров опять уехал. Но скоро и Лиза убежала от Грохольского.

Заграница — *abroad*
Потратить — *to spend*

Погостить — *to be on a visit*

Позвать — *to call*

Провожать — *to accompany*

Благородный — *noble*
Беременна — *pregnant*
Тряпка — *you're putty in her hands, drip*

Грохольский остался один. Он не ел, не спал, запил, уехал **за границу**, где **потратил** все свои деньги, но не мог забыть Лизу.

Из-за границы Грохольский приехал в новое имение Бугрова, чтобы посмотреть на Лизу. Иван Петрович встретил его, как лучшего друга и оставил его **погостить**. И Грохольский гостит у Бугрова до сих пор.

IV

В этом году я заехал в гости к Бугрову. Живёт он очень хорошо. Всё у него есть. Я остался ужинать. Я забыл, что Лиза не играет на рояле, и после ужина попросил её что-нибудь сыграть.

— Она не играет! — сказал Бугров. — Сейчас я **позову** Грохольского, и он сыграет нам что-нибудь.

Через пять минут в комнату вошёл Грохольский. Он сел за рояль и начал играть и петь. Потом он закончил петь и вышел из комнаты.

— Я не знаю, что с ним делать, — сказал Бугров. — Целый день он думает, а ночью стонет, не даёт спать. Я боюсь, что люди подумают, что ему плохо здесь жить. А он и ест с нами, и пьёт с нами.

На другой день я уже был на вокзале. Грохольский **провожал** меня.

— Он деспот, тиран, — говорил мне Грохольский. — У него нет сердца. Если бы не эта **благородная** женщина, я бы ушёл от него. Я не могу её оставить. Она **беременна**. Это мой ребёнок. Она скоро поняла свою ошибку и теперь опять со мной.

— Вы **тряпка**, — сказал я Грохольскому.

— Да, я слабохарактерный человек. Но что я могу сделать? Только вы не говорите Бугрову, что я вам сейчас сказал. Приезжайте к нам ещё! До свидания!

Дуня
(по одноимённому рассказу Б. Ласкина)

❄❄ • Существительные и прилагательные (единственное число)
• Безличные конструкции
• Глаголы движения
• Виды глагола
• Прямая речь

Клевцов еще раз **попробовал** включить мотор: вдруг заработает? Но он знал, что это **безнадежно** — у него кончился **бензин**. Нужно сидеть и ждать другую машину, чтобы попросить немного бензина.

Клевцов закурил сигарету и вдруг увидел девочку. Она шла по дороге с большой **куклой** в руке. Когда девочка увидела Клевцова и его машину, она **вежливо** сказала:

— Здравствуйте.

— Привет, — ответил Клевцов.

— Машина **сломалась**, да?

— Бензин кончился. А как твою куклу зовут?

— Это не кукла, это моя дочка. Ее зовут Лючия.

— Очень приятно, — улыбнулся Клевцов. А как тебя зовут?

— Дуня. А вас?

— Анатолий Андреевич.

— Очень приятно, — сказала Дуня. — А знаете, почему ее зовут Лючия? Потому что она не русская. Дедушка купил ее в Италии.

— А, значит, у нее есть не только мама, но и дедушка?

— Это мой дедушка, — сказала Дуня. — Дедушка ездил в Италию, он ветеран войны.

— Вот сейчас я все понимаю. А твоя дочка любит гулять?

— Да, любит. Но сегодня Лючия не хотела уходить из дома. Мы тут живем очень близ-

Попробовать — *to try*
Безнадежно — *hopeless*
Бензин — *petrol*
Кукла — *doll*
Вежливо — *politely*
Сломаться — *to be brocken*

ко. А мама говорит: «Пойди, Дуня, погуляй с Лючией». А я сказала: «Мы тоже посмотрим». А мама говорит: «Не нужно вам это смотреть. Идите гулять«.

— Погода хорошая, гулять сегодня приятно, — сказал Клевцов.

— А я хотела остаться и Лючия тоже... Когда приехал этот дядя в белом **плаще**, мама говорит: «Вот опять пришел. Я **чувствую**, что сейчас будет **ужасная сцена**».

— А папа что сказал?

— Папа говорит маме: «Полина, **возьми себя в руки**», — и ушел в другую комнату. А этот дядя в белом плаще сказал: «Вы видите меня в последний раз», а мама говорит: «Ой, что теперь будет?» А папа говорит: «Никуда он не уйдет».

— Не надо мне это рассказывать, — сказал Клевцов и подумал: «Совсем еще маленькая, а **переживает**. Жалко, что я не знаком с ее отцом и матерью. Я сказал бы им, что они могут, конечно, **ссориться**, **скандалить**, но не должны забывать, что это видит ребенок».

— А вы знаете, как по-итальянски «до свидания»?

— Нет, не знаю, — ответил Клевцов и подумал: «Слава Богу, она еще ребенок. Она недолго думает о плохом».

— По-итальянски «до свидания» — аривидерчи, — сказала Дуня.

— Ничего, Дуня, — сказал Клевцов. — Все будет хорошо.

— А знаете, когда это будет? Наверное, через полчаса.

— «Детская **наивность**», — подумал Клевцов.

— А может, через пять минут, — продолжала Дуня, — когда мама **досмотрит** по телевизору фильм про этого дядю в белом плаще и...

Плащ — *raincoat*
Чувствовать — *to feel*
Ужасная сцена — *terrible scene*
Возьми себя в руки — *to get a grip of o.s.*
Переживать — *to suffer*
Ссориться — *to quarrel*
Скандалить — *to quarrel*
Наивность — *naive*
Досмотреть — *to watch the end of*

Дуня вдруг **замолчала**, потому что случилось что-то очень странное — её новый знакомый вдруг громко засмеялся и сказал:

Замолчать — *to go quiet*

— Ой! Я сейчас **умру**!

Умереть — *to die*

«Нет, — подумала Дуня, — когда люди так смеются, они не умирают». Она еще минуту **постояла** около этого странного человека и пошла по дороге.

Постоять — *to stand for a while*

Спасение

(по одноимённому рассказу Б. Ласкина)

❄❄
- Существительные (единственное и множественное число) и прилагательные (единственное число) в разных падежах
- Виды глагола
- Прямая речь
- Выражение времени
- Выражение условия
- Выражение цели

Там, где я работал, я уже не работаю. Сейчас вы поймёте почему. Послушайте мою историю.

Я не буду начинать сначала, лучше я расскажу с конца.

В понедельник утром я вошёл в **приёмную** начальника и сказал секретарше:

Приёмная — *reception-room*

— Здравствуйте! Я хотел бы поговорить с Иваном Александровичем по **личному** делу.

По личному делу — *on private business*

— Простите, а как вас **представить**?

Представить — *to present*

Я немного подумал и сказал:

— Скажите, что его хочет видеть человек, который может сегодня видеть, слышать и **дышать** только **благодаря** ему.

Дышать — *to breathe*

Благодаря — *thanks to*

Секретарша, конечно, удивилась:

— Может быть, вы скажете, как вас зовут?

— Это не нужно, — сказал я. — Как только Иван Александрович увидит меня, он сразу всё поймёт.

Секретарша ушла к начальнику. Её долго не было. Наконец она вернулась и сказала:

— Пожалуйста, проходите.

Радостный — *happy*
Улыбка — *smile*

Я вошёл в кабинет с **радостной улыбкой**. Начальник предложил мне сесть. Я сел в кресло. Начальник смотрел на меня с большим интересом. Ну, это понятно. Тогда у него не было времени **рассмотреть** меня. Тогда он был занят. Он **спасал** мою **жизнь**.

Рассмотреть — *to examine*
Спасать (imperf) — *to save*
Жизнь — *life*
Опасность — *danger*
Ожидать — *to expect*

— Человек никогда не знает, какая **опасность ожидает** его, — начал я.

— Да, — согласился начальник.

— Всё, что случилось в субботу, вы хорошо знаете.

— Я не уверен, — сказал начальник. — Расскажите, что с вами случилось.

«Я вас прекрасно понимаю, — подумал я. — Каждый человек хочет услышать о себе, какой он **благородный** и **мужественный**. Конечно, **я с удовольствием** расскажу вам, что случилось в субботу».

Благородный — *noble*
Мужественный — *manly*
С удовольствием — *with pleasure*

А сказал я совсем другие слова.

— Вы хотите знать, что со мной случилось? Хорошо, слушайте.

В субботу я и мой друг поехали за город. Сначала мы гуляли в лесу, потом пришли на **пруд**. Я хотел **покататься** на **лодке**. Я выехал на середину пруда и подумал: «Что будет, если лодка **перевернётся**? Я не умею плавать». Я решил не рисковать и **повернул** обратно. В это время на берегу сидел человек с **удочкой.** Я посмотрел на него и подумал, что он мне поможет, если со мной что-нибудь случится.

Пруд — *pond*
Покататься на лодке — *to boat*
Лодка — *boat*
Перевернуться — *to overturn*
Повернуть — *to turn*
Удочка — *fishing-rod*

— И что было потом?

— А потом... я даже не знаю как, но лодка перевернулась, и я **упал** в воду.

— **Кошмар**.

Упасть — *to fall down*
Кошмар — *horrible*

— В этот момент я вспомнил свою жизнь — детство, как я учился в школе...

— Тяжёлый случай.

— Да, мне просто повезло. Меня **спас** один человек, **настоящий** человек. Он сразу пришёл мне на помощь.

— Да, вам **действительно** повезло.

— Всё закончилось хорошо. Я только **потерял** часы и **зажигалку**. Ну, об этом **не стоит** говорить.

— Конечно, **не стоит**, когда их можно взять у вашего друга. Тогда, на берегу, вы сказали ему: «**Держи** мои часы и зажигалку. Я их у тебя потом возьму, когда он спасёт меня».

Я закурил.

«Я сказал тогда не только это. Я сказал там, на **берегу**, что если сам начальник спасёт меня, об этом узнают все, даже министр, и потом у меня **будет всё в порядке** на работе. Но откуда он всё знает?» — думал я.

— Интересно, кто сказал вам об этом? — наконец спросил я.

— Никто. Я это слышал сам.

— Вы извините меня, но вы не могли слышать мои слова.

— Почему?

— А потому что вы с удочкой сидели далеко от нас.

— Я не сидел с удочкой. Я лежал около вас за **кустом**.

Я вспомнил, что действительно какой-то человек лежал там, но я не понял, кто. Мне показалось, что этот человек спит.

— Я лежал за кустом, а вы видели моего брата Игоря, он директор цирка. Мы очень похожи. И это он спас вас, а не я. И спасибо вы должны сказать ему, а не мне!

Я встал и сказал:

— Я всё понял. Пойду в цирк.

Начальник тоже встал.

— **Счастливого пути**! — сказал он.

Спасти (perf) — *to save*

Настоящий (человек) — *real (man)*

Действительно — *indeed*

Потерять — *to lose*

Зажигалка — *lighter*

Не стоит — *it isn't worth*

Держать — *to keep*

Берег — *bank*

Будет всё в порядке — *to be all right*

Куст — *bush*

Счастливого пути! — *Have a good journey!*

Честное слово

(по одноимённому рассказу Л. Пантелеева)

❄❄ • Существительные и прилагательные (единственное число) в разных падежах
• Виды глагола
• Глаголы движения
• Прямая речь

Мне очень жаль — *It's a pity*
Однажды — *one day*
Сад — *garden*
Сесть — *to sit down*
Скамейка — *bench*
Бояться — *to be afraid*
Вдруг — *suddenly*
Плакать — *to cry*
Повернуть — *to turn*
Стена — *wall*
Обидеть — *to offend*
Что с тобой? — *What happened to you?*
Часовой — *sentry*
Наверно — *probably*
Не в порядке — *is not okay*

Мне очень жаль, что я не могу вспомнить, как зовут этого маленького мальчика, и где он живёт.

Однажды летом я зашёл в **сад**. У меня была интересная книга. Я **сел** на **скамейку** и начал читать. Я читал до вечера. В саду уже никого не было. Я **боялся**, что сад закроется, встал и быстро пошёл к выходу. **Вдруг** я услышал, что кто-то **плачет**. Я **повернул** налево и увидел небольшой белый дом. Около **стены** дома стоял мальчик и громко плакал. Ему было 7—8 лет.

Я подошёл к нему и спросил, что случилось. Мальчик посмотрел на меня и ответил:

— Ничего.

— Как ничего? Кто тебя **обидел**?

— Никто.

— Почему ты плачешь? Пойдём! Смотри, уже поздно, и сад скоро закроют.

— Я не могу.

— Почему ты не можешь?

— Я не могу идти.

— Как? Почему? **Что с тобой**?

— Я **часовой**.

— Как часовой?

— Ну, вы не понимаете. Мы играем.

— С кем ты играешь?

Мальчик помолчал, а потом сказал:

— Я не знаю.

Я подумал, что, **наверно**, мальчик болен, и у него голова **не в порядке**.

— Послушай, — сказал я ему. — Что ты говоришь? Ты играешь и не знаешь с кем?

— Да, — сказал мальчик, — не знаю. Я на скамейке сидел, а большие мальчики подошли и **предложили** играть с ними. Я **согласился**. Они сказали, что я буду солдатом, что я должен стоять здесь около дома, потому что у них здесь **оружие**. Потом они сказали: «Дай **честное** слово, что ты не уйдёшь».

— Ну?

— Я сказал: «Честное слово, я не уйду».

— Ну и что?

— Я стою здесь, а они не пришли.

— Ты уже долго стоишь здесь?

— Долго.

— Где они?

Мальчик сказал:

— Я думаю, что они ушли.

— Как ушли?

— Наверно, они забыли обо мне.

— Почему ты здесь стоишь **до сих пор**?

— Я дал честное слово.

— Что ты будешь делать?

— Я не знаю, — ответил мальчик и опять заплакал.

Я хотел помочь ему, но что я мог сделать? Где я могу найти мальчика, который поставил его здесь? Наверно, он уже давно дома и лёг спать. А этот стоит здесь и, конечно, **голодный**.

— Ты, наверно, есть хочешь?

— Да, — сказал он, — хочу.

— Я придумал, — сказал я, — я буду стоять здесь **вместо** тебя, а ты пойдёшь домой ужинать.

— А это можно?

— Почему нет?

— Но вы не офицер. Это может сделать только офицер, только **начальник**.

Предложить — *to offer*

Согласиться — *to agree*

Оружие — *arms*

Честный — *honest*

До сих пор — *until now*

Голодный — *hungry*

Вместо — *instead of*

Начальник — *boss*

И вдруг **счастливая** идея пришла мне в голову. Я должен **найти** офицера!

Я сказал мальчику: «Подожди минутку!» — и быстро **побежал** к выходу.

Недалеко от входа в сад на **остановке** автобуса я увидел майора. Он уже хотел **сесть** в автобус. Я побежал к нему и **закричал**:

— Подождите! Товарищ майор!

Он посмотрел на меня и спросил:

— **В чём дело?**

— Здесь в саду, около дома стоит мальчик. Он не может уйти... Он дал честное слово... Он маленький... Он плачет...

Автобус ушёл, майор **сердито** посмотрел на меня. Наверно, он подумал, что у меня голова не в порядке.

Когда я **объяснил** ему, что случилось, он сказал:

— Идёмте, идёмте! Конечно! Почему вы не сказали мне **сразу**?

Мы побежали в сад. Мальчик стоял там, где я оставил его и опять, только очень **тихо**, плакал.

— **Вот майор**! — сказал я.

— Вы можете оставить **пост**, — сказал майор.

Мальчик **перестал** плакать и громко ответил:

— Есть, товарищ майор.

— Может быть, **проводить** тебя? Уже поздно, — **предложил** майор.

— Нет, я живу **близко**. Я не боюсь, — сказал мальчик.

Я посмотрел на него и подумал: «У мальчика такая сильная **воля** и такое **крепкое** слово, что он **действительно** ничего не боится. А когда он станет большим, он будет **настоящим** человеком». Мне было очень приятно, что я **познакомился** с ним.

Счастливый — *happy*
Найти — *to find*
Побежать — *to run*
Недалеко от — *not far away from*
Остановка — *bus stop*
Сесть в автобус — *to take the bus*
Закричать — *to shout*
В чём дело? — *What's the matter?*
Сердито — *angrily*

Объяснить — *to explain*
Сразу — *at once*

Тихо — *quietly*
Вот майор! — *Here is the major!*
Пост — *post*

Перестать — *to stop*

Проводить — *to accompany*
Предложить — *to offer*
Близко — *nearby*
Воля — *will*
Крепкий — *strong*
Действительно — *really*
Настоящий — *real*
Познакомиться — *to be introduced*

Фантазёры
(по одноимённому рассказу Н. Носова)

❄❄ • Существительные, прилагательные и местоимения (единственное число) в разных падежах
• Виды глагола
• Прямая речь

Мишутка и Стасик сидели в **саду** на **скамейке** и разговаривали. Только они разговаривали не как простые ребята, а рассказывали **друг другу разные** истории.

— Сколько тебе лет? — спросил Мишутка.

— 95. А тебе?

— А мне 140. Знаешь, — сказал Мишутка, — раньше я был большой, как **дядя** Боря, а потом **стал** маленький.

— А я, — сказал Стасик, — сначала я был маленький, а потом был большой, потом опять стал маленький, но скоро я опять буду большой.

— А я раньше **летать умел**! — сказал Мишутка.

— Ну и что? Я тоже раньше летал, — сказал Стасик. — Один раз я летал на **Луну**. Не **веришь**? **Честное слово**!

— На чём ты летал?

— На **ракете**, конечно.

— И что ты на Луне видел?

— Что я там видел? Ничего.

— **Как это**?

— А **темно** было. Я летал ночью, во **сне**.

— А я был в Африке, — сказал Мишутка, — меня там крокодил съел.

— **Врёшь**!

— Нет, правда.

— Почему ты сейчас **живой**?

— Потому что крокодил меня **выплюнул**.

Соседский мальчик Игорь подошёл к скамейке, где сидели Мишутка и Стасик. Он дол-

Сад — *garden*
Скамейка — *bench*
Друг другу — *each other*
Разный — *different*
Дядя — *uncle*
Стать — *to become*
Летать — *to fly*
Уметь — *to know how*
Луна — *moon*
Верить — *to believe*
Честное слово! — *Upon my word!*
Ракета — *rocket*
Как это? — *What does it mean?*
Темно — *dark*
Сон — *dream*
Врать — *to lie*
Живой — *alive*
Выплюнуть — *to spit out*
Соседский — *who was a neighbor*

Стыдно — *to be shamed*
Удивиться — *to be surprised*
Обманывать — *to cheat*
Придумывать — *to invent*
Легко — *easy*

го стоял и слушал Мишутку и Стасика, а потом сказал:

— Вам не **стыдно** так врать?

— Почему стыдно? — **удивились** Мишутка и Стасик. — Мы никого не **обманываем**. Просто мы **придумываем** разные истории.

— Очень интересно!

— А ты думаешь, это **легко** придумывать?

— Конечно, легко.

— Тогда придумай что-нибудь!

— Сейчас, пожалуйста, — сказал Игорь. — Сейчас, сейчас, дайте подумать. Э... э... э...

— Ну, где твоя история? Ты говорил, что это легко.

Вообще — *in general*
Польза — *use*

— А я **вообще** не понимаю, зачем вы врёте. Я вчера соврал, и мне от этого **польза** была.

— Какая польза?

Остаться — *to stay*
Полбанки — *half a tin*
Наказать — *to punish*
Испачкать — *to get dirty*
Пусть — *let's*
Почти — *almost*
Пустой — *empty*

— Вчера мама и папа ушли в гости, а я с сестрой **остались** дома. Ира легла спать, а я, пока никого не было, съел **полбанки** джема. И чтобы мама не **наказала** меня, я **испачкал** сестру джемом. **Пусть** мама думает, что это Ира съела джем.

Когда мама пришла домой, она увидела **почти пустую** банку и спросила: «Кто джем съел?» Я сказал, что Ира. Мама наказала её, а мне ещё джема дала. Вот и польза.

— Из-за тебя мама наказала сестру, а ты рад? — сказали Мишутка и Стасик.

— Ну и что?

— Уходи отсюда! Мы не хотим с тобой на скамейке сидеть!

— Я и сам не буду с вами сидеть, — сказал Игорь. Он встал и ушёл.

Решить — *to decide*
Разрезать пополам — *to cut into two parts*
Предложить — *to offer*

Мишутка и Стасик тоже пошли домой. По дороге они **решили** купить мороженое. У них были деньги только на одну порцию.

— Давай, это мороженое **разрежем** дома **пополам**, — **предложил** Стасик.

— Давай, — ответил Мишутка.

Вдруг они увидели Иру, сестру Игоря. Глаза у неё были **заплаканные**.

— Почему ты плакала? — спросил Мишутка.

— Мама наказала меня.

— За что?

— За джем. Но я не ела его. Это Игорь съел, а сказал, что я.

— Конечно, Игорь съел. Он нам всё рассказал. Ты не плачь. Я отдам тебе мою **половину** мороженого, — сказал Мишутка.

— И я отдам тебе мою половину, — сказал Стасик.

— Нет, давайте, разрежем мороженое на три части, — предложила Ира.

— Да, правильно, — сказал Стасик. — У тебя **горло заболит**, если ты одна всё мороженое съешь.

Они пришли домой, разрезали мороженое на три части.

— **Вкусно**, — сказал Мишутка. — Один раз я съел **ведро** мороженого.

— Ты обманываешь! — улыбнулась Ира. — Кто поверит тебе, что ты съел ведро мороженого?

— Но ведро было маленькое, **бумажное**, не больше стакана, — ответил Мишутка.

Заплаканный — *tear-stained*

Половина — *half*

Горло — *throat*
Заболеть — *to hurt*

Вкусно — *tasty*
Ведро — *bucket*

Бумажный — *paper*

Разговор по автомату
(по одноимённому рассказу А. Инина и Л. Осадчука)

❄❄ • Существительные и прилагательные (единственное число) в разных падежах
• Виды глагола
• Прямая речь

— Алло! Алло, я слушаю! Алло!..

— Сынок, это я!

— Мама? Алло! Тебя плохо слышно... Мама, я сто раз говорил, не звони по автомату!

Междугородный — *intercity*

Желать — *to wish*

Способный — *gifted*
Невнимательный — *inattentive*

Вещь — *thing*

Уставать — *to be tired*
Стирать — *to wash*
Парикмахерская — *hairdressing saloon*
Действительно — *indeed*
Душа — *soul*
Важный — *important*
Вспомнить — *to remember*
Обязательно — *without fail*
Подробно — *in detail*
Сердиться — *to be angry*
Вмешиваться — *to interfere*
Посылка — *parcel*

— Да-да... Но **междугородный** заказ так долго ждать! Как вы живёте?

— Нормально... Всё нормально.

— А почему ты не пишешь мне письма? Или, может быть, ты считаешь, что это нормально?

— Мама, ну о чём писать?.. Я сто раз говорил: нет письма — значит, всё хорошо, а было бы плохо — тебе бы написали.

— Вот спасибо! Я только тебе не **желаю**, чтобы твои дети тебе тоже так писали!

— Мама, ты опять...

— Хорошо-хорошо, не будем говорить об этом... Как там наш школьник?

— Учительница говорит: очень **способный** мальчик, но очень **невнимательный**.

— Ну, конечно, это я слышала ещё от твоей учительницы!.. Ты гуляешь с ним?

— Да, иногда. Но у меня много работы.

— Я так и знала! Мальчику нужен отец. Если ты не понимаешь такие простые **вещи**, то она должна сказать это тебе.

— Мама, она тоже **устаёт**. А после работы она ещё дома **стирает**, готовит.

— Ну, конечно, я никогда не работала, я не стирала, я не готовила! А в **парикмахерской** я **действительно** не сидела три часа, как она.

— Мама, опять ты...

— Хорошо-хорошо, не будем... Просто у меня **душа** болит за вас... Что-то я ещё хотела сказать... Что-то **важное**. Опять забыла.

— Ладно, когда **вспомнишь** — напишешь.

— Да-да, и ты мне **обязательно** напиши... Только всё **подробно**-подробно. Ты не **сердись**, пожалуйста, что я **вмешиваюсь**...

— Что ты, мама, это ты на меня не сердись, пожалуйста

— Хорошо-хорошо Да, вы должны получить **посылку**. Там большой танк для ребёнка.

— Ну, зачем, мама! У него всё есть.

— Ничего... Он просил, когда был у меня. Ты скажи ему: «Это тебе, Коленька, от бабушки, чтобы ты хорошо учился в школе».

— Какой Коленька?

— Боже мой, отец! Ты уже забыл, как зовут твоего ребёнка?

— Простите... А вы куда звоните?

— В квартиру...

— По какому номеру вы звоните?

— Семь семь три восемь двадцать пять.

— А это двадцать шесть.

— Ох, извините, пожалуйста!

— И вы, пожалуйста, извините!.. (Кладёт **трубку**). Да... Я сто раз говорил, что не надо звонить по автомату!

Трубка — *receiver*

Война

(по рассказу Э. Полянского «Капитуляция»)

❄❄ • Существительное (единственное лицо) в разных падежах
• Виды глагола

Я лежал на диване и курил. Вдруг я услышал в квартире наверху **стук**.

— Интересно, — подумал я, — они не понимают, что их **пол** — это мой **потолок**. Когда они **стучат** по полу, они стучат по моему потолку. Надо тоже постучать, потому что я должен им ответить.

Я взял **швабру** и постучал в потолок. Мои соседи тоже постучали. Более громко. Я постучал так громко, как мог.

Тогда мои соседи начали танцевать. Я не могу танцевать на потолке, и поэтому я включил музыку. Соседи тоже включили музыку. Тогда я взял **пылесос**, положил его на шкаф и тоже включил. **В ответ** наверху начала **ла-**

Война — *war*
Стук — *knock*
Пол — *floor*
Потолок — *ceiling*
Стучать — *to knock*

Швабра — *mop*

Пылесос — *vacuum cleaner*
В ответ — *in response*

Лаять — *to bark*

Побежать — *to run*
Стройка — *construction site*
Записать — *to record*
Победа — *victory*
Капитулировать — *to capitulate*
Помахать — *to wave*
Перед — *to front of*
Полотенце — *towel*

ять собака. У меня нет собаки. Потому я начал лаять сам. Я лаял лучше, чем соседская собака. Через 5 минут в квартире наверху было уже тихо. Я стоял на шкафу и слушал. Вдруг я услышал очень сильный шум. Мои соседи включили мотоцикл! Я не знал, что мне делать! Как ответить? Но через минуту я нашёл решение. Я взял магнитофон и быстро **побежал** на **стройку,** которая находится недалеко от дома, где я живу. Там я включил магнитофон и **записал** шум стройки. Потом я вернулся домой и включил магнитофон. Мои соседи не ждали этого! Это была **победа**!

И соседи **капитулировали**: они **помахали перед** моим окном белым **полотенцем**.

Новогодняя история
(по одноимённому рассказу А. Васильева)

❄❄
- Существительные и прилагательные (единственное число) в разных падежах
- Безличные конструкции
- Виды глагола

Военная академия — *Military academy*
Совершенно — *completely*
Ясно — *clear*
Служить — *to serve*
Пугать — *to scare*
Мне было обидно — *I was offended*
Неженатый — *unmarried*
Невеста — *fiance*

Это было в 1952 году. Я заканчивал **Военную Академию** в Москве. Было **совершенно ясно**, что после академии я поеду **служить** куда-нибудь далеко-далеко. Но это меня не **пугало**.

Мне было обидно, что я еще не нашел любимую девушку, а **неженатый** офицер — это что-то ненормальное.

Моему другу Володе повезло больше, чем мне: у него была **невеста**. Она училась в другом городе на геологическом факультете.

И вот под Новый год Володя получил телеграмму: его невеста Зоя **будет проездом** в

Москве, между поездами — три часа. И тут случилось самое неприятное: Володя **заболел**. Температура почти 40 градусов, **встать** не может. Что делать? Я решил помочь другу. Раньше я никогда не видел Зою. Володя рассказал мне, как она **выглядит**, но очень **неточно**. «Главное, — говорил Володя, — она очень симпатичная».

И вот я стою на перроне около вагона № 5 и внимательно смотрю на каждую девушку, которая выходит из вагона. Наконец я увидел очень симпатичную девушку. Она! Я спросил: «Вы Зоя?» — «Да», — ответила она. — «Вас должен встретить Володя?» — «Да». Ну, я объяснил ситуацию, взял её **чемодан**, и мы поехали на другой вокзал. По дороге я рассказывал ей смешные новогодние истории, а сам чувствую, что невеста друга нравится мне все больше и больше. Кошмар!

С вокзала я пошел в **общежитие**. **Настроение** — ужасное! Когда я подошел к двери комнаты, где жили мы с Володей, я услышал **смех**. Смеялась женщина. «Интересно, — подумал я. — Его невеста только что в поезд села, а у него уже другая девушка в комнате смеется!»

Я открыл дверь и увидел рядом с Володей симпатичную девушку. «Игорь, — сказал Володя, — познакомься, это моя Зоя. Вы с ней **разминулись**, и она приехала ненадолго ко мне в общежитие. **Поздравь** нас, мы решили **пожениться** летом!»

Я от удивления **чуть не** упал! А кого я встретил и **проводил** на вокзал? И, главное, как мне ее теперь найти?

Не буду рассказывать, как я искал ее, как давал **объявления** в газеты, ждал, надеялся. Скажу только, что и я, и Володя женились летом 1953 года. **С тех пор** прошло много лет.

Быть проездом — *to be en route*
Заболеть — *to get sick*
Встать — *to stand up*
Выглядеть — *to look*
Неточно — *inexact*
Чемодан — *suitcase*
Общежитие — *dormitory*
Настроение — *mood*
Смех — *laugh*
Разминуться — *to miss each other*
Поздравить — *to congratulate*
Пожениться — *to marry*
Чуть не — *nearly*
Проводить — *to accompany*
Объявление — *advertisement*
С тех пор — *since that time*

Остаться — *to remain*
Традиция — *tradition*
Неожиданный — *unexpected*

Но у нас с Зоей **осталась** одна **традиция**: 31 декабря, перед тем как встретить Новый год дома, мы едем на вокзал и пьем там шампанское за нашу **неожиданную** и счастливую встречу много лет назад.

Высокое имя
(по одноимённому рассказу Л. Зорина)

❄❄ • Существительные и прилагательные (единственное число) в разных падежах
• Виды глагола
• Прямая речь

Высокий (-ая, ое, ые) — *high*
Событие — *event*
Поздравляю — *to congratulate*

У Кренделева родился сын. Это было важное **событие**, и все коллеги **поздравляли** его и говорили ему что-нибудь приятное. Целый день Кренделев повторял только: «Спасибо! Спасибо большое!».

Вечером, когда он вернулся домой, жена сказала:

— Интересно, почему никто не подумал, что у тебя теперь большая семья и тебе нужны деньги? Я слышала, что у вас сейчас свободно место референта. Почему никто не **предложил** тебе это место?

Предложить — *to offer*

—Такие вопросы решает только Энергид! — сказал Кренделев.

— Да, но коллеги могут сказать ему, что ты хорошо работаешь, что у тебя теперь есть сын и тебе нужно это место! — сказала жена.

— Ты не знаешь Энергида. Он никого не слушает! — **грустно** ответил Кренделев.

И это была правда. Энергид Тимофеевич, начальник Кренделева, был человек **грозный**. Все люди в отделе **боялись** его и **старались** контактировать с ним **как можно меньше**.

Все это жена Кренделева знала, но не теряла **надежду**. На следующий день она рас-

Грустно — *sadly*
Грозный — *severe*
Бояться — *to be afraid*
Стараться — *to try*
Как можно меньше — *as less as possible*
Надежда — *hope*

сказала мужу, как **однажды** нашу страну **посетил** высокий иностранный гость и родители одного **малыша назвали** сына его именем.

— И что было потом? — спросил Кренделев.

— Они написали об этом в газету, журналист написал о них **статью**, потом по телевизору показали интервью с ними, высокий иностранный гость тоже узнал об этом. И сейчас их сын каждый год получает дорогие подарки от этого высокого гостя!

— Какие **умные** люди! — сказал Кренделев.

— Очень умные, — **согласилась** жена. — И мы тоже можем так сделать. Скажи начальнику, что ты назвал сына Энергидом. **Я уверена**, что он даст тебе место референта!

— Ну... **неудобно**... А что скажут коллеги? Энергид — очень **непривычное** имя, — ответил Кренделев.

— Не думай, что скажут коллеги! Это не их дело! — **поставила точку** жена.

И малыш получил имя Энергид.

Через день Кренделев **осторожно** вошел в кабинет начальника.

— Извините, Энергид Тимофеевич, — сказал Кренделев. — Можно к вам?

— Да, пожалуйста, — пригласил его начальник и улыбнулся.

Кренделев удивился: никогда раньше начальник не встречал его с улыбкой.

— У меня сын родился, Энергид Тимофеевич, — начал Кренделев.

— О, поздравляю! И как чувствует себя малыш?

— Спасибо, хорошо, — ответил Кренделев.

— Я очень рад за вас.

Однажды — *once*
Посетить — *to visit*
Малыш — *baby*
Назвать — *to name*
Статья — *article*
Умный (-ая, ые) — *smart*
Согласиться — *to agree*
Я уверена — *I am sure*
Неудобно — *it's awkward*
Непривычный (-ая, ые) — *unusual*
Поставить точку — *to put the point (to finish)*
Осторожно — *carefully*

«Что с ним? — удивился Кренделев. — **Ласково** говорит, поздравляет... Никогда он так не разговаривал».

— Мы... я и жена... долго думали, как назвать. Понимаете, имя — это не просто **формальность**. Имя **определяет** характер.

— И как вы назвали малыша?

Это был **кульминационный** момент. Кренделев посмотрел начальнику в глаза и ответил:

— Энергид.

— Как?!

— Энергид. **В вашу честь**, Энергид Тимофеевич.

Начальник посмотрел на Кренделева. В его глазах были **слёзы**.

— Спасибо, мой дорогой. Вы меня очень **тронули**! Мои **поздравления**!

Он **замолчал**. Кренделев тоже помолчал минуту и потом сказал:

— Энергид Тимофеевич, сейчас у меня семья и, конечно, у меня есть проблемы. Я знаю, что у нас в отделе сейчас свободно место референта и **я хотел бы**...

— Понимаю вас, — **грустно** согласился Энергид Тимофеевич, — вы хотели бы получить это место. Но я не могу вам помочь. Дело в том, что у вас будет новый начальник. А я уже не начальник для вас...

— Но... это **невозможно**! — **с ужасом** сказал Кренделев.

— Всё возможно, **мой дорогой**... Грустно, но возможно... А сейчас — **прощайте**, мой дорогой. И привет Энергиду.

***

Кренделев вернулся домой поздно ночью пьяный. В **пальто** и **шапке** он вошел в комнату, где в **кроватке** спал Энергид.

— **Прости** меня, — сказал Кренделев, — твой отец **свинья** и **подлец**. **Испортил** тебе всё **детство**!

И Кренделев тихо заплакал.

Ласково — *gentle*
Формальность — *formality*
Определять — *to determine*
Кульминационный — *climactic*
В вашу честь — *in your honor*
Слезы — *tears*
Тронуть — *to touch*
Поздравления — *congratulations*
Замолчать — *to go quiet*
Я хотел бы — *I would like*
Грустно — *sadly*
Дело в том, что — *the point is that*
Невозможно — *impossible*
С ужасом — *with horror*
Мой дорогой — *my dear*
Прощайте — *goodbye forever*
Пальто — *coat*
Шапка — *hat*
Кроватка — *child's bed*
Простить — *to forgive*
Свинья — *pig*
Подлец — *scoundrel*
Испортить — *to spoil*
Детство — *childhood*

II. «СКАЗКИ НОВОЙ РОССИИ» (ТЕКСТЫ ПО МОТИВАМ ЖУРНАЛЬНЫХ ПУБЛИКАЦИЙ ПОСЛЕДНИХ ЛЕТ)

Лекарство от вранья
(по рассказу из журнала «Отдохни»)

❄❄ • Существительные, прилагательные и местоимения (единственное и множественное число) в разных падежах
• Виды глагола
• Прямая речь

Живчук **искал** детектива. Уже несколько месяцев ему казалось, что его жена **изменяет** ему, и он **решил найти** детектива, чтобы знать точно. В газете, которую он читал, он нашёл интересное **объявление**: «Лекарство от вранья. Недорого. Доктор медицинских наук Н.П. Рясный». «Интересно, — подумал Живчук, — можно дать жене лекарство, и она сама всё расскажет? **Жулик**, наверное. Но, может быть, **попробовать**?» Он позвонил доктору и **договорился** о встрече. На следующий день Живчук приехал к доктору Рясному. Он увидел **роскошную** квартиру, которая была переделана в медицинский кабинет. Всё, что говорил доктор Рясный, было очень **убедительно**:

— Вся процедура — один **укол** в **ягодицу**. И через 30 секунд вы начинаете говорить правду и только правду и делать всё честно.

— Да, интересно, — сказал Живчук, — но я не вижу у вас **очереди** клиентов...

— А, понимаю, — **улыбнулся** Рясный. — Вы мне не **верите**. Это правильно, сейчас так много жуликов...

— И сколько стоит укол?

Лекарство — *medicine*
Враньё — *lies*
Искать *to look for*
Изменять *to betray*
Решить — *to decide*
Найти — *to find*
Объявление — *advertisement*
Жулик — *crook*
Попробовать — *to try*
Договориться (perf) — *to arrange (meeting)*
Роскошный — *luxurious*
Убедительно — *convincing*
Укол — *injections*
Ягодица — *buttock*
Очередь — *queue, line*
Улыбнуться — *to smile*
Верить — *to believe*

Даром — *free of pay*
Осмотреть — *to look around*
Кабинет — *office*

Ящик — *box*
Отделение — *section*
Мышка — *mouse*
Провод — *cable*
Розетка — *power point*

Запах — *smell*

Удар — *blow*

Врать — *to lie*
Самосохранение — *self-preservation*
Ложь — *lie*
Честный — *honest*
Из принципа — *on principle*

Снова — *again*

Наука — *science*
Чудо — *wonder*

Телохранитель — *bodyguard*

— 100$. Почти **даром**.

Живчук ещё раз внимательно **осмотрел кабинет** доктора. Один только стол, за которым сидел доктор, стоил больше, чем 20 уколов.

— Я понимаю, вы боитесь, — сказал доктор, — но это не опасно. Смотрите.

Рясный положил на стол маленький **ящик**, в котором было 2 **отделения**. В одном отделении сидела **мышка**. От ящика шёл **провод** в **розетку**.

— Смотрите, — сказал Рясный. — В одно отделение мы кладём сыр. Мышка чувствует **запах** сыра, бежит и ест сыр. Ещё раз кладём сыр, но включаем электричество. Мышка берёт сыр, но получает электрический **удар**. Это не сильный удар, но неприятный. Мышка его чувствует. Ещё раз кладём сыр. Но мышка не бежит, чтобы съесть этот сыр. Мы научили её **врать**: она хочет сыр, но не берёт...

— Ну, это банальный инстинкт **самосохранения**. И где здесь правда и **ложь**?

— **Честный** живёт недолго. Как вы думаете, сколько может жить хамелеон, который **из принципа** не хочет зеленеть на зелёном и краснеть на красном? Его моментально съедят. А сейчас я сделаю мышке укол. Подождём 30 секунд... А, видите? Она бежит взять сыр. Хочет сыр — и бежит. Она получает один электрический удар, потом другой, но она опять бежит за сыром. **Снова** и снова. Ну, вот, бедная, умерла.

Живчук подумал: «В конце XX века **наука** может почти всё. Но такое **чудо** — и почти даром? Странно!»

— Мы вот что сделаем, — сказал он. — Мы сделаем сначала укол моему **телохранителю**. Вася! Иди сюда!

Дверь открылась, и в комнату вошёл Василий.

— Так, — сказал Живчук. — Сейчас будем делать эксперимент. **Снимай штаны**!

— Я... Я... Мы так не **договаривались**, — сказал Василий и сделал **шаг** к двери.

Живчук улыбнулся и сказал, что это просто укол. Василий **покорно** снял штаны.

После укола подождали минуту.

— Ну, что, Вася? Чувствуешь что-нибудь? — спросил Живчук.

— Нет. А что надо чувствовать?

И вдруг лицо Василия изменилось. Он посмотрел прямо в глаза Живчука и сказал:

— Вы, Анатолий Борисович, **подлый эксплуататор**. Не буду я больше у вас работать!

И он вышел из кабинета.

— Работает! — **радостно** сказал Живчук. — Покупаю! Но знаете, я покупаю это для жены. Как же я ей укол сделаю?

— А я дам вам **снотворное**. Положите его в кофе или чай. А потом сделаете ей укол. Больно не будет.

...Прошло 5 месяцев. И вот однажды...

Секретарша Рясного вошла в его кабинет и сказала:

— Николай Павлович! Там вас какой-то **бомж** спрашивает. Говорит, что его фамилия Живчук, и что вы его знаете.

— А, этот денежный **мешок**! — Сказал Рясный. — Быстро он, только 5 месяцев прошло! Я продал ему лекарство для жены, и ему так понравился результат, что он решил сам попробовать. Пусть он войдёт, Аллочка.

Живчук вошёл в кабинет.

— Рад видеть вас, господин Живчук, — сказал доктор. — У вас что-то случилось?

— Я хотел бы вас **убить**! Из-за вас я честный. Раньше, когда я врал, всё было хорошо. А сейчас всё плохо, потому что я не могу врать. Бизнес на нуле, дом и две машины

Снимать — *to take off*
Штаны — *trousers*
Договариваться — (imperf) *to agree*
Шаг — *step*
Покорно — *submissive*
Подлый — *base*
Эксплуататор — *exploiter*
Радостно — *joyfully*
Снотворное — *sleeping pill*
Бомж — *homeless*
Мешок — *sack*
Убить — *to kill*

Долг — *debt*

продал, чтобы за **долги** не убили. Жена ушла. Дети тоже знать меня не хотят.

— Как я могу вам помочь? — спросил доктор.

— Я должен на следующей неделе платить **налоги**. Если напишу декларацию честно, с начала года, то пойду в **тюрьму** или **потеряю** последнее. Вы можете вернуть меня в старое **состояние**?

Налог — *tax*
Тюрьма — *prison*
Потерять — *to louse*
Состояние — *state*

— Вы хотите опять врать? — спросил Рясный.

— Да, пожалуйста! Очень прошу!

— У меня есть такое средство. Но оно очень дорого стоит. — Рясный внимательно посмотрел на Живчука. — Очень дорого.

— Дорого — это сколько?

— 100 тысяч долларов.

Шутить — *to joke*

— Вы **шутите**? Для меня сейчас и 100$ — большие деньги. Почему вы не сказали мне раньше?

Вывод — *conclusion*

— Извините, — сказал Рясный. — Но вы видели, что мышка умерла. Могли сделать **вывод**.

— Но где я возьму 100 000 баксов?

Расписка — *warrant*

— Я могу подождать. Вы напишете мне **расписку**, а я сделаю вам укол. Уже через полгода у вас будет много денег, я уверен.

— Спасибо, доктор, я... — Живчук даже заплакал.

— Ну, не надо... — Доктор открыл ящик стола. — Вот бумага и ручка... А потом снимите штаны.

Ночь для счастья
(по одноимённому рассказу А. Хана)

❄❄ • Существительные и местоимения (единственное число) в разных падежах
• Виды глагола
• Глаголы движения

Счастье — *happiness*

История, о которой я хочу рассказать, **случилась** в одной московской квартире. Это реальная история, но я решил не **менять** имя героини, потому что я абсолютно уверен — она никогда не прочитает этот рассказ.

***

Алиса ждала его целый день. Она **мечтала**, как они будут ужинать вместе. Она, конечно, съест всё быстрее, чем он, и потом будет **с любовью** смотреть, как он ест мясо и картошку, как он пьёт кофе и потом курит на балконе.

Он пришёл поздно вечером, сказал: «Привет, Алиса!» И в этот момент **зазвонил** телефон. Он **побежал** к телефону, взял **трубку** и сказал:

— А-а, это ты! Ну, как дела?

И полчаса говорил о каком-то Иванове, который не приготовил **вовремя** документы, о том, как он устал, когда ездил сегодня в аэропорт, о **пробке** на дороге и о том, где можно купить какие-то детали для машины.

Когда **разговор** закончился, он положил трубку, но телефон **сразу** зазвонил **опять**. Он опять взял трубку и начал говорить, что он уже не мальчик, что он долго ждал её **под дождём**, что если она не могла прийти, она должна была позвонить...

Всё это время Алиса **с отчаянием** смотрела на него и думала, что сегодня она ждала его весь день, а он **даже** не смотрит на нее.

Наконец он сказал, что будет ждать звонка через час, положил трубку и пошел в кухню.

«Ну, как ты тут, Алиса? — спросил он из кухни. — **Скучала** без меня?»

Алиса слышала, как он открыл холодильник. Но она не **спешила** в кухню. Она медленно **подошла** к телефону, посмотрела на **аппарат** и **мягко сдвинула** трубку с **рычага**. **Со стороны** это было совсем **незаметно**. А шум

Случиться — *to happen*
Менять — *to change*
Мечтать — *to dream*
С любовью — *with love*
Курить — *to smoke*
Зазвонить — *to start ringing*
Побежать — *to run*
Трубка — *receiver*
Вовремя — *in time*
Пробка — *traffic jam*
Разговор — *talking*
Опять— *again*
Под дождем — *under rain*
С отчаяньем — *with despair*
Даже — *even*
Скучать — *to be bored*
Спешить — *to rush*
Подойти — *to approach*
Аппарат — *apparatus*
Мягко сдвинула — *softly moved*
Рычаг — *cradle*
Со стороны — *from outside*
Незаметно — *invisibly*

Тихие короткие гудки — *quiet short hoots*
Напрасно — *in vain*
Пытаться — *to attempt*
Дозвониться — *to get through*
Начальник — *boss*
Бывшая жена — *former wife*
Единственная — *the only*
Рыжий (ая, ие) — *red*
Петь — *to sing*
Любимый — *sweetheart*

телевизора, который он уже включил, не давал услышать **тихие короткие гудки**.

Напрасно в этот вечер **пытались дозвониться** до него сначала его мать, коллеги, **начальник**, **бывшая жена**, а потом его сегодняшняя «большая и **единственная**» любовь. Он ужинал, **рыжая** кошка Алиса с любовью смотрела на него, а по телевизору **пели**: «Женское счастье — это когда **любимый** рядом...»

Молодожёны
(по одноимённому рассказу Е. Гика)

❄❄ • Существительные и прилагательные (единственное число) в разных падежах
• Выражение причины
• Виды глагола
• Прямая речь

Молодожены — *newlywed*
Электричка — *electric train*
Напротив — *opposite*
Предложить — *to suggest*
Описать — *to describe*
Объяснить — *to explain*
Задавать вопросы — *to ask questions*

Я живу в городе Мытищи. Это небольшой город недалеко от Москвы. Каждое утро я еду в Москву на работу **на электричке** и каждый вечер возвращаюсь домой.

В прошлый вторник я, как обычно, вечером ехал домой. **Напротив** меня в электричке сидела молодая пара. Мы начали разговаривать, и я узнал, что их зовут Паша и Алла, они молодожены, тоже работают в Москве, а живут в Мытищах.

— Давайте поиграем в интересную игру, — **предложил** я. — Я **опишу** вам ситуацию, а вы должны **объяснить** ее. Вы можете **задавать** любые **вопросы**, а я буду отвечать только «да» и «нет». Согласны?

— Согласны, — ответили Алла и Паша.

Я начал игру:

— Ночь. Мужчина спит. Вдруг звонит телефон. Мужчина открывает глаза и берет трубку. Он говорит «Алло!», но никто не отвечает. Он кладет трубку и закрывает глаза. Объясните ситуацию.

— Звонила женщина? — спросил Паша.

— Почему именно женщина? — **недовольно** спросила Алла, но я ответил: «Да».

Недовольно — *discontented*

— Женщина знала его? — опять спросил Паша.

Я ответил: «Да».

— Мужчина был женат? — спросила Алла.

— Да, — ответил я.

— Но звонила, конечно, не жена?.. — спросил Паша.

Я **согласился**, что это была не жена.

Согласиться — *to agree*

— И я думаю, она всегда звонила ночью? — опять спросил Паша.

— Интересно, почему ты так думаешь? — спросила Алла.

— Дорогая, — улыбнулся ее муж. — В **семейной жизни** все может быть!

Семейная жизнь — *family life*

— Ах, в семейной жизни все может быть? И другие женщины тоже? — Алла сказала это так, что я понял, что Пашу ждет скандал. Но Паша был слишком молодой муж, и он этого не понял. Поэтому он спросил:

— Эта женщина была красивая?

— Да, — ответил я, и Паша улыбнулся: он был рад, что думал правильно.

— Значит, — сказал Паша, — женщина звонила, чтобы **проверить**, дома ее **любовник** или нет.

Проверить — *to check*

Любовник — *lover*

— Ах, вот как! — сказала Алла.

— Нет, — сказал я.

Страдать — *to suffer*

Условный знак — *code*

Гордо — *proudly*

Побежать — *to run*

С отчаянием — *with despair*

Махнуть — *to give a wave*

Помириться — *to make up*

Она неправа — *she is wrong*

Невинный — *innocent*

Храпеть — *to snore*

Храп — *snoring*

Причина — *reason*

Просить — *to ask*

Сохранить — *to save*

Но Паша уже не мог остановиться.

— Женщина **страдала** из-за него?

— Да, — ответил я.

— Отлично, — сказал Паша.

— Вы слышите? — спросила меня Алла. — Как он счастлив, что женщины страдают из-за мужчины!

— Подожди, — сказал Паша. — Я все понял: это был **условный знак**!

— Я тоже все поняла, — сказала Алла и пошла к выходу из вагона.

Электричка в этот момент остановилась около платформы.

— Алла, это не наша станция, наша следующая.

— Это ваша следующая, — **гордо** ответила Алла и вышла.

Паша **побежал** за ней. Уже около двери он спросил:

— Я правильно понял? Это был условный знак?

— Нет, — ответил я.

Паша **с отчаянием махнул** рукой и вышел из вагона.

Больше я никогда не встречал Пашу и Аллу и не знаю, как у них сейчас дела — **помирились** они или нет. Но Алла была абсолютно **неправа**: ситуация была очень простая и **невинная**.

Мужчина спал и **храпел**. От **храпа** его соседка за стеной не могла спать. Поэтому она позвонила ему, и, когда он сказал «Алло!», она поняла, что он уже не спит. Она ничего не сказала и положила трубку.

Как видите, у Аллы и у Паши не было **причин** для конфликта.

Поэтому я **прошу** вас: если увидите Пашу и Аллу, объясните им это. Мы должны **сохранить** молодую семью!

III. ТЕКСТЫ ПО МОТИВАМ РАССКАЗОВ ЗАРУБЕЖНЫХ АВТОРОВ

Очки
(по одноимённому рассказу А. Несина)

❄❄ • Существительные и местоимения (единственное и множественное число) в разных падежах
• Безличные конструкции
• Глаголы с частицей **-ся**
• Виды глагола

Как-то, месяцев семь-восемь назад, один мой приятель спросил меня:

— Почему ты не носишь очки?

— А зачем они мне?

— В твоём **возрасте** это уже необходимо. Если ты не будешь носить их сейчас, совсем **испортишь** глаза.

Приятель ушёл, а я почувствовал, что почти ничего не вижу, и решил пойти к врачу.

После **осмотра** врач сказал:

— У вас **близорукость** 1,75 диоптрии.

Я купил очки по рецепту. Когда я надевал их, у меня начинала **кружиться** голова и **меня тошнило**. Когда я снимал очки, я ничего не видел. Просто ужас!

— Я могу порекомендовать тебе хорошего врача, — сказал другой мой приятель. — Сходи к нему.

Врач осмотрел сначала меня, потом мои очки.

— Какой идиот **выписал** вам эти очки? У вас же нет близорукости!

— А что у меня?

— **Дальнозоркость**, 2 диоптрии!

Я заказал новые очки. От этих очков у меня не кружилась голова. И меня не тошни-

Очки — *glasses*
Возраст — *age*
Испортить — *to damage*
Осмотр — *examination*
Близорукость — *short-sightedness, nearsightedness*
Кружиться — *to be spinning*
Меня тошнило — *I felt sick*
Выписать — *to make out*
Дальнозоркость — *long-sightedness, far-sightedness*

Течь — *to flow*
Слеза — *tear*
Близкий друг — *close friend*
Частный — *private*
Государственный — *state*
Принять — *to receive*
Рассердиться — *to be angry*
Недоучка — *badly educated person*
Астигматизм — *astigmatism*
Отодвинуться — *to move aside*
Уменьшиться — *to diminish*
Размер — *size*
Повести — *to take*
Кретин — *imbecile*
Лишить — *to deprive*
У меня двоится в глазах — *I am seeing double*
Ботинок — *ankle boot*
Остаться — *to remain*
Катаракта — *cataract*
Глаукома — *glaucoma*
Дальтонизм — *colorblindness*
Туман — *mist*

ло. Но в них у меня всё время **текли слёзы.** От слёз мои глаза всегда были красными!

Близкий друг посоветовал мне:

— Пойди в государственную клинику. Одно дело — **частный** врач, другое — врач из хорошей **государственной** клиники.

В государственной клинике меня **принял** профессор.

— Не знаю, что делать, профессор, — сказал я ему, — один врач говорит, что у меня близорукость, другой — дальнозоркость.

Профессор **рассердился**:

— Они **недоучки**! У вас не близорукость и не дальнозоркость. У вас **астигматизм**.

Он выписал мне новый рецепт, и я заказал новые очки. В них я видел хорошо. Была только одна проблема: мир как будто **отодвинулся** от меня. Все предметы **уменьшились** в **размерах**, а люди стали совсем маленькими... Но самое главное — я не мог есть. Когда я садился за стол, тарелка убегала от меня на 20 метров. Я не мог есть, пить, двигаться. Меня за руку **повели** к другому доктору, который учился в Америке.

После осмотра он сказал:

— Какой **кретин** выписал вам эти очки? Его надо **лишить** диплома!

Я купил новые очки. Теперь **у меня** в глазах всё стало **двоиться**. Если в нашей семье всегда было 7 человек, то теперь я видел 14. Я смотрел на свои ноги — и видел 4 **ботинка**. На руке у меня было 10 пальцев.

В результате я пошёл к другому врачу.

В городе не **осталось** врача, у которого я не был. У меня находили катаракту, астигматизм, глаукому, дальтонизм...

Как-то раз я с трудом шёл по мосту и вдруг упал. Очки тоже упали. Я ничего не видел. Всё было как в **тумане**. Мне помогли встать.

— Где мои очки? — спросил я.

Их **нашли** и дали мне. Я не мог вспомнить, когда ещё я так хорошо видел! Я видел прекрасно! Когда я пришёл домой, моя жена спросила:

— Что с твоими очками?

— А что такое?

Я снял очки. **Стёкол** в них не было, наверное, они **выпали**, когда я упал!

С этого дня я вижу прекрасно.

Найти — *to find*

Стекло — *glass*

Выпасть — *to fall out*

Скоро подорожает
(по одноимённому рассказу А. Несина)

❄❄ • Существительные (единственное и множественное число) в разных падежах
• Виды глагола
• Прямая речь

К нам пришли гости и спросили:

— У вас есть сахар?

— Должен быть. Вчера купили килограмм.

Гость улыбнулся:

— Вы что, **сошли с ума**? Купите несколько **мешков** сахара. Скоро в магазине не будет сахара!

Обратите внимание, не несколько килограмм, а несколько мешков!

Потом пришёл **знакомый** и спросил:

— Вы купили **керосин**?

— У нас есть немного.

— Скоро в продаже не будет керосина, купите сейчас 15—20 **бидонов**.

Не 15—20 литров, а 15—20 бидонов!

Приходит приятель и спрашивает:

— У вас есть чай?

— Да, есть, только что купили **пачку**.

— Вы что, с ума сошли? Купите немедленно, скоро его не будет нигде!

Мой друг говорит:

Подорожать — *to rise in price*

Сойти с ума — *to go mad*

Мешок — *bag, sack*

Знакомый — *acquaintance*

Керосин — *paraffin, kerosene*

Бидон — *can*

Пачка — *packet, bundle*

Фасоль — *beans*

— **Фасоль** скоро подорожает. Купите 5—10 мешков.

Приходит сосед и спрашивает:

Мыло — *soap*

— У вас есть **мыло**?

— Да, есть несколько кусков.

— Вы не знаете, что мыла скоро не будет? Все покупают мыло.

Другой сосед сказал:

— Никому не говорите: оливковое масло скоро подорожает. Купите несколько бидонов, пока не поздно.

Склад — *store, depot*

Если слушать, что говорят друзья и знакомые, то в квартире нужно сделать **склад**, а мы сами должны переехать в гостиницу.

Слава Богу, у нас нет денег, и мы не можем купить тонны масла, сахара и чая. Но когда люди приходят к нам и спрашивают:

— У вас есть сахар?

Я отвечаю:

Полно — *that's enough*

— **Полно**! Под кроватью 50 килограмм.

— А керосин есть?

— 50 бидонов.

— Чай?

Навалом — *there's loads of*

— **Навалом**! Купили 500 пачек и положили на балкон.

А есть люди, которые, когда узнают, что цены будут больше, покупают тонны продуктов, 2—3 машины, 3—4 квартиры.

Я, к сожалению, ничего не могу купить заранее. Но я тоже готовлюсь к кризису. Вчера я целый день ездил на автобусе №7, который ходит от дома, где я живу, до центра Стамбула. В конце дня кондуктор сказал:

— Извините, наш автобус уже едет в парк, а вы ещё сидите. Почему вы сидите в автобусе весь день? Куда вам нужно?

Я ответил:

Проезд — *trip*

— Никому не говорите, но **проезд** в автобусе скоро подорожает. Поэтому я еду сейчас, пока дёшево...

А вы видели когда-нибудь, как течёт река?
(по рассказу А. Моруа «Рождение знаменитости»)

❄❄ • Существительные (единственное число) в разных падежах
• Неопределенные местоимения и наречия
• Виды глагола

Художник Пьер Душ **рисовал натюрморт** — цветы в вазе и яблоки на тарелке, — когда в ателье вошел его друг — писатель Поль Глэз. Несколько минут Глэз смотрел, как работает Пьер, а потом сказал: «Нет!». Художник с удивлением посмотрел на друга.

— Нет! — повторил Глэз. — У тебя никогда не будет **успеха**. Ты хорошо рисуешь, у тебя есть талант. Но твои картины **слишком обыкновенные**. На выставке, где висят миллионы картин, на твои картины никто не посмотрит. Нет, успеха у тебя не будет. А жалко!

— Но почему? — спросил художник. — Я рисую то, что вижу.

— Да, это правда. И потому у тебя нет успеха. Если ты хочешь, чтобы публике нравились твои картины, ты должен сделать что-нибудь **оригинальное**, **необычное**. Например, ты можешь открыть новую школу: рисовать только **«круглое»**, или только **«квадратное»**, или только «черное». Придумай что-нибудь необычное, новое!

— Но я не знаю, что придумать, — сказал художник.

— Подожди, — сказал Глэз, — кажется, я придумал. Я напишу в газете статью, что ты открыл новый вид **искусства**. Новый вид **портрета**. Я напишу, что раньше художники на портрете рисовали **лицо** человека. Но ты делаешь не так. Ты открыл, что лицо — это только форма. Ты рисуешь на портрете **внутренний мир** человека. Например, портрет ге-

Когда-нибудь — *ever*
Течь — *to flow*
Река — *river*
Рисовать — *to paint*
Натюрморт — *still life*
Успех — *success*
Слишком обыкновенный — *too ordinary*
Оригинальный — *original*
Необычный — *unusual*
Круглый — *rounded*
Квадратный — *square*
Придумать — *to invent*
Портрет — *portrait*
Искусство — *art*
Лицо — *face*
Внутренний мир — *internal world*

Фон — *background*
Крест — *cross*
Лошадь — *horse*
Медаль — *medal*
Силуэт — *silhouette*
Кулак — *fist*

нерала: голубой **фон**, справа — кресты, слева — лошадь, в центре — медаль. Или портрет бизнесмена: **силуэт** фабрики и **кулак** на столе. Я напишу, что это называется «аналитический портрет». Ты можешь за месяц нарисовать 20 таких портретов?

Художник улыбнулся:

— Такие портреты я могу нарисовать за один час. Но, понимаешь, если будет выставка и люди будут спрашивать меня, что я хотел сказать, когда рисовал эти портреты... Я могу рисовать, но я не могу хорошо говорить.

Закурить — *to start smoking*
Трубка — *pipe*
Выпустить — *exhale*
Дым — *smoke*
Задать вопрос — *to ask question*
Умный — *clever*
Договорились? — *agreed?*

— И не надо! Если люди будут спрашивать тебя, ты должен **закурить трубку**, **выпустить дым в лицо** человека, который **задает вопрос**, и сказать фразу: «А Вы видели когда-нибудь, как течет река?»

— А что это значит? — спросил художник.

— Абсолютно ничего, — ответил Глэз. — Но все люди будут говорить, что это гениальная фраза и ты необыкновенно **умный** человек. **Договорились**?

— Договорились.

Триумф — *triumph*

Сила — *power*

Через два месяца открылась выставка. Это был **триумф**. Люди, которые были на выставке, говорили:

— О, какая сила! Какая экспрессия!

Они спрашивали художника:

— Но как Вы нашли эту идею?

В ответ художник делал так, как советовал друг: он брал в рот трубку, выпускал дым в лицо человеку, который задавал вопрос, и говорил:

— А Вы видели когда-нибудь, как течет река?

И все говорили:

— Гениально! Как Вы прекрасно сказали!

Вечером, когда публика ушла с выставки, писатель Поль Глэз сказал художнику:

— Ну, как? Хорошо? Да? Ты слышал, что они говорили? Это триумф! Да, мой друг, я всегда знал, что люди **глупы**, но не знал, **насколько** они глупы...

И он начал **смеяться**. Но художник не смеялся. Он посмотрел на друга и сказал:

— **Дурак**!

— Я дурак? — закричал писатель.

— Да, ты, — ответил художник. — В этой **манере** что-то есть...

— Пьер, **вспомни**, кто дал тебе эту идею...

Художник сначала ничего не ответил, а потом закурил трубку, выпустил дым в лицо писателя и сказал:

— А ты видел когда-нибудь, как течет река?

Глупый — *stupid*
Насколько — *so mach*
Смеяться — *to laugh*
Дурак — *fool*
Манера — *manner*
Вспомнить — *to recall*

Родственные души
(по одноимённому рассказу О'Генри)

❄❄ • Существительные и прилагательные (единственное число) в разных падежах
• Виды глагола
• Прямая речь

Вор находился в **особняке**. Он знал, что **хозяйка** дома уже уехала отдыхать на юг и, наверно, сейчас она сидит на открытой террасе и рассказывает молодому человеку в спортивной форме, что никто и никогда не понимал её тонкой души.

Хозяин остался в городе. Он уже вернулся домой и давно лёг спать.

Вор постоял немного, подумал с чего начать. Хозяйка всё **убрала** в сейф перед **отъездом**, и он не надеялся найти что-нибудь **особенное**. Может быть, немного денег или часы

Родственные души — *close souls*
Вор — *thief*
Особняк — *residence*
Хозяйка — *owner*
Убрать — *to put*
Отъезд — *departure*
Особенный — *special*

Для этого надо было пойти на третий этаж, в комнату, где спал хозяин дома.

Вор тихо открыл дверь. В комнате был слабый свет. На кровати спал человек. На столе около него лежали деньги, часы, сигары и ключи. Вдруг человек на кровати **застонал** и открыл глаза.

Застонать — *to groan*

— Лежите тихо, — сказал вор. В руке у него был пистолет. — Если вы будете шуметь, я убью вас. Руки вверх!

Человек на кровати **поднял** правую руку.

Поднять — *to raise*

— Поднимите левую, — **велел** вор.

Велеть — *to order*

— Я не могу, — ответил человек.

— Почему?

— У меня ревматизм в **плече**.

— **Острый**?

Плечо — *shoulder*
Острый — *acute*

— Был острый, сейчас хронический.

Вор стоял и молчал. Потом он посмотрел на стол, где лежали деньги и часы, пошёл к столу, но вдруг **вскрикнул** и остановился на **полпути**.

Вскрикнуть — *to scream*
Полпути — *half-way*

— Что вы здесь кричите? — **раздражённо** спросил человек на кровати. — Делайте быстрее своё дело. Возьмите всё, что лежит на столе, и уходите!

Раздражённо — *with irritation*

— Извините, но я не могу даже поднять руку, — ответил вор. — У меня тоже ревматизм в левой руке.

— И давно это у вас?

— Уже 5 лет.

— А вы не **пробовали змеиный яд**?

Пробовать — *to try*
Змеиный яд — *venom*

— Пробовал, но всё бесполезно.

— А лекарство Чизельма?

— **Шарлатанство**, — сказал вор, — полгода пил и нисколько не помогло.

Шарлатанство — *charlatanism*

— Когда у вас сильнее болит, утром или ночью?

— Ночью, когда я на работе, а перед дождём особенно.

— У меня тоже, — сказал человек на кровати. — Я не знаю, как остановить эту боль. Доктор ничего не понимает в этой болезни. Я уже отдал ему тысячу долларов.

Вор посмотрел на свой пистолет и положил его в **карман**.

Карман — *pocket*

— Только одна вещь может помочь, — начал вор, — это алкоголь. Знаете что? Одевайтесь! Пошли выпьем что-нибудь.

— Если вы поможете мне, — ответил человек на кровати. — Я не могу одеться сам. А Том уже спит, наверно.

— Ничего, я помогу вам надеть что-нибудь.

— Как это необычно... — начал человек в кровати.

— Вот ваша **рубашка**, — сказал вор. — Наденьте её.

Рубашка — *shirt*

Вор и его новый знакомый вышли из дома. Вдруг хозяин дома остановился:

— Я забыл деньги на столе.

— Ничего, — сказал вор. — Забудьте об этом. Я вас приглашаю. У меня есть немного. Я думаю, нам хватит. А вы никогда не пробовали **ореховую мазь**?

Ореховый — *nut*
Мазь — *ointment*

Любовь и моторы
(по одноимённому рассказу С. Новы)

❄❄ • Существительные (единственное и множественное число) и прилагательные (единственное число) в разных падежах
• Виды глагола

Мой друг — шофёр. Он красивый **парень**. Он дарит мне конфеты и возит меня на машине. О таком парне я всегда мечтала. И **всё-таки** я чувствую, что это совсем не то, что я хотела. У нас нет **духовного родства**.

Парень — *guy*
Всё-таки — *nevertheless*
Духовное родство — *inner affinity*

Аромат — *fragrance*
Течь — *to flow*
Бензин — *petrol*
Любимый — *sweetheart*
Радоваться — *to be overjoyed*
Стучать — *to rattle*

Весна. Зеленые деревья, цветы. Мы едем за город.

— Какой **аромат**, — говорю я.

— Да, кажется, где-то **течет бензин**, — отвечает мой **любимый**.

— Смотри, какие цветы! — **радуюсь** я.

— Да, и что-то **стучит** в моторе, — говорит он.

Мы останавливаемся.

Чудесный (-ая, ое, ые) — *wonderful*

— Ты выбрал **чудесное** место. Здесь так красиво! Спасибо, что ты остановился здесь! — говорю я.

— Надо посмотреть, что стучит в моторе, — говорит он.

— Скажи мне что-нибудь хорошее, — говорю я.

— Не понимаю, откуда течет бензин? — говорит он.

Случай — *case*
Память — *memory*
Наизусть — *by heart*
Заранее — *in advance*
Заблудиться — *to get lost*
Туман — *fog*
Расстаться — *to part with*

Вечером мы идем в гости к друзьям. Мой любимый очень любит рассказывать о **случаях**, которые были у него на дороге. К сожалению, у меня хорошая **память** и я помню их **наизусть**. Я **заранее** знаю, что сейчас он расскажет, как по дороге в Прагу у него кончился бензин, а по дороге в Карловы Вары он **заблудился в тумане**

Мы **расстались**.

Благородно — *noble*

Потом я познакомилась с врачом. Он был не такой красивый, как шофер, но мне нравилась его профессия. Помогать людям — это так **благородно**!

У него тоже была машина, но он ездил на ней только в уикэнды. Когда он первый раз пригласил меня поехать с ним за город, тоже была весна.

— Как красиво за городом! — радовалась я.

— Слышишь, как хорошо работает мотор! — радовался доктор.

Купальник — *swimming costume*
Осторожно — *carefully*

Мы подъехали к реке. Я подумала, что он хочет увидеть, как я в **купальнике осторожно** вхожу в воду... Но, **оказалось**, он решил помыть машину и попросил меня помочь ему.

Я **грустно** подумала, что шофер сам мыл свою машину...

Когда мы с врачом ходили в гости, он тоже рассказывал, как у него кончился бензин, как он заблудился в тумане...

Мы расстались.

Потом я познакомилась с поэтом.

Правда, он был совсем некрасивый, **лысый**, но он был Поэт!

Наконец, у меня было то, о чём я мечтала: **прогулки** по вечернему городу, **стихи**, которые он писал для меня.

Он писал **пьесу** в стихах. Когда он закончил пьесу, театр **принял** её! Это был успех! А на **гонорар** поэт купил машину...

Сейчас он заканчивает автошколу и может говорить только о машинах и о моторах...

Если вы знаете неженатого мужчину до сорока пяти лет, который никогда не купит машину, даже если у него будут деньги, — скажите мне. Я свободна.

Оказалось — *it turned out*
(По)мыть — *to wash*
Грустно — *sadly*

Лысый — *bald*

Прогулка — *walk*
Стихи — *poems*
Пьеса — *play*
Принять — *to accept*
Успех — *success*
Гонорар — *fee*

Даже — *even*

УРОВЕНЬ В (❄❄❄)

I. ТЕКСТЫ ПО МОТИВАМ РАССКАЗОВ РУССКИХ И СОВЕТСКИХ ПИСАТЕЛЕЙ

Гость
(по одноимённому рассказу А. Чехова)

❄❄❄
- Существительные, прилагательные и местоимения (единственное и множественное число) в разных падежах
- Виды глагола
- Прямая речь

Слипаться — *to stick together*
Гувернантка — *governess*
Предпочитать — *to prefer*
Дело в том, что — *the case is that*
Сосед — *neighbour*
Полковник — *colonel*
Сесть — *to sit down*
Вставать — *to stand up*
Укусить *to bite*

У адвоката Зельтерского **слипались** глаза. Все в доме уже спали: жена, дети, **гувернантка**. Только бедный Зельтерский должен был сидеть в гостиной. Конечно, он тоже **предпочитал** пойти спать, но ему было нельзя. **Дело в том, что** у него в гостях сидел **сосед** — **полковник** Перегарин.

Он пришел в гости после обеда, **сел** на диван и с этого момента больше уже не **вставал**. Он сидел и рассказывал, как в 1842 году его **укусила** собака. Рассказал и начал сначала. Зельтерский не знал, что делать. Он все время смотрел на часы, несколько раз вставал и выходил из комнаты, но ничего не помогало. Гость ничего не понимал и **продолжал** рассказывать о собаке.

Продолжать — *to continue*
Паразит — *parasite*

«Он, наверное, будет до утра тут сидеть, — думал Зельтерский. — Вот **паразит**! Ну, если он ничего не понимает, надо сказать открыто».

Ценить — *to appreciate*

— Послушайте, — сказал он. — Вы знаете, что я **ценю** в дачной жизни? На даче можно жизнь регулировать. В городе это трудно, а на даче мы всегда встаем в 9, в 3 часа обедаем, в 10 часов ужинаем, а в 12 **ложимся** спать. В 12 я уже всегда в **постели**. Если **лягу** позже, на следующий день у меня ужасно болит голова.

— Ну, это кто как **привык**, — сказал полковник. — У меня был один знакомый, так этот знакомый...

И полковник начал рассказывать об этом знакомом. Зельтерский посмотрел на часы: была уже половина первого. Зельтерский **пришел в отчаяние**: «Не понимает! Что делать?»

— Послушайте! — **перебил** он полковника. — Что мне делать? У меня ужасно болит горло. Сегодня я был у одного знакомого, а его ребенок болен дифтеритом. Боюсь, что я **заразился.** Я чувствую, что у меня дифтерит.

— Выпейте какое-нибудь **лекарство**, — сказал полковник.

— Болезнь очень **заразная**! Я не только сам болен, но могу и других заразить. Вас, например.

— Меня? Ха-ха! — засмеялся полковник. — Меня никакая болезнь не берет. Вот, помню, был у меня один случай...

И полковник начал рассказывать свой случай. На часах было без четверти час.

— Извините, — перебил его Зельтерский. — Вы когда обычно ложитесь спать?

— Когда в 2, когда в 3, а иногда и совсем не ложусь. Сегодня я, например, часа в 4 лягу, потому что до обеда **выспался**. Вот был у меня в армии один случай...

— Извините, — сказал Зельтерский. — А я всегда ложусь в 12, встаю в 9, а поэтому надо раньше ложиться.

— Это конечно, — **согласился** полковник. — Раньше вставать и для здоровья хорошо. Так вот, был у меня в армии один случай...

— Извините, — опять перебил его Зельтерский. — Что-то мне совсем плохо, **знобит**.

Ложиться (imperf) — *to lie down*
Постель — *bed*
Лечь (perf) — *to lie down*
Привыкнуть — *to get used to*
Пришёл в отчаяние — *to come into despair*
Перебить — *to interrupt*
Заразиться — *to be infected*
Лекарство — *medicine*
Заразный (-ая, ые) — *infectious*
Выспаться — *to have a good sleep*
Согласиться — *to agree*
(Меня) знобит — *I am shivery*

Припадок — *fit, attack*
Бросать — *to throw*
Принять — *to take*
Помогать — *to help*
Собираться — *to be going to*
Часть — *part*
Мёртвая тишина — *dead silence*
Отложить — *to postpone*
Перенести — *to reshedule*
Всякий — *any*
Надежда — *hope*
Средство — *method*
Дать взаймы— *to lend money*
Потратить — *to spend*

Так у меня всегда перед **припадком** бывает. Обычно ночью, около часа. Сначала я теряю сознание, а потом начинаю **бросать** в людей разные предметы. Могу нож бросить или стул.

— А вы **примите** какое-нибудь лекарство! — сказал полковник.

— Принимал, не **помогает**. Когда у меня припадок, я всегда прошу жену и детей уйти из дома.

— Да, чего только не бывает... — сказал полковник.

«Что делать?» — подумал Зельтерский. — Он не **собирается** уходить. А, вот что я сейчас сделаю: почитаю я ему свой роман, который написал еще в гимназии».

— Кстати, — сказал Зельтерский. — Не хотите ли послушать мой роман? Как-то в свободное время написал. Роман в 5 **частях**. Называется «**Мертвая тишина**».

— С удовольствием, — согласился полковник.

Зельтерский начал читать. Он читал час. Ровно в 2 Зельтерский сказал: «Нет, извините, не могу больше читать, устал!»

— А вы не читайте, — сказал полковник, — давайте **отложим** на завтра или **перенесем** чтение на следующую неделю А сейчас давайте я вам расскажу, какой у нас в армии был случай...

Зельтерский оставил **всякую надежду**, что гость уйдет. Он закрыл глаза и начал слушать.

«Что делать? — думал он. — Господи, я готов 100 рублей отдать, только пусть он уйдет... А! Я, кажется, знаю хорошее **средство**. Надо попросить его **дать** мне денег **взаймы**».

— Извините, — перебил он полковника. — Я опять вас перебил. Я хочу попросить вас. Дело в том, что в последнее время я очень много **потратил**. Зарплату получу только в конце августа. Денег нет ни копейки.

— О, как уже поздно! — сказал полковник. — **Засиделся** я у вас. Извините, о чём мы с вами говорили?

Засидеться — *to stay for a long time*

— Я хотел бы попросить кого-нибудь дать мне взаймы рублей 200—300. Вы не могли бы мне посоветовать кого-нибудь?

— Ну, откуда я знаю... И потом — уже поздно, пора домой. И вы, я думаю, спать хотите. Будьте здоровы, привет жене.

— Куда вы? — спросил Зельтерский. — А я хотел вас попросить... Я знаю вас как доброго человека и **надеялся**...

Надеяться — *to hope*

— Завтра, завтра, поговорим завтра, а сейчас поздно, вас жена ждет. Спокойной ночи!

И Перегарин ушел.

Месть
(по одноимённому рассказу А. Чехова)

❄❄❄ • Существительные (единственное и множественное число) и прилагательные (единственное число) в разных падежах
• Виды глагола
• Безличные конструкции

Месть — *revenge*

Лев Саввич Турманов, немолодой человек с деньгами и молодой женой, играл както в гостях в карты. После одной партии он вдруг вспомнил, что давно не пил водки. Он встал и **направился** в буфетную. Там, на круглом столе, стояли бутылки вина и водки, тарелки с колбасой, сыром, фруктами.

Направиться — *to make way*

Лев Саввич взял **рюмку** и уже собирался **налить** себе водку, но вдруг он услышал голоса за стеной.

Рюмка — *liqueur glass*
Налить — *to pour*

— Я не **возражаю**, — говорил женский голос. — Только когда?

Возражать — *to object*

Бас — *bass*

— Когда хочешь, дорогая, — ответил мужской **бас**. — Сегодня не совсем удобно, завтра я целый день занят...

«Это Дегтярёв и моя жена! — узнал Лев Саввич своего приятеля. — Ах, вот что!»

— Да, завтра я занят, — повторил бас. — Если хочешь, напиши мне завтра что-нибудь. Но как послать? По почте — не совсем удобно... **Обращаться** к кому-нибудь с просьбой тоже не хочется... Кстати, а где сейчас этот идиот, твой муж? В карты играет?

Обращаться/обратиться — to *inquire, to adress*

Ему не везет — *he isn't lucky*

— Да, как всегда. И, как всегда, **ему не везёт**!

Мраморный — *marble*

Заключить — *to conclude*

Закусить — *to have sth to eat with the vodka*

Открытие — *discovery*

Расстроить — *to upset*

Драться — *to fight*

Прийти к выводу — *to come to conclusion*

Привыкнуть — *to get into the habit*

Смотреть сквозь пальцы — *to shut one's eyes to sth*

Всё равно — *It doesn't make any difference*

Обидно — *offensive*

Ошибиться — *to be mistaken*

Верить — *to believe*

Вынужден (а, ы) — *forced*

— Значит, ему, дураку, в любви везёт! — засмеялся Дегтярёв. — Кажется, я придумал. Ты знаешь **мраморную** вазу в парке, около фонтана? Положи туда записку, а я завтра после шести пойду домой с работы через парк и возьму твою записку.

— Хорошо, я так и сделаю.

— Вот и прекрасно, — **заключил** Дегтярёв. — Это будет и поэтично, и ново, и никто не узнает.

Лев Саввич выпил всё-таки рюмку водки, **закусил** и направился обратно к карточному столу.

Открытие, которое он только что сделал, не удивило и не **расстроило** его. Время, когда он нервничал, кричал и даже **дрался**, давно прошло. Сейчас он давно **пришёл к выводу**, что ничего сделать не может, **привык** и на новые романы своей жены **смотрел сквозь пальцы**. Но ему всё равно было **обидно**. Обидно, что он **ошибся** в Дегтярёве. «Какой паразит этот Дегтярёв! — думал Лев Саввич. — В лицо он демонстрирует мне свою дружбу, а за глаза говорит, что я дурак и идиот... А я ему **верил**!»

За ужином Лев Саввич был **вынужден** сидеть напротив Дегтярёва. Дегтярёв рассказывал какие-то смешные истории, всё время обращался ко Льву Саввичу, улыбался ему, и Льву Саввичу было ужасно противно. Он с трудом **дождался** конца обеда и даже **отказался** от десерта, чтобы быстрее уехать домой.

Дома Лев Саввич начал думать, как **отомстить** Дегтярёву. Можно было **вызвать** его **на дуэль**. Но закон **запрещает** дуэли. Можно было положить в вазу в парке какую-нибудь **гадость**. Это закон **разрешает**, но это не самый лучший **вариант**. Долго думал Лев Саввич и, наконец, придумал. **Окончательный** вариант так ему понравился, что он даже пришёл в хорошсс настроение и с трудом дождался, пока жена ляжет спать.

Когда жена, наконец, легла, Лев Саввич взял бумагу и написал:

«**Милостивый государь!** Сегодня до 6 часов вечера вы должны положить в мраморную вазу в парке около фонтана 200 рублей. И рекомендуем сделать это побыстрее! Если в 6 часов в вазе не будет денег, мы положим бомбу в ваш магазин. Группа террористов».

Лев Саввич положил это письмо в конверт, адресовал его **купцу** Дулинову и направился на почту. По дороге он с удовольствием думал:

— Конечно, купец Дулинов прочитает письмо, не захочет **отдавать** каким-то террористам 200 рублей и обратится в полицию. Полиция **ознакомится** с письмом и **направит** полицейских к вазе. И, когда Дегтярёв придёт к вазе за письмом — полиция моментально арестует его, **привезёт** в **участок**... Прекрасно!

Весь следующий день Лев Саввич провёл в прекрасном **настроении**. Он с трудом дождался 5 часов и побежал в парк. В 5.30 Лев Саввич уже сидел в кустах около вазы: он не

Дождаться — *to wait until*
Отказаться — *to refuse*
Отомстить — *to revenge*
Вызвать на дуэль — *to challenge to a duel*
Запрещать — *to ban*
Гадость — *nasty thing*
Разрешать — *to permit*
Вариант — *option*
Окончательный — *final*

Милостивый государь! (стар.) — *Dear sir!*

Купец — *merchant*

Отдавать — *to give back*
Ознакомиться — *to familiarize with*
Направить — *to send*

Привезти — *to drive*
Участок (полиции) — *police station*
Настроение — *mood*

мог отказать себе в удовольствии посмотреть, как полиция арестует Дегтярёва.

Ровно в 6 он увидел Дегтярёва, который направлялся к вазе.

— Ну, подожди, сейчас увидишь! — подумал Лев Саввич.

Сунуть — *to put in*

Вынуть — *to take out*

Дегтярёв подошёл к вазе и **сунул** в неё руку... Лев Саввич внимательно смотрел, что будет дальше. Дегтярёв **вынул** из вазы какой-то конверт, открыл его и вынул 200 рублей! Он долго с удивлением смотрел на деньги, потом сказал «Мерси!» и сунул деньги в карман.

Несчастный — *unlucky*
Кулак — *fist*
Трус — *coward*
Заяц — *hare*
Противный — *nasty*

Несчастный Лев Саввич слышал это «Мерси!».

Целый вечер потом он стоял напротив магазина купца Дулинова, показывал магазину **кулак** и повторял:

— **Трус**! **Заяц**! Трус **противный**!

Музейная вещь
(по рассказу А. Чехова «Произведение искусства»)

❄❄❄
- Существительные и прилагательные (единственное число) в разных падежах
- Виды глагола
- Глаголы движения
- Безличные конструкции
- Прямая речь

Молодой человек Саша Смирнов вошел в кабинет доктора Кошелькова.

— А! Здравствуйте! — сказал доктор. — Как вы себя чувствуете?

Саша ответил:

Спасти — *to save*

— Спасибо, Иван Николаевич! Спасибо большое! И моя мама тоже спасибо Вам говорит! Я был так болен, а Вы **спасли** меня! И я, и мама...

— **Оставьте**, молодой человек! — сказал доктор. — Я рад, что Вы здоровы!

Но Саша еще не кончил:

— Я один сын у мамы, и Вы спасли меня. Мне **стыдно**, доктор, но... Мы не богатые люди, и мы не можем заплатить Вам... Но, пожалуйста, возьмите этот подарок... Это очень дорогая вещь, музейная.

— Напрасно, — сказал доктор. — Ну, зачем?

— Нет, пожалуйста, возьмите. Это очень красивая вещь, ее мой отец купил много лет назад, и она лежала дома как **память**. Мой отец покупал и продавал старинную бронзу, а сейчас моя мать это делает.

И Саша дал доктору пакет. В пакете был канделябр, старый бронзовый канделябр. Вещь и правда была музейная: она **изображала** группу — три абсолютно **голые** женщины стояли **в очень игривых позах**.

Доктор посмотрел на подарок и сказал:

— Да, очень красиво... Но, знаете, если этот канделябр будет на столе стоять... У меня семья, дети, и клиенты часто женщины. Неудобно...

— Нет, нет, доктор, — сказал Саша. — Это музейная вещь. Если Вы не возьмете, мама очень обидится.

— Ну, ладно, спасибо, я согласен, — сказал доктор.

— И прекрасно, что Вы согласны! Этот канделябр очень хорошо будет стоять тут, около вазы. Жалко, что нет пары. Не удалось найти. До свидания, доктор.

И Саша ушел. Когда он ушел, доктор начал думать, что делать с подарком. «Конечно, это красиво! Но **неприлично**! Надо подарить кому-нибудь! Но кому?»

И в этот момент он вспомнил, что у него есть друг, адвокат.

Оставить — *to stop*

Стыдно — *ashamed*

Память — *memory*

Изображать — *to depict*

Голый — *naked*

Игривые позы — *playful poses*

Неприлично — *indecently*

— О, прекрасно! Я подарю канделябр ему! Он не женат, ему понравится!

Когда доктор приехал к адвокату и подарил ему канделябр, адвокат **пришел в восторг**:

Прийти в восторг — *to be thrilled*
Прелесть — *charming*

— О, какая **прелесть**! Где ты это взял? Прекрасно!

Но через пять минут он сказал:

— Извини, друг, я не возьму этот подарок...

— Почему? — спросил доктор.

— Ну, у меня мать, клиенты, неудобно!

— Нет, нет, нет! Ты не понимаешь, это музейная вещь! — и доктор быстро вышел из квартиры адвоката.

Когда он ушел, адвокат посмотрел на канделябр и начал думать, кому его подарить. Он долго думал и вспомнил об артисте Шашкине... «Он любит такие вещи, и сегодня у него **как раз** бенефис».

Как раз — *just in time*

Вечером адвокат подарил канделябр артисту. Комик и его друзья-артисты пришли в восторг. Все они весь вечер смотрели на канделябр и смеялись. Потом, когда все ушли домой, Шашкин начал думать, что делать с подарком. «Если это будет в квартире стоять... А вдруг женщины будут в гостях?.. Нет, нельзя!»

И тут он вспомнил, что его друзья говорили, что недалеко живет одна **старуха**, которая покупает старую бронзу...

Старуха — *old lady*

Через 2 дня в кабинет доктора **радостно** вошел Саша Смирнов, в руках у него был пакет.

Радостно — *joyfully*

— Доктор! — сказал он. — Какая **удача**! **Нам удалось** купить пару для канделябра. Вот!

Удача — *luck*
Нам удалось — *we managed*

И Саша поставил перед доктором канделябр. Доктор открыл рот, хотел что-то сказать, но не сказал: он потерял **голос**.

Голос —*voice*

Забыл!
(по одноимённому рассказу А. Чехова)

❄❄❄ • Существительные и прилагательные (единственное число) в разных падежах
• Виды глагола
• Глаголы движения
• Прямая речь

Уставший Иван Прохорыч Гауптвахтов зашёл ещё в один магазин, чтобы купить **ноты** для дочери.

— Здравствуйте!.. — сказал он. — Я хотел бы...

Маленький продавец вышел навстречу, **улыбнулся** и спросил:

— Я могу помочь?

— Я хотел бы... Жарко! Я хотел бы... М-м-м-м... мне надо... Забыл!!

— **Вспомните**!

— Нет, забыл!! Что такое?.. М-м... Забыл!!

— Вспомните...

— Я говорил ей: запиши! Нет... Почему она не записала? Я не могу всё помнить! Может быть, вы сами знаете? **Пьеса** нерусская, надо громко играть. А?

— У нас так много, что я не знаю...

— Ну да. Понятно! М-м... Дайте вспомнить... Что делать? А без нот я не могу вернуться домой. Какой у вас кот **важный**! Красивый-Сибирский, наверно?.. Это кот или кошка?

— Кот.

— Ну, что смотришь, **дурак**! Тигр! Что делать? Пока шёл сюда помнил, а сейчас забыл. Потерял **память**. Старый стал. Может быть, я **спою**?

— Спойте.

— Сейчас... Кгм... У меня **кашель**...

Наконец, Гауптвахтов **запел**.

— Тото-ти-то-том... Хо-хо-хо... У меня тенор... Три-ра-ра... Я **простудился**, наверно. Вчера выпил холодное пиво... Сейчас всё

Уставший — *tired*
Ноты *music — book*
Улыбнуться — *to smile*
Вспомнить — *to recall*
Пьеса — *piece*
Важный — *pompous*
Дурак — *fool*
Память — *memory*
Спеть — *to sing*
Кашель — *cough*
Запеть — *to start to sing*
Простудиться — *to catch a cold*

вверх, а потом вниз, вниз. Понимаете? А здесь в это время бас: гу-гу-гу... Понимаете?

— Не понимаю...

— Не понимаете? Жаль... Может быть, я не так пою? Забыл совсем.

— Вы играете на рояле?

— Нет, я не играю. Всё **бесполезно**. До свидания. Будьте здоровы!

Бесполезно — *useless*
Осторожно — *carefully*
Представить себе — *to imagine*
Козёл — *goat*
Осёл — *donkey*

Гауптвахтов **осторожно** открыл дверь, вышел на улицу и задумался. Он **представил себе**, как он придёт домой, как жена и дочь встретят его. Жена посмотрит, что он купил и скажет, что он **козёл** или **осёл**. Дочь спросит: «Купил ноты?» Когда услышит «нет», она заплачет и уйдёт в свою комнату и не выйдет обедать. Вечером она подойдёт к роялю, сыграет сначала что-нибудь **грустное,** потом это любимое: то-то-ти-то-то...

Грустный — *sad*
Стукнуть — *to knock*
Сумасшедший — *mad*

Гауптвахтов **стукнул** себя по лбу и как **сумасшедший** побежал обратно в магазин.

— То-то-ти-то-то, огого! — закричал он, когда вбежал в магазин. — Вспомнил!!

— А... сейчас понятно. Это рапсодия Листа, номер два.

— Да, да... Лист, Лист! Дорогой мой! Номер два!

— Да, трудно спеть Листа.

Гауптвахтов купил ноты и счастливый пошёл домой.

Случай на озере

(по рассказу А. Чехова «За двумя зайцами погонишься, ни одного не поймаешь»)

❄❄❄
- Существительные, прилагательные и местоимения (единственное и множественное число) в разных падежах
- Виды глагола
- Глаголы движения
- Прямая речь

Проснуться — *to wake up*

Майор **проснулся** в 12 часов дня. У него было ужасное **настроение**. Вчера в саду он услышал, как его молодая жена Каролина Карловна **кокетничала** со своим кузеном и говорила о своём муже, что он **пьяница**, **тупой баран**, у него **грубые** манеры и вообще она никогда не любила, не любит и не будет любить его. Майор не спал всю ночь и утро. Он думал, как **отомстить**. Майор встал с кровати и позвал своего **слугу** Пантелея.

— Послушай, Пантелей, — начал майор, — я хочу поговорить с тобой, как с человеком. И закрой рот! Отвечай мне **честно**! Ты **бьёшь** свою жену или нет?

Пантелей глупо улыбнулся.

— Каждый вторник, — сказал он.

— Очень хорошо. Почему ты улыбаешься? Закрой рот! И не **чешись**, я не люблю! (Майор подумал.) Мне кажется, что не только мужики бьют своих жён.

— Не только. Например, в городе есть **судья** Пётр Иванович, хороший человек. Я у него работал. Когда он был пьяный, он всегда свою жену бил и меня **за компанию**. Бил он жену и говорил: «Ты, дура, не любишь меня, а за это я хочу убить тебя».

— А она что?

— Простите, говорит.

— Ну? Правда? Очень хорошо. Что **барыня** делает?

— Спит.

— Иди скажи Марье, чтобы **разбудила** барыню и попросила её прийти ко мне.

Пантелей вышел, а майор начал одеваться.

— **Душенька**! — сказал майор, когда его молодая хорошенькая жена вошла в его комнату. — Я хочу погулять, по озеру **на лодке покататься**. Не можешь ли ты пойти со мной?

— С удовольствием, папочка. Может быть, взять **закуску**? Я ужасно есть хочу.

Настроение — *mood*
Кокетничать — *to flirt*
Пьяница — *drunkard*
Тупой — *stupid*
Баран — *ram*
Грубый — *rude*
Отомстить — *to revenge*
Слуга — *servant*
Честно — *honestly*
Бить — *to beat*
Чесаться — *to scratch*
Судья — *judge*
За компанию — *for company*
Барыня — *lady*
Разбудить — *to wake*
Душенька — *my dear*
Покататься на лодке — *to boat*
Закуска — *snack*

Плётка — *whip*

— Я уже взял закуску, — ответил майор и незаметно положил в карман **плётку**.

Через полчаса они плыли на лодке. На середине озера лодка остановилась. Лицо майора стало красным.

— Что с тобой? — спросила жена.

— Я тупой баран? Ты не любила меня и любить не будешь? O tempora, o mores! Ты... Я... — закричал майор. В руке у него была плётка.

Борьба — *fight*
Перевернуться — *to capsize*

Началась **борьба**, лодка **перевернулась** и...

Бывший ключник — *ex-house-keeper*
Писарь — *clerk*
Крик — *scream*
Пиджак — *jacket*
Брюки — *trousers*
Сапог — *boot*
Остановиться — *to stop*
Спасать/спасти — *to save*

В это время по берегу озера гулял **бывший ключник** майора, а сейчас **писарь** Иван Павлович. Вдруг он услышал **крик**. Писарь узнал голос майора и его жены.

— Помогите! — кричали майор и майорша.

Писарь быстро снял **пиджак, брюки**, **сапоги** и поплыл к ним. Плавал он лучше, чем писал и поэтому через три минуты был уже около майора и его жены. Иван Павлович подплыл ближе и **остановился**. «Кого **спасать**? — подумал он. — Вот чёрт!»

Кашалот — *whale*
Запеть — *to start singing*
Обещать — *to promise*

— Кто-нибудь один! — сказал он. — Я не **кашалот**.

— Ваня, дорогой, спаси меня, — **запела** майорша. — Если спасёшь меня, я выйду за тебя замуж! **Обещаю**!

Убить — *to kill*

— Иван! — тоже начал майор. — Спаси, друг. Я тебе рубль дам на водку! Я женюсь на твоей сестре Марье... Правда, женюсь. Она красавица. Если не спасёшь меня — **убью**.

Выгодный — *profitable*
Схватить — *to seize*
Зять — *son-in-law*

Иван не знал, что делать. Кого спасать? Обещания были очень **выгодными**. А время идёт. «Спасу и того и другого», — решил он. Иван **схватил** майора и майоршу и поплыл к берегу. Он плыл и мечтал о своём будущем. «Барыня — жена, майор — **зять**. Шикарно!» Вот когда он будет курить дорогие сигары и есть **пирожные**! Трудно было Ивану, но он выплыл на берег и спас майора и его жену.

На другой день Иван Павлович, по просьбе майора, был **уволен** с работы, а майорша **выгнала** Марью с **приказом** идти «к своему **милому** барину».

Пирожное — *fancy cake*
Уволить — *to fire*
Выгнать — *to throw out*
Приказ — *order*
Милый — *dear*

Зоя
(по одноимённому рассказу А. Чехова)

❄❄❄ • Существительные и прилагательные (единственное число) в разных падежах
• Виды глагола

Вы, конечно, знаете, мой друг, что я страшно люблю классическую музыку. В прошлом году я часто ходил на оперу и не один, а с Зоей и её семьёй. Зоя красивая, **умная, чудесная** девушка. Я любил её... Любил ужасно! Мы были счастливы... До **свадьбы** был один **шаг**. Но...

Однажды мы решили пойти на «Фауста». Я решил сказать Зое о своей любви в театре.

Спектакль начался. Зоя сидела около меня, она была прекрасна.

— В увертюре, — начал я, — так много **чувства**! Слушаешь и ждёшь...

Я **икнул** и **продолжал**:

— Ждёшь любви, **страсти**...

Зоя улыбнулась, покраснела. Я икнул.

— Зоя Егоровна! Скажите! Вы знаете, что я чувствую? (Я икнул). Зоя Егоровна! Я жду ответа!

— Я... я... вас не понимаю...

— Я говорю о чувстве, которое... (Я икнул.) **Чёрт** знает что!

— Вы выпейте воды!

«Сначала закончу, потом пойду в буфет», — подумал я и продолжал:

— Зоя Егоровна... Вы, конечно, знаете... (Я икнул.) Вы знаете меня около года... Я **че-**

Умный — *clever*
Чудесный — *wonderful*
Свадьба — *wedding*
Шаг — *step*
Спектакль — *performance*
Чувство — *feeling*
Икнуть — *to hiccough*
Продолжать — *to continue*
Страсть — *passion*
Чёрт — *hell*

Честный — *honest*
Богат (а, ы) — *rich*

стный человек, Зоя Егоровна! Я не **богат**, это правда, но...

Я икнул и встал.

— Вы выпейте воды! — посоветовала Зоя.

Ложа — *box*

Я походил немного около дивана и опять икнул. Зоя тоже встала и пошла в **ложу**. Я за ней. Я икнул ещё раз и побежал в буфет. Там я выпил четыре стакана воды, покурил и пошёл в ложу. Как только я сел в кресло, я немедленно икнул. Прошло пять минут — я икнул очень **громко**. Гимназист из ложи слева посмотрел на меня и **засмеялся**. Как он может смеяться, когда на сцене поют великого Фауста! Я икнул ещё раз. В ложе справа тоже засмеялись.

Громко — *loudly*
Засмеяться — *to start to laugh*

— Чёрт знает что! — сказал отец Зои. — Вы могли бы и дома икать, **сударь**!

Сударь — *sir*

Зоя покраснела. Я икнул ещё раз и выбежал из ложи. Я ходил по коридору и икал. Сколько я выпил и съел трудно сказать, но всё было **бесполезно**. В начале четвёртого акта я поехал домой. А дома я **сразу перестал** икать.

Бесполезно — *useless*
Сразу — *at once*
Перестать — *to stop*
Вести себя — *to behave*
Общество — *society*

На другой день я поехал, как обычно, к Зое. Она не вышла обедать. Её отец сказал, что она больна и не может встретиться со мной. Потом он долго говорил, что молодые люди не умеют **вести себя** в **обществе**. Наконец, он сказал, что не может отдать свою дочь за человека, который после обеда икает в обществе.

Простить — *to forgive*

Так я потерял Зою. Она не **простила** меня.

Который из трёх
(по одноимённому рассказу А. Чехова)

- Существительные и прилагательные (единственное число) в разных падежах
- Виды глагола
- Глаголы движения
- Прямая речь

Старинный — *ancient*

На террасе **старинной** дачи стояли Надя и сын известного московского **коммерсан-**

та — Иван Гаврилович. Вечер был чудесный.

— Вы извините меня, — говорил Иван Гаврилович, — извините меня, что я говорю вам это... Но я вас полюбил. В **груди** моей так много чувства к вам! Я, Надежда Петровна, как только увидел вас, сразу **влюбился**... (Пауза.) Приятная сегодня погода!

— Да... Очень хорошо!

— Когда такая природа так приятно любить! Но я несчастлив! Я вас люблю, а вы... Вы **образованная** девушка. А я? Я из **купеческой** семьи. У меня много денег, но нет **настоящего** счастья. Надежда Петровна!

— Ну?

— Ничего! Я хотел только спросить...

— Что вам?

— Можете ли вы любить меня? Я говорил с вашей мамашей о вас, и она сказала, что всё **зависит от** вас. Что вы ответите мне? Пожалуйста, Надежда Петровна, ответьте мне! Если вы не ответите мне, я умру.

Надя улыбнулась.

— Иван Гаврилович, я уже давно знаю, что вы любите меня. И я... я... я... вас тоже люблю. Вас нельзя не любить за ваше доброе сердце.

Иван Гаврилович открыл рот, **засмеялся**: не **сон** ли это?

— Я знаю, что если я выйду за вас замуж, — сказала Надя, — я буду самая счастливая... Но, знаете что, Иван Гаврилович, подождите немного, сейчас я не готова ответить вам. Я должна всё хорошо **обдумать**.

— А долго ждать?

— Нет, немного... Может быть, день, два...

— Это можно.

— Идите сейчас домой, а я напишу вам письмо. До свидания... Через день...

Иван Гаврилович шёл домой и смеялся от счастья.

Коммерсант — *merchant*

Грудь — *chest*

Влюбиться — *to fall in love*

Образованный — *well-educated*

Купеческий — *merchant*

Настоящий — *real*

Зависеть от — *to depend on*

Засмеялся — *to start to laugh*

Сон — *dream*

Обдумать — *to think over*

А Надя прошла все комнаты, вышла из дома через террасу и побежала на другую улицу. Там ждал её друг, молодой барон Владимир Шталь. В этом году он окончил университет и хотел вернуться домой. Владимир пришёл на **свидание** в последний раз. Он был немного **пьян**, лежал на **скамейке** и пел **песенку**.

Песенка — *song*
Свидание — *rendezvous*
Пьян (а, ы) — *drunk*
Скамейка — *bench*
Песенка — *song*
Обнять — *to embrace*

Надя подбежала к нему, **обняла** и поцеловала.

— Я уже целый час жду тебя, — сказал барон.

— Ты уедешь завтра? — спросила она.

— Да.

— Когда вернёшься?

— Не знаю.

— Скажи, пожалуйста, ты подумал, о чём я просила тебя?

— Подумал...

Свадьба — *wedding*

— Ну, когда **свадьба**?

Невозможно — *impossible*

— Ты опять об этом? Я уже вчера сказал тебе, что это **невозможно**.

— Значит, ты не хочешь жениться? Не хочешь? Ты говори прямо: не хочешь?

— Не хочу. Я должен делать карьеру. Я люблю тебя, но что будет, если я женюсь на тебе? У тебя нет денег и имени. Жена должна быть половиной карьеры.

— Тогда зачем ты тогда дал мне слово, что женишься на мне?

Измениться — *to change*
Бедный — *poor*

— Сейчас мои планы **изменились.** Ты ведь не выйдешь замуж за **бедного** человека? Почему я должен жениться на бедной?

Но Надя не хотела слушать, о чём говорил её друг.

Убить — *to kill*

— Я люблю тебя! Я не могу жить без тебя! Ты **убьёшь** меня, если не женишься на мне! Женишься? Да?

— Не могу.

— Не хочешь? Скажи, что не хочешь!

— Не могу.

— Подлец, негодяй! Я **ненавижу** тебя! Я никогда не любила тебя! Я была с тобой только потому, что считала тебя **честным** человеком, думала, что ты женишься на мне Я хотела выйти за тебя замуж, потому что ты барон и богатый.

Ненавидеть — *to hate*
Честный — *honest*

Надя встала и пошла домой. «Зачем я ходила к нему сейчас? — думала она. — Я и раньше знала, что он не женится. **Негодяй**!»

Негодяй — *scoundrel*

Надя не пошла в дом. Она остановилась около окна. В окне она увидела Митю. Митя, красивый блондин, только что окончил консерваторию и был первой **скрипкой**. Он лежал на диване и читал **роман**. Надя **постучала** в окно. Первая скрипка встала и подошла к окну.

Скрипка — *violin*
Роман — *novel*
Постучать — *to knock*

— Кто там?

— Это я, Дмитрий Иванович... Откройте окно на минуту!

Митя быстро открыл окно.

— Дмитрий Иванович, — сказала она, — не пишите мне письма, пожалуйста, не пишите! Не любите меня и не говорите мне, что вы любите меня! Я нехорошая... Меня можно только ненавидеть.

Надя заплакала. Митя **растерялся**. Он не знал, что делать.

Растеряться — *to go missing*

— Вы добрый, хороший, — сказала Надя, — а я больше всего на свете люблю деньги. Я умираю, когда думаю, что у меня нет денег. Я эгоистка. Я выхожу замуж... за Ивана Гавриловича... Прощайте!

Надя убежала. Дома она села за стол и написала следующее письмо: «Дорогой Иван Гаврилович! Я ваша. Я вас люблю и хочу быть вашей женой. Ваша Н.». Потом она отдала письмо **горничной** и легла спать.

Горничная — *servant*

В полночь Иван Гаврилович сидел в своём кабинете и **мечтал вслух**. В кабинете сидели его родители и слушали, как он мечтает. Они были рады и счастливы за сына...

Мечтать — *to dream*
Вслух — *aloud*

Ушла
(по одноимённому рассказу А. Чехова)

❄❄❄ • Существительные и прилагательные (единственное число) в разных падежах
• Виды глагола
• Прямая речь
• Выражение условия

Закурить — *to start to smoke*
Запеть — *to start to sing*
Счастлив (а, ы) — *happy*

Пообедали. Муж **закурил** сигару, лёг на диван. Жена села рядом и тихо **запела**. Они были **счастливы**.

— Расскажи что-нибудь... — попросил муж.

— Что тебе рассказать? Ах да! Ты слышал? Софи Окуркова вышла замуж за фон Трамба! Вот скандал!

— Почему скандал?

Подлец — *scoundrel*
Бессовестный — *dishonest*
Воровать — *to steal*

— Трамб — **подлец**, **бессовестный** человек! Раньше он работал у графа, **воровал**, а сейчас работает на железной дороге и опять ворует... Как можно выйти замуж за такого человека и жить с ним?! Не пронимаю! Я бы никогда не вышла за него, даже если бы он был миллионер или красавец. Я не могу **представить себе** мужа-подлеца!

Представить себе — *to imagine*

— Так... Значит, ты не вышла бы... Да... Ну, а если бы ты сейчас узнала, что я тоже подлец? Что бы ты сделала?

Остаться — *to stay*

— Я ушла бы от тебя! Я бы не **осталась** с тобой, потому что я могу любить только честного человека! Если бы я узнала, что ты, как Трамб, я бы сказала «Adieu»!

Врать — *to lie*
Попробовать — *to try*

— Так... Какая ты... А я и не знал... хе-хехе... Ты **врёшь** и не краснеешь.

— Я никогда не вру! **Попробуй** только сделать что-нибудь, как Трамб, тогда увидишь!

Сравнивать — *to compare*
Молокосос — *greenhorn*
Зарплата — *salary*

— Зачем пробовать? Ты всё сама знаешь. Если **сравнивать** Трамба со мной, то он просто **молокосос**. Ему ещё учиться и учиться. Ты делаешь большие глаза? Это странно... Какая у меня **зарплата**?

— Три тысячи в год.

— А сколько стоит твоё **ожерелье**, которое я купил тебе неделю назад? Две тысячи... Вечернее платье пятьсот... Дача две тысячи... Хе-хе-хе... Вчера твой папа попросил тысячу, и я дал. Лошади, домашний доктор, счета от **портнихи**. Вчера ты **проиграла** в казино сто рублей... Ты, надеюсь, понимаешь, что твой фон Трамб — ерунда, **карманник в сравнении** со мной...

Муж закончил. Вы, читатель, может быть, спросите меня:

— И она ушла от мужа?

— Да, ушла... в другую комнату.

Ожерелье — *necklace*

Портниха — *dressmaker*

Проиграть — *to lose*

Карманник — *pickpocket*

В сравнении — *compared with*

Неудача
(по одноимённому рассказу А. Чехова)

❄❄❄
- Существительные и местоимения (единственное и множественное число) в разных падежах
- Виды глагола
- Императив
- Прямая речь
- Выражение условия

Папаша и мамаша стояли у двери и **жадно подслушивали**. За дверью, в маленькой комнате, их дочь Наташа и учитель Щупкин **объяснялись в любви.**

— Как только заговорят о **чувствах**, сразу бери **икону** и идём **благословлять**, — **шептал** папаша.

За дверью был такой разговор:

— Перестаньте, пожалуйста, — говорил Щупкин. — Я не писал вам писем.

— Ну конечно! Вы думаете, что я не знаю ваш **почерк**! — смеялась девица. — Я сразу узнала! Какой вы странный. У вас почерк, как у **курицы**! Как вы учите писать, если сами плохо пишете?

Жадно — *greedily*

Подслушивать — *to overhear*

Объясняться в любви — *to make a declaration of love*

Чувство — *feeling*

Икона — *icon*

Благословлять — *to bless*

Шептать — *to whisper*

Почерк — *handwriting*

Курица — *chicken*

— Это ничего не значит. Некрасов был поэтом, а вы бы посмотрели, как он писал.

С удовольствием — *with pleasure*

— Я бы за поэта **с удовольствием** вышла замуж. Он бы мне стихи писал!

— И я вам могу написать стихи, если хотите.

— О чём вы можете написать?

— О любви, о чувствах. Когда вы прочитаете, удивитесь. А если я напишу вам стихи, то вы **разрешите** мне ручку поцеловать?

Разрешить — *to permit*

— О чём вы просите? Можете прямо сейчас поцеловать.

Щупкин встал и начал целовать ручку Наташи.

Заспешить — *to start to hurry*

— Давай икону, — **заспешил** папаша. — Идём! Быстро!

Папаша открыл дверь.

— Дети, — начал он, — как мы рады! **Господь** вас благословит. Будьте счастливы, мои дорогие! О, вы берёте у меня самое дорогое, — сказал он Щупкину. — Любите мою дочь.

Господь — *God*

Щупкин открыл рот от удивления. Родители влетели так **неожиданно**, что он **потерял дар речи**.

Неожиданно — *unexpectedly*
Потерять дар речи — *to be left speechless*
Убежать — *to run away*
Продолжать — *to continue*
Побелеть — *to turn pale*
Сердито — *angrily*
Робко — *shyly*
Поднять — *to rise*
Спасён (а, ы) — *saved*
Писатель — *writer*

«Поймали, — подумал он. — Мне конец. Теперь не **убежать**».

— Благословляю, — **продолжал** папаша. — Жена, давай икону.

Но вдруг его лицо **побелело**.

— Глупая твоя голова, — **сердито** сказал он жене. — Разве это икона?

— Ах! Боже мой!

Что случилось? Учитель **робко поднял** глаза и увидел, что он **спасён**: мамаша так спешила, что сняла со стены не икону, а портрет **писателя** Лажечникова.

Пока папаша с мамашей стояли с портретом в руках и не знали, что делать и что говорить, учитель убежал.

Случай с инспектором
(по одноимённому рассказу А. Чехова)

❄❄❄ • Существительные и местоимения (единственное и множественное число) в разных падежах
• Виды глагола
• Прямая речь
• Глаголы движения

Инспектор Пётр Павлович Посудин получил анонимное письмо из города N. и решил **приехать туда с проверкой**, но так, чтобы никто об этом не знал.

И вот он уже сидит в **коляске**, которая **везёт** его в город N., и мечтает: «Приеду, **как снег на голову**. Наверно, они думают, что всё уже **спрятали**... Ха-ха... **Представляю** их ужас и удивление, когда увидят меня».

Через некоторое время Посудин решил поговорить со своим **кучером**. Он спрятал нос в пальто, **изменил** голос и, прежде всего, спросил о себе:

— Ты знаешь Посудина?

— Конечно, — ответил кучер, — каждый в городе знает его.

— Какой он, по-твоему?

— Хороший господин, знает своё дело. Много добра сделал: построил железную дорогу, Хрюкова **уволил**... И его не **подкупишь**, нет! Дай ему сто или тысячу, а он не возьмёт.

«Это хорошо, что они меня правильно поняли», — подумал Посудин.

— **Образованный** господин, — **продолжал** кучер, — не **гордый** и дела делает быстро. Всё у него хорошо, но одна беда: **пьяница!**

«Как так»! — подумал Посудин.

— Откуда ты знаешь, что я... что он пьяница?

— Конечно, я сам не видел, — ответил кучер, — не буду **врать**, но люди говорят. Если он в гости пойдёт, на бал или в **общество** —

Приехать туда с проверкой — *to go there to check*
Коляска — *carriage*
Везти — *to drive*
Как снег на голову — *out of the blue, like a bold from*
Спрятать — *to hide*
Представлять — *to imagine*
Кучер — *coachman*
Изменить — *to change*
Уволить — *to fire*
Подкупить — *to bribe*
Образованный — *well-educated*
Продолжать — *to continue*
Гордый — *proud*
Пьяница — *drunkard*
Врать — *to lie*
Общество — *society*

Карета — *carriage*
Держать себя в руках — *to keep one's head*
Ужаснуться— *to be horrified*
Экономка — *housekeeper*
Главный — *main one*
Раздражённо — *irritably*
Хвастаться — *to brag*
Спрятать — *to hide*
Пахнуть — *to smell*
Душно — *it's stuffy*
Ерунда — *trifle*
Велеть — *to order*
Подушка — *pillow*
Свеча — *candle*

никогда не пьёт. А дома прямо с утра начинает. Сначала один стакан водки, потом сразу второй... Так целый день и пьёт: дома, на работе, даже в **карете**, но не пьянеет, значит, может **держать себя в руках**.

«Откуда они всё знают»? — **ужаснулся** Посудин.

— А как он женщин любит! — засмеялся кучер. — У него их десять, может, больше. Настасья Ивановна и Людмила Семёновна в доме живут. Одна как **экономка**, другая как секретарь. Самая **главная** — Настасья Ивановна. Она, что захочет, он всё делает. Его так не боятся, как её... Ха-ха...

«Даже имена знает», — подумал Посудин и покраснел.

— Откуда ты всё знаешь? — спросил он **раздражённо**.

— Люди говорят. И сама Настасья Ивановна везде ходит и **хвастается**... Вот придумал этот Посудин приезжать в город с проверкой, чтобы никто не знал. Выходит обычно из дома, чтобы коллеги не видели, доедет до станции, а потом в коляске до города. **Спрячет** свой нос в пальто, голос изменит и думает, что его узнать нельзя.

— А как его можно узнать?

— Очень просто. Приедет он, например, на станцию и начнёт: «Здесь плохо **пахнет**, **душно**, холодно». На обед ему нужны фрукты. Если зимой кто-нибудь фрукты захочет, это и есть Посудин. Если кто говорит «милейший мой» и посылает народ за **ерундой**, то это тоже Посудин. А если ляжет спать на диване, то **велит** около **подушки свечи** поставить. Лежит и бумаги читает...

«Правда, правда... — подумал Посудин. — А я раньше и не знал».

— И потом, всё по телеграфу можно узнать. Посудин только из дома вышел, а здесь уже всё готово. Приедет он, чтобы поймать их на месте, а у них всё чисто. Он посмотрит, извинится за **беспокойство** и уедет. А они над ним **смеются**... Сегодня по дороге на станцию я встретил **знакомого**. Он в ресторане работает. «Куда, говорю, едешь»? А он отвечает: «В город N., **закуску** везу. Сегодня Посудин приедет». Посудин, может быть, только думает ехать, а для него уже всё готово и вино, и сыр, и закуска **разная**. Он едет и думает: «Все **под суд пойдёте**»! А ребята уже всё спрятали.

— Назад! — закричал Посудин. — Поезжай назад!

Удивлённый кучер повернул назад.

Беспокойство — *trouble*
Смеяться — *to laugh*
Знакомый — *acquaintance*
Закуска — *snack*
Разный — *different*
Пойти под суд — *to be taken to court*

Подкидыш
(по рассказу А. Чехова «Беззаконие»)

❄❄❄
- Существительные, прилагательные и местоимения (единственное и множественное число) в разных падежах
- Виды глагола
- Глаголы движения
- Выражение условия

Вечером, как обычно, Мигуев вышел на **прогулку** в сад. Неделю назад его бывшая **горничная** Агния сказала ему здесь со **злобой**:

— Подожди, будешь знать, как обманывать **невинных** девушек. Ребёнка тебе **подброшу**, в суд пойду, и твоей жене всё расскажу.

И она **потребовала**, чтобы он положил в банк на её имя пять тысяч рублей. Мигуев вспомнил это, **раскаялся** и **упрекнул** себя за минутное **увлечение**.

Он сделал **круг**, подошёл к своей даче и сел на **крыльцо** отдохнуть. Было ровно десять часов, из-за **облака** смотрела луна. На улице никого не было.

Подкидыш — *abandoned baby*
Прогулка — *walk*
Горничная — *servant*
Злоба — *anger*
Обманывать — *to deceive*
Невинный — *innocent*
Подбросить — *to abandon*
Потребовать — *to demand*
Раскаяться — *to repent*

Упрекнуть — *to reproach*
Увлечение — *infatuation*
Круг — *circle*
Крыльцо — *porch*
Облако — *cloud*
Свёрток — *package*
Сунуть — *to poke*
Прошептать — *to whisper*
Стыд — *shame*
Окаменеть — *to harden into stone*
Накрывать стол — *to lay the table*
Проснуться — *to wake up*
Купец — *merchant*

Вдруг он увидел около двери какой-то странный **свёрток**. Один конец его был открыт. Мигуев **сунул** в него руку и почувствовал что-то тёплое. Это был ребёнок.

— Подбросила! — со злобой и ужасом **прошептал** он. — О, Господи!

От страха, злобы и **стыда** он **окаменел**... Что теперь делать? Что скажет жена, если узнает? Что скажут на работе? Все узнают его тайну и, наверно, напечатают в газете. О нём узнает вся Россия!

Окно дачи было открыто. Анна Филипповна, жена Мигуева, **накрывала стол** к ужину. Если ребёнок **проснётся** и заплачет, все узнают его тайну. Надо было спешить.

«Скорее, скорее... — думал он. — Пока никто не видит. Отнесу его на дачу **купца** Мелкина. Он богатый и добрый человек; может быть, ещё спасибо скажет».

Мигуев взял свёрток и быстро пошёл по улице.

Рассуждать — *to reason*
Выйти — *to become*
Под мышкой — *under one's arm*
Дрянь — *rubbish, trash*
Бросать — *to throw*
Баловать— *to spoil*
Жалеть — *to feel sorry*
Стать — *to become*
Сапожник — *shoemaker*
Кровь — *blood*
Колено — *knee*
Воспитание — *upbringing*
Младенец — *baby*

«Если Мелкины возьмут его себе, — продолжал **рассуждать** он, — может быть, из него **выйдет** профессор или писатель... А я несу его сейчас **под мышкой**, как **дрянь** какую-нибудь. Наверно, это нехорошо, что мы несчастного ребёнка **бросаем** с крыльца на крыльцо. Разве он виноват, что родился? А если Мелкины пошлют его в детский дом, а там никто не будет его любить, **баловать**, **жалеть. Станет** он **сапожником**, начнёт пить, а ведь он мой сын, моя **кровь**. Если бы я был честным человеком, я бы пошёл с этим ребёнком к Анне Филипповне, стал бы перед ней на **колени** и сказал: «Прости! Виноват! Детей у нас нет; возьмём его к себе на **воспитание**!» Она добрая женщина, согласилась бы... Но что скажут коллеги и начальник, когда узнают всё»?

Мигуев остановился и посмотрел на **младенца**.

— Спит, — прошептал он. — Спит и не чувствует, что на него отец смотрит... Драма, брат... Прости, брат...

Мигуев подошёл к даче Мелкина и осторожно положил ребёнка на крыльцо. Потом сделал шаг назад, передумал и сказал:

— **Плевать**! Возьму его, и пусть люди говорят, что хотят!

Плевать! — *I don't care!*

Мигуев взял младенца и быстро пошёл домой.

«Пусть говорят, что хотят, — думал он. — Пойду сейчас к жене. Она женщина добрая, поймёт. И будем **воспитывать**... Если это мальчик, то **назовём** его Владимиром, а если это девочка, то Анной...»

Воспитывать — *to bring up*
Назвать — *to give a name*

Так он и сделал.

— Анна Филипповна! — сказал он. — Я виноват! Это мой ребёнок... Ты помнишь Агнию? Это я с ней...

Потом он быстро встал и выбежал из дома на улицу.

«Буду здесь, пока она не **позовёт** меня, — думал он. — Надо дать ей время **прийти в себя**...»

Позвать — *to call*
Прийти в себя — *to come to oneself*

Пока Мигуев стоял на улице, мимо него туда и обратно прошёл дворник Ермолай. Видно было, что он что-то **ищет**.

Искать — *to look for*

— Какая странная история, — сказал дворник. — Приходила сейчас Аксинья. Положила своего ребёнка на крыльцо и, пока у меня сидела, кто-то взял и **унёс** ребёнка...

Унести — *to take away*

— Что? Что ты говоришь? — **крикнул** Мигуев и побежал назад в дом.

Крикнуть — *to exclaim*

Анна Филипповна сидела там, где оставил её Мигуев. Она смотрела на ребёнка и плакала.

— Ну, ну... — начал **бледный** Мигуев. — Я пошутил... Это не мой, а... а Аксиньи. Я... я пошутил. Отнеси его дворнику.

Бледный — *pale*

Жених и папенька
(по одноимённому рассказу А. Чехова)

❄❄❄ • Существительные и прилагательные (единственное число) в разных падежах
• Виды глагола
• Прямая речь
• Глаголы движения

Жениться — *to marry*
Приятель — *friend*
Удивиться — *to be surprised*
Дурак — *fool*
Не стоит — *it isn't worth*
Скрывать — *to hide*

— А вы, я слышал, хотите **жениться**? — спросил Петра Петровича Милкина один его **приятель**.

— Откуда вы взяли, что я женюсь? — **удивился** Милкин. — Какой **дурак** вам это сказал?

— Все говорят. **Не стоит скрывать**, мой друг. Вы каждый день сидите у Настеньки, обедаете там, ужинаете, романсы поёте. Гуляете только с Настенькой. Мы всё видим!

Объяснить — *to explain*
Надеяться — *to hope*

«Чёрт возьми... — подумал Милкин. — Это уже не первый человек, кто говорит мне об этом. Нет, пора остановить эти разговоры или меня заставят жениться. Пойду завтра к Настеньке и **объясню** всё её отцу, чтобы не **надеялся**».

На другой день Милкин пришёл к отцу Настеньки.

— А, здравствуйте, Пётр Петрович! — встретил его хозяин. — Как живёте? Сейчас Настенька придёт.

— Я не к Настеньке, — начал Милкин, — а к вам. Мне нужно поговорить с вами.

Хитро — *slyly*
Улыбнуться — *to smile*
Проститься — *to say good-bye*
Поблагодарить — *to thank*
Гостеприимство — *hospitality*

— О чём вы хотите поговорить? — **хитро улыбнулся** папенька. — Ах, мужчина, мужчина! Знаю, о чём вы хотите поговорить! Давно пора.

— Я пришёл **проститься** с вами. Я завтра уезжаю.

— Как уезжаете? — удивился папенька.

— Очень просто. Уезжаю и всё. Я пришёл **поблагодарить** вас за **гостеприимство** и сказать, что никогда не забуду минуты, которые...

— Подождите... — остановил его папенька — Я не совсем вас понимаю... Вы ходили сюда целое лето, ели, пили, **болтали** с моей дочерью с утра до вечера, и сейчас вы говорите, что уезжаете! Разве вы не понимаете, что только **женихи** каждый день обедают. Это **нечестно** с вашей стороны, и я ничего не хочу слушать! Делайте **предложение** и всё!

— Настасья Кирилловна очень милая... хорошая девушка. Я **уважаю** её, но мы очень разные. У нас разные **взгляды**...

— И только? — улыбнулся папенька. — Дорогой мой, разве можно найти жену, чтобы она была на мужа похожа? Ах, зелень, зелень! Когда поживёте вместе, **привыкнете** друг к другу.

— Но я беден...

— **Ерунда!** Вы **зарплату** получаете...

— Я **пьяница**...

— Молодёжь не может не пить. Я сам был молод и знаю. Нельзя без этого...

— Я **взятки** беру...

— А кто не берет? Ха-ха-ха... Вот удивил!

— И потом... Я скрывал от вас, но сейчас вы должны всё узнать... Меня скоро будут **судить**. Я **растратил казённые** деньги.

— А много?

— Сто сорок четыре тысячи.

— Да, сумма! **Это Сибирью пахнет**... Но если Настенька вас любит, то она может за вами туда поехать. В Сибири, мой друг, лучше жить, чем здесь. Я бы и сам поехал, если бы не семья. Можете делать предложение!

— Послушайте, я вам ещё не всё открыл... Вы ещё не знаете **тайну** моей жизни, страшную тайну!

— Я и знать не хочу! **Пустяки**!

— Это не пустяки. Я... я **беглый каторжник**!!

Болтать — *to talk*
Жених — *fiance*
Нечестно — *dishonorably*
Предложение — *proposal*
Уважать — *to respect*
Взгляд — *view*
Привыкнуть — *to get used*
Ерунда! — *Nonsense!*
Зарплата — *salary*
Пьяница — *drunkard*
Взятка — *bribe*
Судить — *to try*
Растратил — *to embezzle*
Казённые деньги — *petty cash*
Это пахнет Сибирью — *this means Siberia*
Тайна — *secret*
Пустяк — *trifle*
Беглый — *escaped*
Каторжник — *convict*

Окаменеть — *to harden to stone*
Упасть — *to fall down*
Радостный — *glad*
Поймать — *to catch*
Врать — *to lie*
Позорно — *disgracefully*
Появиться — *to appear*
Сумасшедший — *mad*
Справка — *certificate*
Поправлять — *to tidy*
Причёска — *haircut*
Ни за что! — *No way!*
Сойти с ума — *to get mad*

Папенька **окаменел**. Минуту он с ужасом смотрел на Милкина, потом **упал** в кресло и сказал:

— Уходите! Видеть вас не хочу!

Милкин взял шляпу и, **радостный,** пошёл к двери

— Подождите! — остановил его папенька. — Полиция вас до сих пор не **поймала**?

— Я поменял фамилию... Меня трудно поймать...

— Может быть, никто и никогда не узнает, кто вы. Подождите! Сейчас вы живёте как честный человек, и всё это было давно!

Милкин уже не знал, что **врать**. Осталось только **позорно** убежать, и он уже был готов, как вдруг в его голове **появилась** новая идея.

— Послушайте, вы ещё не всё знаете! — сказал он. — Я... я **сумасшедший**, а сумасшедшие не могут жениться.

— Не верю!

— Я вам от доктора **справку** принесу!

— Если принесёте, тогда поверю.

Милкин надел шляпу и быстро вышел. Минут через пять он уже был у своего приятеля доктора Фитюева, но, к сожалению, он пришёл к нему в то время, когда доктор **поправлял** свою **причёску** после скандала со своей женой.

— Друг мой, у меня к тебе просьба! — начал Милкин. — Меня хотят женить... Дай мне справку, что я сумасшедший. Сумасшедшие не могут жениться.

— Ты не хочешь жениться? — спросил доктор.

— **Ни за что!**

— Тогда я не дам тебе справку, — сказал доктор. — Только умные люди не хотят жениться. А когда ты захочешь жениться, тогда приходи за справкой... Тогда будет понятно, что ты **сошёл с ума**.

Ночь на кладбище
(по одноимённому рассказу А. Чехова)

❄❄❄
- Существительные и прилагательные (единственное число) в разных падежах
- Виды глагола
- Глаголы движения
- Выражение причины

— Расскажите, Иван Иванович, что-нибудь **страшное**!

Иван Иванович **покашлял** и начал:

— Я был **пьян**... Встречал Новый год у своего старого приятеля. Надо сказать, что я **напился** не с радости, потому что радоваться новому году, по-моему, глупо. В этот день нужно не радоваться, а плакать. Не надо забывать, с каждым новым годом, ты ближе к смерти, у тебя больше **лысина**, старее жена, больше детей, меньше денег...

Итак, я напился с **горя**... Когда я вышел от друга, было уже два ночи. Погода на улице стояла ужасная. Сам чёрт не поймет, была это зима или осень. Темно, дождь, холодный **резкий** ветер.

Я шёл по тёмной **узкой** и пустой улице. Сначала я встречал по дороге **фонари**, потом они **исчезли**, и стало совсем темно. Скоро я понял, что потерял дорогу. Мне стало страшно, и я побежал. Я решил бежать всё время прямо. «Может быть, я выйду на большую улицу, где есть фонари», — **надеялся** я.

Не помню, как долго я бежал. Помню только, что **налетел** на какой-то странный **предмет**, холодный и **мокрый**. Я сел на него, чтобы отдохнуть, закурить **папиросу**, и вдруг я увидел, что сижу на **могильной плите**...

Я быстро встал, сделал шаг от плиты и **ударился** о другой предмет... И **представьте себе** мой ужас! Это был деревянный крест «Боже мой, я попал на **кладбище**!» — подумал я.

Страшный — *terrible*
Покашлять — *to cough*
Пьян (а, ы) — *drunk*
Напиться — *to get drunk*
Лысина — *bald spot*
Горе — *grief*
Резкий — *harsh*
Узкий — *narrow*
Фонарь — *street lamp*
Исчезнуть — *to disappear*
Надеяться — *to hope*
Налететь — *to fly upon*
Предмет — *object*
Мокрый — *wet*
Папироса — *cigarette*
Могильная плита — *tombstone*
Удариться — *to strike against*
Представить себе — *to imagine*
Кладбище — *cemetery*

Уговаривать — *to persuade*

Я уже начал **уговаривать** себя, что ничего не боюсь, как вдруг я услышал тихие шаги... Кто-то медленно шёл, но... это были не человеческие шаги... Для человека они были слишком тихие.

Мертвец — *corpse*
Вздохнуть — *to sigh*
Вой — *howl*
Окаменеть — *to harden to stone*
Потерять — сознание *to lose consciousness*
Рюмка — *shot*

«**Мертвец**», — подумал я.

Наконец, кто-то подошёл ко мне совсем близко и **вздохнул**... Потом я услышал **вой.** Вой был страшный, могильный. Я **окаменел** от ужаса... Вдруг я услышал новые шаги. Кто-то шёл прямо на меня... Через минуту холодная рука легла на моё плечо... Я **потерял сознание**.

Иван Иванович выпил **рюмку** водки.

— Ну? — спросили его барышни.

— Я пришёл в себя в маленькой комнате и услышал за стеной человеческие голоса. «Где ты нашёл его?» — спросил один голос. «Около магазина, — ответил другой, — где продают **памятники** и кресты, а около него сидела собака и **выла**... Наверно, пьяный был».

Памятник — *monument*
Выть — *to howl*

В наш практический век, когда и т.д.
(по одноимённому рассказу А. Чехова)

❄❄❄
- Существительные и прилагательные (единственное число) в разных падежах
- Виды глагола
- Императив
- Прямая речь

Колокол — *bell*
Ударить — *to strike*
Забегать — *to start to run*
Прощаться — *to say goodbye*

Колокол на вокзале **ударил** первый раз. Народ **забегал** по платформе. Все начали **прощаться**.

Около вагона стояли молодой человек и молодая девушка. Они тоже прощались и плакали.

— Прощай, моя милая! — говорил молодой человек. — Я так несчастлив! Ты **ос-**

тавляешь меня на целую неделю! Как это **тяжело** для любящего сердца! До свидания, Варя... Не плачь... Кстати, если увидишь там Мракова, то **отдай** ему эти... Не плачь, Варенька... Отдай ему эти двадцать пять рублей.

Молодой человек **достал** из кармана деньги и дал Варе.

— Не забудь отдать... Я ему должен... Ах, как тяжело!

— Не плачь, Петя. В субботу я **обязательно** приеду. Ты не забывай меня

— Тебя забыть?! Разве это возможно?

Колокол ударил второй раз. Петя **обнял** Варю и заплакал, как ребёнок. Варя поцеловала его последний раз и вошла в вагон.

— Прощай! Милая! Встретимся через неделю!

Молодой человек встал около окна и **вынул** из кармана платок, чтобы начать **махать**, когда поезд поедет... Варя **прилипла** к стеклу **мокрым** от слёз лицом.

— Войдите в вагон! — закричал кондуктор. — Третий звонок! Прошу вас!

Колокол ударил третий раз. Петя замахал платком. Но вдруг лицо его **изменилось**. Он **стукнул** себя по **лбу** и, как сумасшедший, вбежал в вагон.

— Варя! — сказал он. — Я дал тебе для Мракова двадцать пять рублей... Милая, дай мне **расписку**, скорее! И как я мог это забыть?

— Поздно, Петя! Поезд уже едет. Я не **успею** написать.

— Пришли мне расписку по почте! — крикнул он своей любимой.

«Какой я дурак! — подумал он, когда поезд ушёл. — Как можно давать деньги без расписки!»

Оставлять — *to leave*
Тяжело — *hard*
Отдать — *to give*
Достать — *to take out*
Обязательно — *without fail*
Обнять — *to embrace*
Вынуть — *to take out*
Махать — *to wave*
Прилипнуть — *to stick*
Мокрый — *wet*
Измениться — *to change*
Стукнуть — *to knock*
Лоб — *forehead*
Расписка — *receipt*
Успеть — *to manage*

С женой поссорился
(По одноимённому рассказу А. Чехова)

❄❄❄ • Существительные и прилагательные (единственное число) в разных падежах
• Виды глагола

Поссориться — *to quarrel*
Жениться — *to marry*
Стукнуть — *to knock, to bang*

Подушка — *pillow*
Умереть — *to die*

Шаг — *step*
В порядке вещей — *it is in the order of things*
Обидеть — *to offend*
Мириться — *to make it up*
Просить прощения — *to apologize*
Слабый — *weak*

Плечо — *shoulder*
Колено — *knee*
Положение — *condition*
Вредно — *harmful*
Волноваться — *to be worry*
Простить — *to forgive*
Ерунда — *trifle*
Обнять — *to embrace*

— Чёрт возьми! Что ты опять приготовила? Есть невозможно! И сказать ничего нельзя, сразу слёзы! И зачем я **женился**!

Муж **стукнул** ложкой по тарелке, встал из-за стола и ушёл в свой кабинет. Жена заплакала и тоже вышла. Обед закончился.

В кабинете муж лёг на диван, закрыл голову **подушкой** и начал думал: «Зачем я женился! Недавно женился, а уже **умереть** хочется!»

Так он думал несколько минут, как вдруг услышал за дверью лёгкие **шаги**...

«Да, это для неё **в порядке вещей**. **Обидела** меня, а сейчас за дверью стоит, **мириться** хочет. Ну, нет! Лучше умереть!»

Дверь открылась. Кто-то вошёл в комнату и тихо подошёл к дивану.

«**Проси прощения**, плачь, а я и говорить с тобой не хочу!»

Но мужчины такие же **слабые**, как и женщины.

Муж почувствовал за спиной тёплое тело. Кто-то положил свою маленькую ручку на его **плечо**.

«Да... Скоро начнёт целовать, на **колени** встанет. Всё-таки нужно её извинить. В её **положении вредно волноваться**. Ну, ладно! **Прощу** в последний раз. Я и сам виноват! Из-за **ерунды** скандал начал».

— Ну ладно, моя дорогая. — Муж **обнял** тёплое тело. — Тьфу!!

Около него лежала его большая собака Дианка.

Охота на тигра
(по одноимённому рассказу Б. Ласкина)

❄❄❄ • Существительные и прилагательные (единственное и множественное число) в разных падежах
• Глаголы движения
• Краткие прилагательные
• Виды глагола

Оператор кинохроники Гриша Кутейкин приехал в командировку в **тайгу**. Он приехал **снимать** охоту на тигра. По дороге, в поезде, Гриша думал, какая у него **героическая** профессия. «Хроникер — это человек, который всегда впереди! А охота на тигра — какой героический **сюжет**!»

На охотничьей базе вокруг **костра** сидели **охотники**. Они пили чай и курили.

— Привет, товарищи, — сказал Гриша, — я из газеты. Буду снимать, как вы тигров **ловите**. Моя фамилия Кутейкин.

Один из охотников, высокий мужчина с **бородой**, улыбнулся:

— Извините, товарищ Кутейкин, но вы немного опоздали. Мы уже **поймали** одного тигра.

— Без меня?

— Без вас. Вон он, познакомьтесь. Под деревом лежит.

Гриша посмотрел туда и **вздрогнул**. Под деревом лежал молодой тигр. Он был **спутан сетью**.

Гриша **расстроился**.

— Как же так! Что же мне делать? Я не могу ждать, когда вам **попадётся** другой тигр! Я в командировке...

Охотники **переглянулись**. Им было жалко хроника.

— Ну, вот что, — сказал старший охотник. — Мы вам поможем. Вы всё-таки специально в командировку приехали. Мы **отпустим** этого тигра.

Охота — *hunt*
Тигр — *tiger*
Оператор — *operator*
Кинохроника — *film chronicle*
Тайга — *the taiga*
Снимать/снять (фильм) — *to shoot a film*
Героический (-ая, ие) — *heroic*
Сюжет — *plot*
База — *centre*
Костёр — *campfire*
Охотник — *hunter*
Ловить (imperf) — *to catch*
Борода — *beard*
Поймать (perf) — *to catch*
Вздрогнуть — *to shudder*
Спутать — *to tie up*
Сеть — *net*
Расстроиться — *to get upset*
Попасться — *to be caught*
Переглянуться — *to exchange glances*

Отпустить — *to let out*
Снова — *again*

— Как... отпустите?
— Так. Отпустим и **снова** поймаем.
— Вы не шутите?
— Нет, серьезно.
— Спасибо! — закричал Гриша. — Огромное спасибо!

***

Зарычать — *to start roaring*
Лыжи — *ski*
Плечо — *shoulder*

Через час охотники сняли с тигра сеть. Тигр **зарычал** и побежал в лес. За ним на **лыжах** побежали охотники и Гриша — тоже на лыжах и с кинокамерой **на плече**.

Через несколько минут тигр опять был пойман, а все эффектные моменты охоты Гриша снял кинокамерой. Он был счастлив!

Проявить плёнку — *to develop a film*
Пуст(-а, ы) — *empty*

Когда охотники с тигром и Гриша вернулись на базу, Гриша решил **проявить плёнку**. Он нашёл тёмную камеру, открыл кассету и... О, ужас! Кассета была **пуста**. Всю охоту он снял на пустую кассету!

Когда Гриша подошёл к костру, охотники с удивлением посмотрели на него. Вид у Гриши был ужасный, на него было жалко смотреть.

Переснять — *reshoot*

— Товарищи, — тихо сказал Гриша, — надо **переснять** ещё раз. Можно ещё раз? Я очень прошу! Кассета была пустая...

Охотники долго молчали и, наконец, согласились повторить охоту.

Железный — *iron*

— Но, дорогой товарищ, — сказал старший охотник, — это будет в последний раз! Тигр тоже не **железный**!

— Спасибо! Всё будет как надо! Я проверил кассеты! Я готов! — обрадовался Гриша.

Двигаться — *to move*
Верить — *to believe*
Брысь! — *Shoo!*
Подняться — *to getup*
Нерешительно — *indecisively*
Прыгнуть — *to jump*

С тигра опять сняли сеть. Он **не двигался** с места. Он, казалось, не **верил** Грише.

— **Брысь**! — закричал Гриша. — Брысь!

Тигр медленно **поднялся** и **нерешительно** побежал. Охотники и Гриша побежали за ним.

Вдруг тигр **прыгнул** куда-то в сторону. Гриша от неожиданности упал, а когда поднялся, с ужасом увидел, что тигр и охотники

исчезли. Гриша не знал, что делать, но через несколько минут он опять увидел тигра за деревом.

«Вот он!» — закричал Гриша и побежал за тигром. Тигр уходил большими **прыжками**, а Гриша бежал за ним и снимал, снимал, снимал...

Вдруг тигр прыгнул ещё раз и **провалился** в какую-то **яму**. Теперь он был не страшен. Гриша посмотрел вокруг. Вокруг была тишина, охотников не было. Гриша повесил кинокамеру на плечо и пошел обратно на базу.

Когда он вернулся, все охотники уже были на базе.

— А где же вы были? — спросили они. — Мы для вас тигра отпустили, а вы куда-то исчезли...

— Я исчез?! Я за тигром бежал, он сейчас в яме сидит.

— Кто в яме сидит? — спросил охотник с бородой.

— Тигр! Наш тигр!

— Нет, наш тигр здесь. Вон, под деревом.

Гриша увидел под деревом знакомого тигра. Он опять был спутан сетью.

— Товарищи... Значит... Я там один... за другим тигром бежал...

И Гриша медленно сел в снег.

Исчезнуть — *to disappear*

Прыжок — *jump*

Провалиться — *to fall*

Яма — *pit*

Посылка
(по одноимённому рассказу Б. Ласкина)

❄❄❄
- Существительные, прилагательные и местоимения (единственное и множественное число) в разных падежах
- Безличные конструкции
- Виды глагола
- Прямая речь

Я математик. Я аспирант, учусь в аспирантуре МГУ. Накануне Нового года я возвращался из научной командировки. Я сидел в светлом зале аэропорта в Киеве и читал математический журнал. Вдруг я увидел перед собой невысокую **пожилую** женщину. Она почему-то держала руку за спиной.

— Молодой человек, — сказала она. — Извините, что я к вам **обращаюсь**, но я видела, как вы сдавали свой чемодан на 934-й рейс.

— Да, а что?

— Понимаете, уже давно **объявили посадку**, а вы сидите и не **обращаете внимания**, как будто это вас не касается.

— О, спасибо, что вы напомнили. Большое спасибо.

— Извините, я **задержу** вас ещё на 1 минуту, — продолжала женщина. — Сейчас я всё объясню. Сегодня должен был лететь в Москву мой **племянник**. Я хотела **передать** с ним в Москву небольшой подарок к празднику — киевский торт. Это подарок для наших хороших знакомых. — Женщина **достала** из-за спины **коробку** с тортом. — Вы, наверное, заметили, что почти каждый пассажир везёт из Киева такой торт, он очень вкусный.

— **Насколько** я понял, ваш племянник не летит в Москву...

— Да, **ему не повезло**! **Не удалось** купить билет. И поэтому, я надеюсь, вы не откажете мне...

— Я не **возражаю**, — сказал я. — Но как вы **доверяете** мне, незнакомому человеку такую ценность? А вы не боитесь, что я ещё в самолёте съем ваш торт?

Женщина улыбнулась:

— Это вы шутите! Вы этого не сделаете. Я вижу, что вы интеллигентный человек. А если бы вы знали, кому вы повезёте торт! Это такие **милые** люди! Коля — **ветеран** войны, прекрасный архитектор. Недавно по его проекту построили здание, вся Москва была **в вос-**

Пожилой — *elderly*
Обращаться — *to address*
Объявить посадку — *to announce a boarding*
Обращать внимание — *to pay attention*
Задержать — *to delay*
Племянник — *nephew*
Передать — *to pass*
Достать — *to take out*
Коробка — *box*
Насколько — *as far as*
Ему не повезло — *he wasn't lucky*
Ему не удалось — *he didn't manage*
Возражать — *to object*
Доверять — *to trust*
Милый (-ая, ые) — *nice*
Ветеран — *veteran*

торге. Маруся, его жена, преподаёт английский язык. Наташа, дочка, учится в университете. Она такая красавица, что все молодые люди теряют голову. Увидите — **с ума сойдёте**, если вы, конечно, не женаты...

— Я не женат, — сказал я. — Дайте мне номер телефона. Я позвоню, и она... они приедут за тортом. А лучше напишите адрес. Я **доставлю** торт на дом. Прямо сегодня.

— Да, конечно. Они как раз переехали в новый дом, и я не помню их номер телефона. Он **записан** у меня дома. Когда я вернусь из аэропорта, я сразу же позвоню в Москву и **сообщу** им, что я посылаю для них торт. У вас есть ручка?

Я дал ей ручку, и она написала адрес на коробке с тортом.

— Вот. И, пожалуйста, передайте им привет. Скажите, что я поздравляю их с Новым Годом и **желаю** им много-много счастья.

— Они знают, от кого привет?

— Да, знают. От Гали. От Галины Ивановны. До свидания, счастливо!

Я взял коробку, **попрощался** с Галиной Ивановной и **направился** к самолёту.

В самолёте я заметил, что Галина Ивановна была права: почти все пассажиры взяли в Москву киевские торты.

Когда самолёт сел в Москве, я решил **отвезти** торт прямо с аэродрома. С коробкой в одной руке и с чемоданом в другой я направился к остановке, но... я **обнаружил**, что на коробке нет адреса.

По моей просьбе радио передало сообщение:

— Внимание! Пассажир, который по ошибке взял коробку с тортом, на которой написан адрес! Вас просят **срочно подойти** к **справочному бюро**!

В восторге — *in delight*
С ума сойти — *to get mad*
Доставить — *to deliver*
Записать — *to write down*
Сообщить — *to announce*
Желать — *to wish*
Попрощаться — *to say goodbye*
Направиться — *to make way*
Отвезти — *to take off*
Обнаружить — *to discover*
Срочно — *urgently*
Подойти — *to come up*
Справочное бюро — *information (service)*

Безрезультатно — *without result*

Представить себе — *to imagine*

Назначить — *to arrange*
Совещание — *meeting*

Ценный (-ая, ые) — *valuable*

Добавить — *to add*

Расстроить — *to upset*
Примета — *sign*
Появиться — *to appear*
Союз — *union*
Откладывать — *to postpone*
Телефонный справочник — *telephone reference-book*
Высшее образование — *high education*

Я ждал около справочного бюро 40 минут. **Безрезультатно**! Мне пришлось поехать домой.

В автобусе я вспомнил, что Галина Ивановна обещала позвонить в Москву и рассказать, что я привезу торт. И я **представил себе**, как архитектор Коля, его жена Маруся и красавица Наташа удивятся и скажут: «Не принёс он торт. Может быть, принесёт завтра?» А я и завтра не принесу, потому что не знаю, куда его нести. И Галина Ивановна снова позвонит и скажет: «Как после этого можно верить людям? Такой приятный на вид молодой человек — и съел наш торт!»

Как только я приехал домой, я позвонил Антону, Сергею и Виктору (это мои друзья, тоже аспиранты-математики) и **назначил** срочное **совещание**.

— Так, — сказал Виктор. — Что ты знаешь о человеке, которому адресован торт?

— Он архитектор, — ответил я. — Его зовут Коля.

— **Ценная** информация, — сказал Сергей. — Москва, архитектору Коле.

— Ещё я знаю, что он живёт в новом доме, — **добавил** я.

Виктор заметил:

— Я должен тебя **расстроить**, но ты, я думаю, и сам понимаешь — новый дом в Москве — не **примета**.

— Этот Коля недавно построил здание, от которого все были в восторге.

— Это уже кое-что, — сказал Антон. — Минуточку! У меня **появился** план. Я предлагаю позвонить в **Союз** архитекторов. Не будем **откладывать**. Где у тебя **телефонный справочник**?

— Молодец, — сказал Сергей. — Сразу видно, что ты человек **с высшим образованием**. Звони!

Антон позвонил в Союз архитекторов и сказал:

— Здравствуйте, с вами говорит аспирант МГУ. У нас есть одна проблема. Наш друг, тоже аспирант, привёз из Киева торт для **члена Союза архитекторов**. Нет, нет, девушка, вы не поняли — не для всего Союза архитекторов, а для одного члена. Что? Как его фамилия? Дело в том, что мы не знаем, как его фамилия. Мы знаем только, что его зовут Коля. Девушка, почему вы смеётесь? Нет, это не шутка... Алло! Вы слушаете? Ребята, она положила трубку, — **пожаловался** Антон.

Член союза архитекторов — *member of Union of architects*

— Сейчас я с ней поговорю, — сказал Виктор. Он **набрал номер** и сказал:

Пожаловаться — *to complain*

Набрать номер — *to dial*

— Извините, только, пожалуйста, не кладите трубку. Вам только что звонил мой друг, аспирант МГУ. Мы знаем не только, что архитектора зовут Коля, но мы ещё знаем, что недавно по его проекту построили прекрасное здание. Что? Хорошо, я подожду. Ребята, — сказал Виктор. — Я чувствую, что торт найдёт своего хозяина.

— А может быть и не найдёт, — сказал Сергей и с надеждой посмотрел на торт. — Я слышал, что киевские торты очень вкусные...

— Тише! — сказал Виктор. — Да-да, я слушаю. — Записывай, — сказал мне Виктор. — Мамонов Николай Сергеевич, Страхов Николай Петрович, Орешников Николай Фёдорович...

— Скажи, что его жену зовут Маруся.

— Извините, — сказал Виктор. — я получил новую информацию. У архитектора, **оказывается**, есть жена. Её зовут Маруся. Что? Возможно, Мария Павловна. Мы не знаем.

Оказывается — *it turns out*

— У них есть дочь! — закричал я в трубку. — Студентка Наташа, красавица.

Виктор улыбнулся и закрыл рукой трубку.

Продиктовать — *to dictate*

— Она говорит, что ей понятно, что нам нужен не архитектор, а его дочь. Да-да, слушаю... Записывай, — сказал Виктор и **продиктовал** мне номер Николая Федоровича Орешникова.

— Спасибо! — закричал я в трубку. — Вы мне очень помогли!

— Жалко, что у нас не будет торта! — сказал Сергей.

Заключить — *to conclude*

— Боюсь, что у нас не будет не только торта, но и друга на встрече Нового года, — **заключил** Виктор.

Я быстро набрал номер. Ответил женский голос:

— Слушаю.

— Извините, это не Наташа говорит?

— Да, это я.

— Вы не могли бы дать мне ваш адрес?

По адресу — *to address*

Я приехал **по адресу**, дверь открыла Наташа. Я не буду рассказывать, какая она красивая, потому что тогда мой рассказ будет слишком длинный.

— Здравствуйте, — сказал я. — Я привёз вам киевский торт.

— Ещё один? — улыбнулась Наташа.

— Как... ещё один?

Наташа показала мне коробку с тортом, на которой я увидел адрес, который написала Галина Ивановна.

— Позвонила тётя Галя из Киева и сказала, что интеллигентный приятный неженатый молодой человек передаст нам торт.

— Да... но кто?

Отказаться — *to refuse*
Оставить — *to leave*
Надеяться — *to hope*

— Этот торт привёз майор. Мы пригласили его встретить с нами Новый год, но он **отказался**. Он встречает Новый год дома с женой. Он **оставил** свой адрес, потому что, как он сказал, **надеется** получить один торт обратно.

— Конечно! — сказал я.

Через час я повёз торт его хозяину. Для этого мне пришлось ехать через всю Москву. Но я не был **расстроен**. У меня было прекрасное настроение.

Расстроен (а, ы) — *upset*

Если вы ещё не поняли, где и с кем я собираюсь встречать Новый год, значит, вы меня невнимательно слушали и забыли фразу, которую сказал сегодня мой друг Виктор.

Малыш
(по одноимённому рассказу Б. Ласкина)

❄❄❄
- Существительные и прилагательные (единственное число) в разных падежах
- Безличные конструкции
- Частицы
- Виды глагола
- Глаголы движения
- Прямая речь

Как сейчас помню, было это седьмого сентября. **Вызывает** меня наш **главный редактор** Алексей Николаевич и говорит: «Саша, **а не дать ли нам** в субботний номер какую-нибудь интересную информацию?» Я говорю: «Прекрасная идея». Тогда он говорит: «Вот тебе домашний адрес, поезжай и поговори с Валентиной Ивановной Смирновой». Я спрашиваю: «А кто это такая?» Он отвечает: «Узнаешь на месте». Я говорю: «**А всё-таки**, что за проблема?» Он говорит: «Приедешь и всё узнаешь». Я говорю: «**Чересчур загадочно**, но я поеду!»

Вызывать — *to call*
Главный редактор *editor-in-chief*
А не дать ли нам — *shall we put*

Всё таки — *nevertheless*
Чересчур — *too*
Загадочно — *enigmatic*

Приехал я по адресу. Звоню в дверь. Открывает молодая женщина.

— Здравствуйте, — говорю я. — Моя фамилия Глебов.

— Здравствуйте. Вы из редакции?

— Да.

— Заходите, пожалуйста.

Рамка — *frame*

Горшок — *flower pot*

В общем — *on the whole*

Взять интервью — *to do an interview*

Вы в курсе дела — *you are up on what's going on*

Возражать — *to object*

Гораздо — *much*

Стихи — *poetry*

Проза — *prose*

Догадаться — *to guess*

Как будто — *as if*

Выпустить — *to let out*

Поворачивать — *to turn*

Вхожу. Небольшая квартира. По-моему, двухкомнатная. У стены стоит диван, над ним висят две картины, между ними какое-то фото в **рамке**. Около дивана — журнальный столик, напротив — книжный шкаф и рядом с ним цветок **в горшке**. Посредине комнаты стоит обеденный стол, вокруг него стулья. За окном, на подоконнике — цветы. На полу под журнальным столиком лежит красный ковёр. **В общем**, обычная квартира.

Я говорю:

— Валентина Ивановна, я приехал к Вам, чтобы **взять** у Вас **интервью**, но в редакции мне почему-то не сказали, о чём мы будем говорить... **Вы в курсе дела**?

Она улыбается:

— Да, я в курсе. Но, мне кажется, наш разговор лучше всего вести за чашкой чая. Правда? А чай у меня кончился. Если Вы не **возражаете**, я Вас оставлю на несколько минут и схожу в магазин за чаем. Это 5 минут, я даже не возьму ключ, позвоню в дверь — и Вы мне откроете, ладно?

Я говорю:

— Конечно, за чашкой чая **гораздо** лучше, я подожду.

Она ушла, а я сижу и думаю: интересно, кто она по специальности? Встал, обошёл комнату, подошёл к книжному шкафу. Может быть, по книгам догадаюсь, чем человек занимается. Смотрю, книги как книги: **стихи**, **проза**, «Зоология», «Зоологическая Энциклопедия»... «А! — **догадался** я. — Совершенно ясно, она — зоолог. Наверное, в школе работает или в университете».

В этот момент я услышал из-за двери в соседней комнате странный звук. **Как будто** кошка просила **выпустить** её гулять. Подхожу я к этой двери, **поворачиваю** ключ, открываю дверь и...

Не знаю, как я это сделал, но через минуту я обнаружил, что сижу на шкафу. Дело в том, что в комнату вошёл... **лев**.

Вот сейчас я рассказываю, а **у меня мурашки по спине бегают.**

Входит лев, останавливается и, как мне кажется, думает, когда меня **стоит** съесть — сейчас или подождать. Стоит он так, потом **опускается** на **передние лапы,** и я чувствую, что через минуту в редакции **освободится** одна **вакантная должность** журналиста...

Но лев **отвернулся**, отошёл от шкафа и спокойно пошёл в другую комнату.

Я думаю: что же делать? По телефону позвонить? Но куда? И как? Телефон внизу, рядом с диваном. И лев тоже внизу.

Вдруг звонок. Это хозяйка вернулась. Я кричу:

— Я не могу открыть, я на шкафу.

— Почему? Что случилось?

Я **не успел** ответить. Лев выбежал из соседней комнаты, подбежал к **входной двери** и **зарычал**. И как зарычал! Ужас!

— Зачем Вы выпустили Малыша? — Это хозяйка квартиры, Валентина Ивановна, с **лестничной площадки** кричит. — Вы не бойтесь, ничего страшного, он же совсем молодой!...

А я сижу на шкафу и думаю: он совсем молодой и я совсем молодой, но если он до меня **доберётся**, то старым я уже никогда не буду...

А Валентина Ивановна кричит:

— Пока я его **отвлекаю**, позвоните в **домоуправление** — 177-52-16. Скажите, чтобы срочно пришёл **слесарь** в девятую квартиру.

Знаете, в цирке есть такой **номер** — «акробаты на батуте». Акробаты из-под **купола** цирка **прыгают** на батут, а потом — опять под купол. Я этот номер **исполнил** в домаш-

Лев — *lion*
У меня мурашки по спине бегают — *shivers are running down my spine*
Стоит — *is worth*
Опускаться — *to sit down*
Передние лапы — *front paws*
Освободиться — *to be vacated*
Вакантная должность — *vacancy*
Отвернуться — *to turn away*

Успеть — *to manage*
Входная дверь — *front door*
Зарычать — *to start to roar*
Лестничная площадка — *landing*
Добраться — *to reach*
Отвлекать — *to distract*
Домоуправление — *housing department*
Слесарь — *maintenance man*
Номер — *turn, number*
Купол — *cupola*
Прыгать — *to jump*
Исполнить — *to perform*

Цирковое училище — *circus college*
Поступить — *to enter*
Набрать — *to dial*
Попытка — *attempt*

них условиях. Прыгнул со шкафа на диван и с телефоном в руках обратно на шкаф. Теперь я могу в **цирковое училище поступить** без экзаменов. Номер домоуправления я **набрал** с **третьей попытки**: срочно пришлите слесаря, квартира девять... здесь ходит лев — ни войти, ни выйти...

С трудом меня поняли, сказали, что сейчас придёт слесарь.

Голос — *voice*

Я трубку положил, потом позвонил в редакцию. Набрал номер. Слышу **голос** Алексея Николаевича: «Алло! Алло!..» А я ничего не могу ответить: лев вернулся, прошёл через всю комнату, сел и на меня смотрит.

Тогда я в трубку говорю:

— Алексей Николаевич! Я говорю со шкафа... Алексей Николаевич... Тут лев...

Уронить — *to drop*
Качаться — *to swing*
Короткие гудки — *short hoots*
Бок — *side*
Чесать — *to scratch*
Держаться — *to hold onto*
Потолок — *ceiling*

А лев мой голос услышал и встал передними лапами на диван. Я трубку **уронил**, она висит, **качается**, из неё **короткие гудки**: бип-бип...

В этот момент я услышал на лестничной площадке голоса. Слесарь пришёл. А лев начал **бок** о шкаф **чесать**. Шкаф качается, я **держусь** за **потолок** и всю свою жизнь вспоминаю...

Вдруг слышу голос Валентины Ивановны:

— Вы почему молчите, что с вами?

Я говорю:

Качать — *to rock*

— Он шкаф **качает**.

Она говорит:

Успокаивать — *to calm down*

— Ничего, ничего, это он просто играет. Вы спойте что-нибудь, Малыш любит музыку. Она его **успокаивает**.

В этот момент я подумал, что это не льва, а меня надо успокаивать.

Мне было не до слов — *I wasn't able to talk*
Чудо — *wonder*

В общем, я запел. Пел я одну мелодию, как Вы понимаете, **мне было не до слов**. И представьте себе, произошло **чудо**. Лев лёг на пол перед шкафом и закрыл глаза. А потом вдруг встал и быстро ушёл. Не **выдержал** моего пения.

А дальше всё было просто. Слесарь открыл дверь, Валентина Ивановна вошла в квартиру, и лев бросился ей навстречу. Она увела его в соседнюю комнату и закрыла дверь на ключ.

Я легко **спрыгнул** со шкафа (у меня уже был некоторый **опыт** в **прыжках** со шкафа), после чего и **состоялся** наш разговор за чашкой чая. Разговор был очень интересный. Оказалось, что Валентина Ивановна — **научный сотрудник** зоопарка. Она взяла Малыша домой, когда он был совсем маленький, и он **рос** у неё дома.

Через две недели Малыша **перевели** в зоопарк. Я сходил туда, **повидался** с ним. Посмотрели мы с ним друг на друга и вспомнили нашу **яркую**, **незабываемую** встречу!

Выдержать — *to stand up to*

Спрыгнуть — *to jump down*
Опыт — *experience*
Прыжок — *jump*
Состояться — *to take place*
Научный сотрудник — *researcher*
Расти — *to grow*
Перевести — *to move*
Повидаться — *to see each other*
Яркий — *bright*
Незабываемый — *unforgettable*

Подвиг
(по одноимённому рассказу Б. Ласкина)

❄❄❄
- Существительные и прилагательные (единственное число) в разных падежах
- Глаголы с частицей **-ся**.
- Глаголы движения
- Виды глагола

Так получилось, что все **человечество делится** на две группы: 1-я группа — это люди, которым всегда везет, 2-я группа — люди, которым всегда НЕ везет.

Представитель первой группы — это человек, у которого все всегда получается. Представитель первой группы может стать **лауреатом международного конкурса** или президентом, он может выиграть «Мерседес» по

Подвиг — *exploit*
Человечество — *man kind*
Делиться — *to divide*
Представитель — *representative*

лотерейному билету, он может легко попасть на любой концерт, куда нормальный человек купить билеты не может...

Представители второй группы видят такие вещи только во сне. В реальной жизни они **вынуждены** только **завидовать успеху** первой группы.

Гриша являлся типичным представителем второй группы. Он мечтал о **славе**. Он закрывал глаза и представлял себе **аплодисменты**, **автографы**... Он мечтал о подвиге. Он мечтал **совершить подвиг**, привлечь к себе внимание прессы, так, чтобы люди **восхищались** его героизмом и **любовались** потом его портретом в газете... Но, к сожалению, ничего интересного в его жизни не происходило до того дня, когда... Но расскажем все по порядку.

В один прекрасный весенний вечер Гриша помылся, **побрился**, **причесался**, оделся в новый светлый костюм и поехал на свидание к любимой девушке. Он ехал в троллейбусе, **держал** в руке букет цветов и представлял себе будущее свидание. Вдруг он заметил, что около дома, мимо которого шел троллейбус, собралась огромная **толпа**, стоит **пожарная машина** и **пожарники** поднимают **шланги** на верхние этажи. Троллейбус остановился, и Гриша побежал к дому. Около дома его внимание привлекла **водосточная труба**. Гриша быстро начал подниматься по трубе. Люди внизу что-то кричали, наверное, они были в восхищении от его **смелости**, но у Гриши не было времени **разбираться** с ними: он **лез** наверх. Он поднялся до третьего этажа и через окно попал в квартиру. По квартире бегали какие-то люди. В углу его внимание привлек человек, который что-то кричал. У Гриши не было времени разбираться, что он кричит: надо было **спасать** этого человека. Поэтому Гриша **сорвал** с окна **што-**

Лауреат международного конкурса — *winner of international competition*
Вынужден(-а, ы) — *is are obliged*
Завидовать — *to envy*
Успех — *success*
Слава — *glory*
Аплодисменты — *applause*
Автограф — *autograph*
Совершить подвиг — *to commit an exploit*
Восхищаться — *to be delighted with*
Любоваться — *to admire*
Побриться — *to shave*
Причесаться — *to comb hair*
Держать — *to hold*
Толпа — *crowd*
Пожарная машина — *fire engine*
Пожарник — *fireman*
Шланг — *hose*
Водосточная труба — *drainpipe*
Смелость *boldness, audacity*
Разбираться — *to understand*
Лезть — *to climb*
Спасать — *to save*
Сорвать — *to tear off*
Штора — *drapery*
Завернуть — *to wrap*

ру, **завернул** человека в штору, **поднял на плечи** и понес к балкону. С балкона он начал спускаться вниз по **пожарной лестнице**. Он крепко держал человека в шторе.

— Не волнуйтесь, все будет хорошо, — повторял Гриша. — Я **успел** спасти вас, я успею спасти и других.

Человек тихо **застонал**. Наверное, он вспомнил свою семью, которая осталась в квартире.

— **Пусти**! — закричал этот человек. — Пусти меня!

«Ага,— **отметил** про себя Гриша. — **Несчастье** так **подействовало** на него, что он немного **не в себе**. Но ничего, земля уже близко».

Наконец Гриша **оказался** на земле и положил на землю свою **ношу**. **Сотни глаз** смотрели на него, и Гриша чувствовал, что они восхищаются и любуются им.

В этот момент человек в шторе пришел в себя и сорвал с себя штору.

Гриша посмотрел на него, **ахнул** и закрыл глаза.

На **мокром асфальте** сидел красный от **злости** пожарник.

Поднять — *to lift up*
Плечо(-и) — *shoulder(s)*
Пожарная лестница — *fire stairs*
Успеть — *to manage*
Застонать — *to groan*
Пустить — *to let out*
Отметить — *to recognize*
Несчастье — *misfortune*
Подействовать — *to have an effect on*
(Он) не в себе — *he is crazy*
Оказаться — *to find o.s.*
Ноша — *burden*
Сотни глаз — *hundreds of eyes*
Ахнуть — *to express surprise*
Мокрый асфальт — *wet asphalt*
Злость — *malice*

Интересное кино
(по одноимённому рассказу Б. Ласкина)

❄❄❄ • Существительные и прилагательные (единственное число) в разных падежах
• Виды глагола

Некоторые люди думают, что кино — это просто **развлечение**. Это неправда.

Я считаю, что кино — большое **искусство**. Оно **усиливает** работу **мозга** и **развивает** фантазию. Каждый киноработник должен

Некоторые люди — *some people*
Развлечение — *amusement*
Искусство — *art*

иметь не просто фантазию, а **творческую** фантазию, потому что он должен **придумывать** не только для себя, но и для людей. Я это знаю точно.

В нашем доме живёт известный **кинорежиссер** Мамыкин. Недавно он получил приглашение на **просмотр** фильма в Доме кино.

Жена **обрадовалась** и говорит:

— Интересно. Надо **обязательно** пойти.

Мамыкин говорит:

— Очень жаль, но это невозможно, потому что приглашение **на «одно лицо»**.

Жена говорит:

— Значит, одно лицо будет смотреть фильм, а другое лицо будет весь вечер скучать дома.

Мамыкин говорит:

— Ты не **расстраивайся**, дорогая, я тебе потом расскажу этот фильм.

В субботу вечером Мамыкин надел новый костюм, **свежую** рубашку, взял своё приглашение и уехал в Дом кино.

Жена режиссёра посмотрела телевизор, почитала и легла спать.

Когда Мамыкин вернулся домой, его жена сразу **проснулась** и говорит:

— Сейчас я приготовлю чай, и ты расскажешь мне всё, что было в Доме кино.

Мамыкин говорит:

— Пожалуйста.

Жена поставила чай, **варенье** на стол и села на диван слушать.

— Ну, рассказывай! — сказала она.

Мамыкин подумал немного, а потом говорит:

— Это был странный фильм, реалистический и фантастический одновременно.

Марокко. Солнечный день. **Торговец** сахаром приехал на **бензоколонку**, чтобы **заправить** машину. Это уже немолодой человек. Он

Усиливать — *to intensify*
Мозг — *brain*
Развивать — *to develop*
Творческий — *creative*
Придумывать — *to invent*
Кинорежиссёр — *cinema producer*
Просмотр — *review*
Обрадоваться — *to be glad*
Обязательно — *without fail*
На «одно лицо» — *for one person*
Расстраиваться — *to be upset*
Свежий — *clean*
Проснуться — *to wake up*
Варенье — *jam*
Торговец — *merchant*
Бензоколонка — *petrol pump*
Заправить — *to refuel*

серьёзно болен. У него амнезия после автомобильной **аварии**.

Авария — *accident*

На бензоколонке он встречает девушку. Она заправляет его машину. Он внимательно смотрит на девушку, которую зовут Ева, и начинает вспоминать... Он студент, идёт по улице, и вдруг из-за угла дома выходит девушка в **чадре** с интеллигентным лицом. Студент видит, что эта девушка в чадре очень **похожа** на девушку с бензоколонки. Понимаешь? Одно лицо.

Чадра — *yashmak*

Похож (а, ы) — *to look like*

Мамыкин сделал паузу, потому что было не просто вспомнить все детали этого фильма. А пока он молчал, его жена говорит:

— Боже мой! Какая богатая фантазия!

Мамыкин выпил чай, а потом опять начал рассказывать:

— Торговец заплатил за **бензин** и говорит девушке с бензоколонки: «Я помню вас. Первый раз я встретился с вами в тысяча девятьсот тридцать пятом году». Ева говорит: «Это невозможно. Я родилась в сорок седьмом». Тогда торговец мылом говорит: «Садитесь в машину. Мы поедем сейчас в прошлое». Она села в машину, и они поехали. Торговец уже в Скандинавии. Море, на берегу мальчик и девочка. Мальчик похож на торговца, а девочка похожа на девушку, которая заправляла машину на бензоколонке.

Бензин — *petrol*

Мамыкин опять сделал паузу, а его жена сказала:

— Какой интересный **сюжет**! Не каждый может придумать такое.

Сюжет — *subject*

Мамыкин сказал:

— Ты слушай дальше! Дальше будет очень интересно.

Жена сказала:

— Я слушала тебя так внимательно, что немного устала. Ты мне расскажешь конец фильма завтра.

Мамыкин обрадовался. Трудно рассказать всё, что видел и понял за один вечер. Он сказал:

— Ты знаешь, дорогая, почему я так люблю рассказывать тебе? Потому что ты умеешь слушать А сейчас ты будешь рассказывать, а я буду слушать.

Жена сказала:

— Что я могу рассказать?

— Что ты делала вечером, пока я был в Доме кино?

— **Ничего особенного**.

— Никто не звонил?

— Звонили. Как только ты ушёл, позвонили из Дома кино и сказали, что просмотр фильма **отменили** и **перенесли** на следующую среду.

Мамыкин помолчал, закурил сигарету фильтром **наружу** и сказал:

— Жаль.

А жена сказал:

— Да. Очень жаль.

Ничего особенного — *nothing special*

Отменить — *to cancel*
Перенести — *to postpone*

Наружу — *reschedule*

Современная проза
(по одноимённому рассказу Б. Ласкина)

❄❄❄
- Существительные, прилагательные и местоимения (единственное и множественное число) в разных падежах
- Виды глагола
- Императив
- Прямая речь

Один мой знакомый сказал мне, что **проза** в наши дни должна быть **современной**. Современная проза — это **сложная** система ассоциаций, особый **подтекст**.

Я сел за стол и попробовал что-нибудь написать, но, к сожалению, **у меня ничего**

Проза — *prose*
Современный — *modern*
Сложный — *complicated*
Подтекст — *subtext*

не получилось. Я понял, как надо писать, в один прекрасный день, когда **случайно** услышал диалог мужчины и женщины по телефону.

Она. Здравствуй. Это я.

Он. (после паузы). Привет, Михаил Николаевич.

Она. Тебе неудобно говорить, да?.. Тогда слушай. Ты не устал от **двусмысленности** наших **отношений**? Ответь — да или нет?

Он. В принципе, об этом был разговор на **коллегии** сегодня в министерстве.

Она. Игорь, я уже не девочка...

Он. Наш директор абсолютно с этим согласен.

Она. У меня тоже есть **самолюбие**...

Он. Я хорошо это понимаю, Михаил Николаевич, но есть ещё интересы **производства**...

Она. Ты должен сделать **выбор**: или — или.

Он. Я говорил с Мартыненко, он не может ничего точно сказать.

Она. Я могу повторить тебе твои слова, помнишь, когда мы ездили в Бирюлёво...

Он. Там, по-моему, только **основные цифры**.

Она. Ты сказал: иногда человек начинает жить **как бы** сначала.

Он. Я думаю, что в министерстве все будут согласны.

Она. Значит, ты и сейчас так думаешь?

Он. В принципе, да.

Она. А твоя коллегия тоже согласна?

Он. Мы так не ставили вопрос.

Она. Реши, наконец. Ты же мужчина! И потом у вас нет детей. Ты свободен.

Он. Мы ещё вернёмся к этому позже.

Она. Ладно, сейчас тебе трудно говорить.

Он. Михаил Сергеевич, опять вы...

Она. Ты забыл, меня зовут Михаил Николаевич.

У меня ничего не получилось — *I couldn't do it*
Случайно — *by chance*
Двусмысленность — *ambiguity*
Отношение — *relation*
Коллегия — *board*
Самолюбие — *self-respect*
Производство — *production*
Выбор — *choice*
Основной — *basic*
Цифра — *figure*
Как бы — *as if*

Невозможно — *it is impossibly*

Он. Да? Такие вопросы в наше время **невозможно** решить быстро и легко.

Она. Я уже это слышала.

Он. Значит, вы согласны со мной?

Она. Лиза уже не хочет, чтобы мы встречались в её квартире.

Он. Кроме «Машпроекта» есть и другие организации.

Она. Игорь, я уйду от тебя.

Он. Я вас хорошо понимаю.

Она. Ты ничего не понимаешь и не хочешь понимать.

Главный — *main*
Цель — *aim*
Принципиальность — *principle*

Он. Да? А Филимонов считает, что только он всё понимает. Наша **главная цель** — это **принципиальность**.

Она. Боже мой! Она что — рядом? Ответь — да или нет?

Строго — *sternly*

Он. Конечно. Михаил Николаевич давайте закончим наш разговор завтра. На меня уже жена **строго** смотрит, потому что я так долго с вами разговариваю.

Она. Подожди... Подожди... Ты говоришь, что твоя жена сейчас строго смотрит на тебя?

Он. Да.

Врать — *to lie*

Она. **Врёшь**.

Он. Не понял.

Обманывать — *to lie*

Она. Я из автомата говорю, который находится около твоего дома. Я сейчас видела, как твоя жена вошла в подъезд... Значит, ты **обманываешь** меня сейчас. Ну, скажи, пока она не вошла. Скажи — Михаил Николаевич, я очень спешу, мне ещё надо успеть посмотреть на себя в зеркало, какой у меня глупый вид. Прощай! Никогда не звони мне. Слышишь?

Обязательно — *without fail*

Он. Большое спасибо, **обязательно** передам. Она только что вошла. (Кладёт трубку и говорит жене.) Я говорил с Мартыненко. Тебе привет. Я голодный, как собака, давай обедать, скоро хоккей начнётся по телевизору.

Подарок
(по одноимённому рассказу Б. Ласкина)

❄❄❄ • Существительные, прилагательные и местоимения (единственное число) в разных падежах
• Виды глагола

Когда я встретился с Марком, я сказал ему:

— Я очень **ценю**, когда человек делает то, что ему **поручили**. Ты знаешь мою тётю Веру Леонидовну. Ты знаешь её характер, знаешь, что она любит хорошо **выглядеть** и не любит **вспоминать** о своём возрасте. Если я приезжаю в Москву и **мне не удаётся** найти место в гостинице, она всегда приходит мне на помощь и приглашает жить к себе. Я много раз говорил тебе, как эта женщина ценит любые знаки внимания, как любит, когда ей **дарят** подарки. Когда я узнал, что ты едешь в командировку в Москву, я решил, что **мне повезло** и доверил тебе **доставить** подарок Вере Леонидовне. **Напомню**, что я дал тебе **свёрток** и письмо. Ты **обещал** доставить письмо и свёрток моей тёте, и я **считал**, что всё будет в порядке. Но, **оказалось**, ты потерял свёрток! Конечно, это — **свинство**, но что делать? Это может **случиться** с каждым. Что делает **разумный** человек в этой ситуации? Он идёт к Вере Леонидовне и **объясняет**: «Дорогая Вера Леонидовна! Ваш племянник Георгий поручил мне передать вам подарок и письмо. С извинением **сообщаю**, что его подарок я где-то **потерял** и сейчас могу передать вам только письмо. Обещаю **исправить** свою ошибку, поэтому, если вы прочитаете письмо и если в нём сказано, что было в свёртке — я сделаю всё, чтобы купить такую же вещь и принести её вам».

Но ты решил сделать по-другому. Ты решил пойти в магазин и сам **выбрать** подарок

Ценить — *to appreciate*
Поручить — *to instruct*
Выглядеть — *to look*
Вспоминать — *to recall*
Мне не удаётся — *I don't manage*
Знаки внимания — *signs of attention*
Дарить — *to present*
Мне повезло — *I was lucky*
Доставить — *to deliver*
Напомнить — *to remind*
Свёрток — *package*
Обещать — *to promise*
Считать — *to consider, to think*
Оказаться — *to turn out*
Свинство — *filth*
Случиться — *to be happened*
Разумный — *intelligent*
Объяснять — *to explain*
Сообщать — *to inform*
Потерять — *to lose*

вместо того, который ты потерял. Не знаю, почему ты выбрал в подарок **кастрюлю**. Конечно, это может быть была очень хорошая кастрюля, может быть, супер-кастрюля, и ты думал, что, когда Вера Леонидовна получит в подарок эту кастрюлю — она будет очень **довольна**, а все соседи будут ей **завидовать**.

Так могло бы быть, если бы не моё письмо. Я, понимаешь, посылал ей в подарок не кастрюлю, а **кулон**. Когда ты передал Вере Леонидовне письмо и кастрюлю и ушёл, она открыла конверт и прочитала:

«Дорогая тётя Вера! Очень жалко, что **мне не удалось** лично **поздравить** вас с днём рождения и подарить вам этот подарок. **Мне приходится** передавать письмо и подарок с моим коллегой. Надеюсь, вам понравится мой подарок. Когда я покупал подарок, продавщица объяснила мне, что эту вещь можно носить и на **цепочке**, и на **ленточке** на **шее**. Она сказала также, что некоторые женщины **предпочитают** носить это на голове: **спереди** или чуть-чуть **сбоку**. Также она сказала, что особенно красиво это выглядит с вечерним платьем. Надеюсь, что мой подарок **вам пойдёт**. **Носите**, тётя Вера, на здоровье! Желаю вам здоровья и счастья! Ваш Георгий».

Ну? Понял, что ты сделал?

Женщина получает в подарок кастрюлю и письмо, где племянник **советует** носить кастрюлю на голове, потому что это очень красиво...

А сейчас слушай, что она мне написала в ответ:

«Георгий! Если в следующий раз ты вспомнишь о моём дне рождения и захочешь сделать мне подарок — **придумай** что-нибудь другое. Это не лучшая твоя шутка. Тётя Вера».

— А сейчас, — сказал я Марку, — мы вместе поедем к Вере Леонидовне, и ты ей

Исправить — *to correct*
Выбрать — *to choose*
Кастрюля — *sauce pan*
Доволен (а, ы) — *is/are happy*
Завидовать — *to envy*
Кулон — *coulomb*
Мне жалко — *it's a pity*
Мне не удалось — *I didn't manage*
Поздравить — *to congratulate*
Мне приходится — *I have to*
Цепочка — *chain*
Ленточка — *ribbon*
Шея — *neck*
Предпочитать — *to prefer*
Спереди — *in front*
Сбоку — *at the side*
Вам пойдёт — *will suit you*
Носить — *to wear*

Советовать — *to advice*

Придумать — *to invent*

всё объяснишь. **Шляпу** можешь не брать, обратно вернёшься в кастрюле. Тебе, я думаю, она очень пойдёт.

Шляпа — *hat*

Знаки внимания

(по одноимённому рассказу Б. Ласкина)

❄❄❄ • Существительные и прилагательные (единственное число) в разных падежах
• Виды глагола
• Императив
• Прямая речь

Я **женат** уже пять лет. Каждый раз Восьмого марта я **поздравляю** свою жену с праздником и дарю ей весенние цветы.

Женат — *married*
Поздравлять — *to congratulate*

В прошлом году, когда жена получила от меня в этот день традиционный подарок, она сказала:

— Спасибо, Гриша, что **вспомнил**.

Вспомнить — *to remember*

— А я никогда не забываю об этом. Если Восьмое марта, значит надо купить какой-нибудь подарок женщине. Это **закон**.

Закон — *law*

— Закон? По-моему, должно быть ещё и **желание**.

Желание — *wish*

— А оно всегда у меня есть. Посмотри на календарь — Женский день.

Жена ничего не ответила.

— Тебе, может быть, **надоели** цветы? — спросил я. — В следующем году я придумаю какой-нибудь другой **знак внимания**.

Надоесть — *to be tired*
Знак — *token*
Внимание — *affection*

— Хорошо, я подожду до следующего года, — сказала жена.

На следующий день я рассказал об этом разговоре моему другу Серёже Галайскому. Серёжа парень умный. Он читает лекции на моральные **темы**.

Тема — *subject*

— Твоя жена была не рада подарку, потому что ты очень редко делаешь подарки своей жене.

— Не понимаю.

— Сейчас поймёшь. Целый год жена ждёт от тебя внимания. За это время она просто забывает радостные эмоции.

— А что делать?

— Начни делать ей подарки с середины февраля.

— Это можно... Но, мне кажется, это опасно. Она может **привыкнуть**, и если я Восьмого марта подарю ей машину или рояль, она даже не удивится.

Привыкнуть — *to get used to*

— А ты **попробуй**.

Попробовать — *to try*

И я попробовал.

Восьмого февраля я пригласил жену в театр. Двадцатого мы ходили гулять в парк. Двадцать второго я принёс Кате торт и тюльпан.

Катя взяла тюльпан и потом вдруг спросила, почему я вчера так поздно пришёл с работы? Я **объяснил** ей, что консультировал молодого инженера.

Объяснить — *to explain*

Двадцать четвёртого февраля я принёс Кате **духи**. Она внимательно посмотрела на меня и сказала:

Духи — *perfume*

— По-моему, ты меня с кем-то **перепутал**. Ты, наверно, забыл, что я не люблю эти духи. Какая она?

Перепутать — *to confuse*

— Кто она?

— Молодой инженер.

— Я не понимаю, о чём ты говоришь.

— Не играй, пожалуйста.

Я ничего не ответил. Моя жена начала **ревновать** меня к кому-то.

Ревновать — *to be jealous*

Через два дня я пришёл домой опять с подарком. Я принёс цветы. Когда я раздевался, из пальто **выпала бумажка**. Это были старые билеты в кино. Жена взяла билеты и сухо спросила:

Выпасть — *to fall out*
Бумажка — *piece of paper*

— Что это?

— Это?.. Цветы, — сказал я и только тогда увидел в руке у жены билеты.

— Я понимаю. Тебе не кажется, что это **пошло**? А?

Пошло — *vulgar*

— О чём ты говоришь? Это старые билеты. Помнишь, мы ходили с тобой в кино?

— Не **ври**! — сказала Катя.

Врать — *to lie*

Это было в среду, а в пятницу в день **зарплаты**, прямо с работы я поехал в магазин, чтобы купить жене какой-нибудь сувенир.

Зарплата — *salary*

Когда я вернулся домой, жены не было дома. На столе лежала записка: «Ужинай сам. Я у мамы. Меня сегодня не будет».

Я поехал к **тёще** за Катей. Кати там не было.

— Гриша! — сказала тёща. — Вы пять лет женаты. Как тебе не **стыдно**?

Тёща — *wife's mother*
Стыдно — *ashamed*

— Раиса Ивановна! О чём вы говорите? Я не понимаю. Где Катя?

— Она ушла.

— Как ушла?

— А, ты ревнуешь? Да?.. Вы, мужчины, думаете, что вам всё можно... да?

Катя вернулась домой около двенадцати. Я ни о чём её не спрашивал. Третьего марта я пригласил Катю на концерт. Пятого я принёс Кате игрушку-сувенир. Седьмого, перед праздником, я подарил ей **стихи** Светлова. Рано утром я подарил ей **бусы**.

Стихи — *poetry*
Бусы — *beads*

— Поздравляю тебя! — сказал я.

— Спасибо! — сказала Катя. — Какие красивые бусы!

— Они тебе нравятся?

— Очень.

— Скажи, пожалуйста, **честно**. Где ты была в пятницу?

Честно — *honestly*

— Я не помню.

— Вспомни!

— Я консультировалась.

— А если серьёзно?.. Где ты была?

— Я была у Галайских. Серёжа позвонил и спросил, как ты **ведёшь себя** в последнее время.

Вести себя — *to behave*

— И что ты сказала?

— Я сказала, что ты ведёшь себя очень странно, и каждый день делаешь подарки. Я сказала, что, наверно, у тебя есть другая женщина.

— А он что?

— Он сказал — приходи к нам. Мы с Мариной твои друзья, и мы хотим рассказать тебе всё. И я пошла к ним. Серёжа, как только увидел меня, сразу сказал: «Катя! **Возьми себя в руки**»!

Взять себя в руки — *to take a hold of yourself*

— Как это?

— Очень просто. Мне, конечно, очень трудно взять себя в руки, но я решила **терпеть** твои милые знаки внимания.

Терпеть — *to endure*

— Долго?

— Целый год. И до Восьмого марта, и после. Всю жизнь! — сказала Катя и **засмеялась**. Наконец я понял, что большой специалист Серёжа Галайский всё ей рассказал.

Засмеяться — *to start to laugh*

Писательница (из воспоминаний редактора)

(по одноименному рассказу В. Дорошкевича)

❄❄❄
- Существительные и прилагательные (единственное и множественное число) в разных падежах
- Глаголы с частицей **-ся**
- Глаголы движения
- Виды глагола

— Вас хочет видеть госпожа Маурина.

Редактор — *editor*

— О, Маурина! Попросите подождать. Я одну секунду... одну секунду...

Я подбежал к зеркалу, **поправил** галстук и вышел. Передо мной стояла **пожилая** женщина, маленькая, толстая, бедно одетая.

Поправить — *to straighten*

Пожилой — *elderly*

— Маурина, — сказала она.

— Извините, вы, наверное, мать Анны Николаевны?

Она грустно улыбнулась.

— Нет, я сама Анна Николаевна Маурина.

— Но... Я знаю Анну Николаевну...

— Вы имеете в виду ту красивую брюнетку? Она никогда не была Анной Николаевной. Это был **обман**. Не сердитесь на меня, я сейчас всё расскажу. Рассказы писала я. Я, понимаете, хотела писать. Мне казалось, что у меня есть что сказать. Я много думала, чувствовала... Я написала три рассказа и пошла с ними в три разные редакции. Может быть, это были хорошие рассказы, может быть, плохие. Я не знаю... Их никто не читал. Один из рассказов был у вас. Я приходила несколько раз, мне говорили, что вы заняты, чтобы я пришла через неделю... Наконец ваш секретарь вернул мне рассказ с **пометкой** «нет». Простите меня, но вы его не читали!

— Сударыня, этого не может быть!

— Этот рассказ потом **был напечатан** в вашем журнале! — тихо ответила она. — Тогда мне пришла в голову одна **мысль**. В доме, где я жила, жила молодая девушка, очень красивая... Та самая, которая приходила к вам **под именем** Анны Николаевны Мауриной. Она тоже сидела без денег, и я предложила ей следующий план. Я буду писать, а она — носить мои рассказы в редакции. Вы знаете, портрет автора всегда интересует. И когда рассказы приносит красивая молодая женщина... Когда она пошла с рассказами в редакции, ей дали ответ через три дня. И все рассказы приняли. Боже мой! Это так понятно! Молодая, очень красивая женщина пишет. Интересно узнать, что думает такая красивая головка? Все удивлялись её таланту: «Откуда у вас такие мысли?» Любая мысль становится интересной, если она родилась в голове красивой женщины.

Обман — *deception*

Пометка — *mark*

Напечатать — *to publish*

Мысль — *thought*

Под именем — *under the name*

Вызывать — *to arouse*
Особый — *special*
Взгляд — *sight*
Простить — *to forgive*

Великолепно — *fantastic*
Зарабатывать — *to earn*
Кафешантан — *music hall*

Нечестно — *dishonestly*
Не принято — *it is not accepted*

Хорошо относиться — *to like*

В моих рассказах было много пессимизма — жизнь не научила меня быть оптимисткой. Это **вызывало особый** интерес! Такая молодая и красивая и такие пессимистические **взгляды**! Она всегда рассказывала мне, что ей говорили в редакциях. И мы, **простите** меня, много смеялись. Она очень весело, я не так весело... Но всё-таки я была счастлива! Наши дела шли **великолепно**. Мы **зарабатывали** рублей 200 в месяц. 100 рублей я отдавала ей, 100 брала себе, и всё шло хорошо. Но вдруг... На прошлой неделе она ушла работать в **кафешантан**.

— В кафешантан?!

— Да. Я просила её остаться. У нас были такие перспективы! Ещё полгода — и мы начали бы зарабатывать 500—600 рублей в месяц. Но она объяснила мне, что в кафешантане веселее, и ушла. Что мне было делать? Взять на её место другую? Но это невозможно: сегодня одна Маурина, завтра другая... И потом я думала, я надеялась, что мои рассказы уже знают, их печатают, и я могу показать своё настоящее лицо... Не сердитесь на меня!

— Я... я... я... не знаю, что сказать. Это так странно, некрасиво, **нечестно**... так **не принято** в литературе...

— Да, я знаю. В одной редакции мне уже сказали это. Я пришла к вам, потому что вы всегда так **хорошо относились** к моим рассказам. Пожалуйста, прочитайте этот рассказ, это в том же стиле, который вам всегда особенно нравился. Той Анне Николаевне вы всегда давали ответ через три дня. Можно мне зайти через неделю?

— Зайдите через три дня! Через три дня я дам ответ!

— Может быть, лучше через неделю...

— Сударыня, я повторяю: через три дня! Жду вас через три дня!

Через три дня я получил через секретаря записку: «Я говорила, что лучше через неделю. Не сердитесь на меня, я зайду ещё через неделю. **С уважением** — Маурина».

С уважением — *with respect*

Ой, как нехорошо получилось! Нужно было прочитать, а я забыл!

Потом... Я не помню, что случилось, но что-то важное, какие-то глобальные политические события, много работы... У меня совсем не было времени... Потом рассказ куда-то потерялся... Я не мог его найти...

Недавно в одном новом журнале я встретил рассказ Мауриной. Вечером я встретился с редактором.

— Кстати, а у вас Маурина пишет?

— А вы её знаете? Правда, чудо? Такая молодая и такая талантливая. У нас в редакции её все любят. Такая **прелестная** блондинка!

Прелестный — *charming*

— Ах, она блондинка?

— Блондинка. А что?

— Так... Ничего...

Домашний театр

(по одноимённому рассказу В. Полякова)

❄❄❄

- Существительные и прилагательные (единственное число) в разных падежах
- Выражение цели
- Выражение условия
- Глаголы с частицей **-ся**
- Виды глагола

В этом театре нет **афиш**. Но спектакли идут утром, днем и вечером. И даже ночью.

Сцена в этом театре — это моя квартира, а актеры — это я и моя семья. У всех в семье есть свои **амплуа**. Я — **герой-любовник**, моя жена Татьяна — **героиня**. Ее мать — **комическая старуха**, мой отец — **положительный старик**, наш десятилетний сын Колька — **бла-**

Афиша — *poster*
Амплуа — *speciality (of actor)*
Герой-любовник — *hero-lover*
Героиня — *hero (female)*

Комическая старуха — *comic old lady*
Положительный старик — *positive old man*
Благородный — *noble*
Комик-простак — *comedian-simpleton*
Настаивать — *to insist*

городный мальчик, мой друг и сосед по квартире Никита (я живу в коммунальной квартире) — **комик-простак**.

Начинает спектакль жена. Она говорит:

— Андрей, ты меня не любишь. Скажи мне об этом честно.

(Она не хочет, чтобы я сказал честно, но **настаивает** на этом. Ведь это ее роль).

— Ты совершенно не обращаешь на меня внимания, а я женщина. Я еще могу нравиться.

(Она знает, что уже давно не может никому нравиться как женщина, но ведь она играет красавицу-героиню.)

— Как тебе не стыдно! — говорю я. — Ты же знаешь, что я люблю только тебя!

Врать — *to lie*

(Я **вру**. Я давно уже не люблю ее, но это моя роль).

— Таня! Если бы ты знала, как я люблю тебя! (Если бы она знала!)

Входит наш сын Колька.

Крик — *shout*

— Папа, что случилось? Я слышал какие-то **крики**, — говорит он.

— Ничего не было, — говорит жена.

Я ошибся — *I am mistaken*

— Значит, **я ошибся**, — говорит Колька. (Он знает, что не ошибся, и знает, какие это были крики, но он артист! И он играет свою роль.)

— Коленька, — говорит Таня, — возьми рубль, купи себе мороженое и погуляй часа полтора. (Она прекрасно знает, что мороженое стоит 11 копеек, но она играет, что не знает этого.)

— Ладно, — говорит сын. — Я куплю мороженое и погуляю во дворе.

И он уходит. (Он знает, что он не будет покупать мороженое, а пойдет в кино смотреть фильм, который детям до 16 лет смотреть нельзя. Но он играет хорошего мальчика.)

Страдать — *to suffer*

— Я устала **страдать**! — кричит жена. (Она специально кричит громко, чтобы услышала ее мать в соседней комнате.)

Входит мать.

— Опять **ссоритесь**? — спрашивает она. (Она знает, что мы ссоримся, но спрашивает: такой у нее текст.)

— Он меня совсем не любит! — **плачет** жена. (Она научилась плакать **по желанию.**)

Тут матери нужно сказать что-нибудь смешное (она же комическая старуха!), и она говорит:

— А кого же он тогда любит? Меня?

Мне не смешно, но я смеюсь (ведь я актер), и **тёща довольна**.

Стук в дверь. Входит мой друг Никита.

— Ну, что нового? — спрашивает он. (Он абсолютно точно знает, что ничего нового нет и быть не может, но все равно **задает** этот **вопрос**. Он нужен для следующей реплики моей жены.)

— Боюсь, что **нам** с Андреем **придется расстаться**, — говорит она.

Никита отлично понимает, что это **ерунда**, но текст есть текст, и он говорит:

— **Вы с ума сошли**!

— Это она сошла с ума, — говорю я. И спрашиваю:

— Что делать, Никита, что делать? (Я прекрасно знаю, что делать, но должен это спросить.)

— Ну, если все так плохо, вам действительно нужно расстаться, — говорит Никита.

И тут входит мой отец Семен Гаврилович.

— Друзья мои! — говорит он. — Вы уже 18 лет вместе. И все время ссоритесь из-за ерунды. Но мы все знаем, как вы любите друг друга! (Он знает? Ничего он не знает. Но это его роль.)

— **Поцелуйтесь** и пойдем ужинать, — говорит он.

Мы целуемся.

Занавес. Конец спектакля.

Завтра мы будем играть снова.

Ссориться — *to quarrel*

Плакать — *to cry*
Желание — *desire*

Тёща — *mother-in-law (mother of wife)*
Довольна — *contented*
Стук — *knock*

Задать вопрос — *to ask question*
Нам придётся — *we will have to*
Расстаться — *to part with*
Ерунда — *nonsense*
Вы с ума сошли! — *you are crazy!*

Поцеловаться — *to kiss*

Занавес — *curtain*

Как жизнь?
(по одноимённому рассказу А. Инина)

❄❄❄
- Существительные и прилагательные (единственное число) в разных падежах
- Виды глагола
- Глаголы движения
- Прямая речь

Приятель — *not closed friend*
Знакомый — *acquaintance*
Точнее — *to be precise*
Старик — *old guy*
Жизнь в порядке — *life is all right*
Обижать — *to offend*
Мне стало стыдно — *I was ashamed*
Догнать — *to catch up with*
Подробно — *with details*
По поводу — *regarding*
Честно — *honestly*
С одной стороны — *on the one hand*
С другой (стороны) — *on the other hand*

Есть у меня **приятель** Миша. **Точнее** — не приятель, а просто **знакомый**.

Он очень приятный человек. Встречаемся мы с ним два раза в год или раз в два года, а он всегда меня спрашивает:

— Как жизнь, **старик**?

Спрашивает и бежит дальше. А я тоже всегда вежливо ему отвечаю:

— Спасибо, **жизнь в порядке**!

Вот и вчера бежит он мимо по улице, видит меня и спрашивает:

— Как жизнь, старик?

Я, как обычно, отвечаю:

— В порядке!

И вдруг я подумал: почему я человека **обижаю**? Он меня спрашивает, хочет точно знать, как моя жизнь, а я ему ничего не рассказываю? **Стыдно** мне стало, побежал я за ним, **догнал** его и сказал:

— Ты извини, Миша. Ты меня всё время спрашиваешь, а у меня нет времени тебе **подробно** ответить. А сегодня я свободен и с удовольствием отвечу на твой вопрос.

— Какой вопрос? — удивился он.

— Твой вопрос, **по поводу** моей жизни. Я скажу тебе **честно**: жизнь моя не совсем в порядке. Есть приятные моменты, но есть и неприятные. Во-первых, здоровье. Сердце часто болит и живот тоже. И на работе тоже есть проблемы. **С одной стороны**, месяц назад мне премию дали, **а с другой** — пришёл новый начальник и чувствую, что он меня не любит, я...

В этот момент Миша **перебил** меня:

— Извини, старик, вон мой трамвай стоит, я очень спешу...

— А я совсем не спешу, — сказал я. — Я тебя **провожу**.

Сели мы в трамвай, поехали. Я **продолжил** свой рассказ:

— С женой **мне не очень повезло**. **Вкусы** у нас абсолютно разные. Я вегетарианец, а она только мясо предпочитает...

На этом интересном месте трамвай остановился, и Миша **почему-то** очень быстро **попытался** выйти из вагона без меня. Но у меня реакция хорошая, я тоже **успел** выйти. **Обнял** я его за **плечи** и продолжал:

— А дети у меня очень хорошие. Сын в школе учится, в пятом классе. Дочка — в детском саду. У них в детском саду сейчас концерт готовят, моя дочка песню о Москве выучила. Я тебе сейчас эту песню спою...

И я спел ему эту песню. Песня ему очень понравилась — ему от удовольствия **даже** с сердцем плохо стало. **Зашли** мы в аптеку, купил я ему лекарство. Когда он почувствовал себя лучше, я ещё раз спел ему эту песню, чтобы он вспомнил, о чём мы говорили, и начал рассказывать о своих планах на лето.

В это время Миша вспомнил, что ему надо **срочно** купить в ГУМе **плавки**. Я попытался его **отговорить**, потому что в ГУМе много людей, можно там потерять **друг друга**. Но он не согласился. Мы поехали в ГУМ и, конечно, сразу потерялись.

Я, естественно, побежал в **радиоузел** ГУМа и **объявил** по радио, что жду его в центре ГУМа около **фонтана**. Но он, наверное, не слышал — не пришёл. Только

Перебить — *to interrupt*
Проводить — *to see off*
Продолжить — *to continue*
Мне не очень повезло — *I am not very lucky*
Вкусы — *tastes*
Почему-то — *for some reason*
Попытаться — *to attempt*
Успеть — *to manage*
Обнять — *to embrace*
Плечи — *shoulders*
Даже — *even*
Зайти — *to pop in*
Срочно — *urgently*
Плавки — *swimming trunks*
Отговорить — *to dissuade*
Друг друга — *each other*
Естественно — *of course*
Радиоузел — *public-address facilities*
Объявить — *to announce*
Фонтан — *fountain*

Случайно — *by chance*

через три часа я **случайно** встретил его в Лужниках.

Обрадоваться — *be overjoyed*

Он почему-то не очень **обрадовался**, когда меня увидел, но слушал вежливо, не перебивал.

Водитель — *driver*

Потом вдруг остановил такси и сказал **водителю**:

— Аэропорт Внуково!

— Ты улетаешь? — спросил я

— Улетаю!

— А какой рейс?

Ближайший — *nearest*

— **Ближайший**!

По дороге в аэропорт я рассказал ему о моих соседях по дому и по даче.

Оказалось — *it turned out*

Когда мы приехали во Внуково, **оказалось**, что ближайший рейс — это рейс «Москва — Магадан». Он купил билет.

— А где твои вещи? Ты совсем без багажа? — спросил я.

— Вещи мне потом жена пришлёт!

Пока мы к самолёту шли, я рассказал ему, что я думаю о литературе и искусстве.

Счастливо! — *Good luck!*

— Ну, Миша, — сказал я около трапа. — **Счастливо**! Когда решишь возвращаться, дай мне телеграмму. Я тебя встречу, расскажу, что в моей жизни нового...

Доброе дело — *good act*

По дороге из Внуково домой у меня было прекрасное настроение. Я чувствовал, что сделал хорошее, **доброе дело**.

А около дома я встретил моего приятеля Сашу. Точнее — не приятеля, а просто знакомого.

— Как жизнь, старик? — спросил он и побежал дальше.

Было очень поздно. Я устал.

«Ладно, — подумал я. — Тебе, Саша, я подробно отвечу в следующий раз».

Поэтому я ответил как обычно:

— Жизнь в порядке, старик.

И пошёл спать.

Диалог на скамейке
(по рассказу А. Инина и Л. Осадчука «Обманчивая внешность»)

❄❄❄
- Существительные, прилагательные и местоимения (единственное и множественное число) в разных падежах
- Виды глагола
- Прямая речь

— Извините, пожалуйста, нет ли у вас сигареты?

— Да, есть. Но мне хотелось бы спросить: а почему у вас нет сигарет?

— Рядом нет табачного киоска.

— **Действительно**, рядом нет табачного киоска. Я вам **верю**. Садитесь.

— Да нет, я...

— Садитесь-садитесь, не **стесняйтесь**! Вы попросили у меня закурить. С одной стороны, в этом нет **ничего особенного**. А с другой — **представьте**, если каждый, кто гуляет здесь, как вы, попросит у меня сигарету? Вижу-вижу, краснеете — значит, хорошо представили себе.

— Лучше я пойду...

— Ну, нет! Если вы **подошли** ко мне сами, давайте поговорим. Вы захотели покурить... а я, например, захотел купить квартиру, но для меня это слишком дорого. Понимаете, о чём я? Наши **желания** и наши **возможности** не всегда **совпадают**. Я человек **прямой** и поэтому спрошу прямо: вот вы бы попросили у меня три рубля?

— Нет, что вы...

— И я вижу, что нет, не попросили бы. А сигарету всегда попросят. И никогда даже не думают, что одна сигарета — это три рубля. Если каждому давать по три рубля, никакой зарплаты не **хватит**. Скажите, вы много курите?

Действительно — *indeed*
Верить — *to believe*
Стесняться — *to feel shy*
Ничего особенного — *nothing special*
Представить — *to imagine*
Подойти — *to approach*
Желание — *wish*
Возможность — *possibility*
Совпадать — *to coincide*
Прямой — *direct*
Хватит — *enough*

Примерно — *approximately*
Пачка — *packet*
Вредно — *harmful*
Совет — *advice*

— **Примерно пачку** в день.
— А это очень **вредно**! Не читали?
— Читал.
— Правильно, надо читать.
— Я пойду...
— Подождите, я вам ещё не дал **совета**. Я хочу рассказать вам о моей системе. В правом кармане у меня обычно хорошие дорогие сигареты, которые я **держу** для себя, а в левом — для других, **дешёвые**. Стойте, куда вы? Вы хотели у меня попросить сигарету...
— Спасибо, мне уже не хочется курить!
— Подождите! Куда?.. Это уже третий человек, который за последние полчаса **расхотел** курить. Скоро все **бросят** курить!

Держать — *to keep*
Дешёвый — *cheap*

Расхотеть — *to don't want any more, to no longer want to do*
Бросить — *to give up*

II. «СКАЗКИ НОВОЙ РОССИИ» (ТЕКСТЫ ПО МОТИВАМ ЖУРНАЛЬНЫХ ПУБЛИКАЦИЙ ПОСЛЕДНИХ ЛЕТ)

Фонарь с секретом
(по рассказу из журнала «Отдохни»)

❄❄❄
- Существительные, прилагательные и местоимения (единственное и множественное число) в разных падежах
- Виды глагола
- Прямая речь

Фонарь — *lamp, light*
Вежливо — *polite*
Поздороваться — *to greet*
Отложить — *to put aside*

В офис вошёл симпатичный молодой человек с большой спортивной сумкой и **вежливо поздоровался**.

Секретарь Катя **отложила** в сторону бумаги:

— Здравствуйте, что вы хотите?

Молодой человек открыл сумку:

— Посмотрите, какой замечательный американский фонарь. Прекрасный дизайн, отличное качество...

«Опять коммивояжёр», — **недовольно** подумала Катя.

— Наша фирма не **торгует** фонарями, — холодно сказала она и **повернулась** к компьютеру.

— Вы не поняли. Фонарями торгует моя фирма. У нас есть несколько моделей, но я рекомендую вот эту. В магазине вы такой не купите. Только на этой неделе цена **снижена** на 30%.

Катя встала и открыла дверь.

— Уходите, нам не нужны фонари.

— Я вам советую хорошо подумать. У меня **осталось** только два фонаря. Такой прекрасный подарок, например, для вашего начальника.

— Подождите, — Катя на секунду **задумалась**, — сколько вы за него хотите?

— Для вас — всего 230 рублей. — Коммивояжёр улыбнулся. — Тридцать рублей могу **скинуть**.

Коммивояжёр положил фонарь в красивую **коробку**, взял деньги и **исчез**.

Катя **спрятала** коробку в стол. Она была рада, что купила такой хороший подарок для начальника. Через неделю у него должен был быть день рождения.

Через неделю директор строительной фирмы Сергей Павлович **праздновал** свой юбилей. **Сотрудники поздравляли** его с днём рождения. Катя подошла к нему со своей коробкой.

— А это от меня. Надеюсь, вам понравится.

— Отличная вещь, — **поблагодарил** он и поцеловал Катю в **щёку**.

Катя улыбнулась и покраснела.

Недовольно — *discontentedly*
Торговать — *to trade*
Повернуться — *to turn*
Снизить цену — *to lower price*
Остаться — *to remain*
Задуматься — *to become thoughtful*
Скинуть — *to knock off*
Коробка — *box*
Исчезнуть — *to disappear*
Спрятать — *to hide*
Праздновать — *to celebrate*
Сотрудник — *employee*
Поздравлять — *to congratulate*
Надеяться — *to hope*
Поблагодарить — *to thank*
Щека — *cheek*

***

— Ну что, получилось? — спросил толстый мужчина симпатичного молодого человека, который сидел в кресле напротив.

— Конечно. Наш презент я продал его секретарше. За 200 рублей.

— Ты действительно профессионал. Наконец мы сможем нормально работать, а то его фирма **переманила** у нас всех **выгодных** клиентов. Когда нужно ждать новостей?

— Техника непростая, с секретом. В фонарик **вставлен счётчик** на 10 включений. **Взрыв произойдёт** после десятого включения. Будем ждать.

— Долго, — сказал мужчина и посмотрел на календарь.

— Не думаю. Как **всякую** новую вещь, её захотят **испытать** поскорее. Дней пять, не больше.

— Ладно, подождём...

***

— Спасибо, хорошо **довёз**, — абсолютно **пьяный** Сергей Павлович с трудом стоял на ногах, — давай, друг таксист, ещё выпьем. Пошли ко мне.

— По-моему, вам уже достаточно, — таксист позвонил в дверь и передал пассажира в руки жены и ушёл.

Смена закончилась, пора было возвращаться в парк. Уже в таксопарке, когда таксист закрывал машину, он увидел, что пассажир забыл в машине какую-то красивую коробку. Он открыл коробку, увидел там фонарь и включил его. Свет был очень **яркий**.

— О, хорошо работает! Надо взять его домой, — подумал таксист.

Дома таксист оставил коробку на кухонном столе и пошёл спать.

Рано утром его сын Андрюшка **заметил** на столе коробку с фонарём.

Переманить — *to entice*
Выгодный — *profitable*
Вставить — *to put in*
Счётчик — *counter*
Взрыв — *explosion*
Произойти — *to happen*
Всякий — *any, every*
Испытать — *to test*
Довезти — *to take to, to drive to*
Пьяный — *drunk*
Смена — *shift*
Яркий — *bright*
Заметить — *to notice*

— Мам, откуда фонарик? — спросил он.

— Не знаю, наверное, отец принёс.

— Можно я возьму его в школу? Показать ребятам.

— Нет, нельзя. Быстро иди в ванную, ты уже **опаздываешь**.

Опаздывать — *to be late*

Через час Андрюшка показывал фонарь своим друзьям в школе.

— Да, хороший фонарь! — сказал кто-то.

— А как он в **темноте** работает! — сказал Андрюша. — Пошли в **подвал**, покажу!

Темнота — *darkness*
Подвал — *cellar*

Мальчишки побежали в школьный подвал.

— Эй, это что у вас? — услышали они голос **известного** школьного хулигана Никули, который пришёл в подвал покурить. — Дай сюда!

Известный — *famous*

Никуля взял фонарь и включил его.

— У, как **классно** работает!

— Отдай, это не мой, это отца, — попросил Андрюшка. — Отдай, Никуля!

— Иди отсюда! — Никуля дал Андрюшке **подзатыльник**. — **Мелкота**!

Классно — *cool*
Подзатыльник — *clip round the ear*
Мелкота — *small guys*

***

— Никуля, когда **долг** отдашь? — Быстров из одиннадцатого класса подошёл к Никуле в тёмном подъезде.

Дол — *debt*

— Нет у меня сейчас денег. Нет!

— Это не моё дело. Ты у меня деньги на сигареты и пиво сколько раз брал? Забыл? Давай деньги!

— Возьми фонарь. Он дороже стоит. Смотри, как классно светит! — И Никуля включил фонарь.

— Ладно, давай. Пока **прощаю**, но больше **денег в долг не дам**.

Прощать — *to forgive*
Деньги дать в долг — *to lend money*

***

— Ты говорил через 5 дней! — кричал в **трубку** толстый мужчина. — Что значит «**не беспокойтесь**»? Я тебе деньги за что плачу?

Трубка — *receiver*
Беспокоиться — *to worry*

Бросить — *to throw*

Ладно, жду ещё неделю! — и мужчина **бросил** трубку.

Успокоиться — *to calm down*

Чтобы **успокоиться**, он налил себе стакан коньяку и выпил.

Вдруг в углу комнаты на кресле он увидел фонарь, который откуда-то принёс его сын.

Дрянь — *rubbish*

«Слишком много денег я ему даю. Покупает всякую **дрянь**! Интересно, как он работает?»

Направить — *to direct*

Толстый мужчина подошёл к окну и **направил** фонарь на тёмную улицу. Хорошо ли работает фонарь, он уже не узнал.

История с Лужиным
(по рассказу из журнала «Отдохни»)

❄❄❄
- Существительные, прилагательные и местоимения (единственное и множественное число) в разных падежах
- Виды глагола
- Несогласованное определение
- Прямая речь

Противен — *disgusting*
Представить — *to imagine*
Со стороны — *from side*
Сутулый — *stooped*
Бритый — *shaved*
Живот — *belly*
Колено — *knee*
Худеть — *to lose weight*
Парень — *guy*

Сегодня весь день Лужин был **противен** сам себе. Сейчас, вечером, когда Лужин стоял на тёмной остановке и ждал автобус, он **представил** себя **со стороны**. **Сутулый**, три дня не **бритый**, **живот** почти до **колен**. Уже пять лет, когда Лужин подходил к зеркалу, он повторял: «Надо **худеть**!»Вдруг Лужин увидел 3 гигантские фигуры. Они подходили к остановке, на которой никого, кроме Лужина, не было. **Парни** выглядели как настоящие бандиты. Лужин почувствовал панику.

— Не бойся, Лужин! — вдруг сказал ему один из них, брюнет. — Надо поговорить!

— Кто вас прислал? — с **ужасом** спросил Лужин. — У меня нет **врагов**. Если... только Верка?

— Или Татьяна, — сказал другой, блондин.

— Или Тамара Юрьевна, — **добавил** третий, **рыжий**.

— Или Семён Степанович. Ну, будем дальше вспоминать, кого ты в последние 5 лет **обидел**?

Лужину стало ещё страшнее. Имена были **названы** правильно!

Брюнет сказал:

— Но нас прислали не они. Будем считать, что нас прислал ты сам. Потому что твой главный враг — это ты сам. Посмотри на себя. Где **талия**? Где свежее лицо? Где **совесть**? Где любовь к жене, к сыну, к жизни?

Лужин молчал.

— Значит, так, — сказал рыжий. — Программа такая. Сначала будешь худеть — по килограмму в неделю. Вот, возьми этот **листок** — это диета. По утрам будешь **бегать**. Сначала по 10 минут каждый день, через 2 недели — по часу. Постепенно будешь **бросать курить** и пить. Твоя норма на первое время: 100 г в день и 1 пачка сигарет. Ну, конечно, 2 раза в день будешь **бриться** и принимать душ. С Веркой и Тамарой Юрьевной спать больше не будешь — у тебя есть семья. Жене дашь деньги на **шубу** — сам знаешь, как ей в пальто зимой холодно. О работе будем говорить позже. Надо найти другую работу, с хорошей **зарплатой**. Всё понял? Пошли, ребята.

— И не думай **хитрить**! — сказал блондин.

— От нас не уйдёшь, — добавил рыжий.

***

На следующий день Лужин вернулся домой с **синяком** под глазом. **Дело в том, что** около дома он опять встретил вчерашних парней.

Ужас — *horror*
Враг — *enemy*
Добавить — *to add*
Рыжий — *red-haired*
Обидеть — *to offend*
Назвать — *to name*
Талия — *waist*
Совесть — *conscience*
Листок — *sheet*
Бегать — *to run*
Постепенно — *step by step*
Бросать курить — *to quit smoking*
Бриться — *to shave*
Шуба — *fur coat*
Зарплата — *salary*
Хитрить — *to act slyly*
Синяк — *bruise*
Дело в том, что — *the point is that*

Шутить — *to joke*

— Ты думал, мы **шутим**? Смотри, что ты делал сегодня: утром съел бифштекс. Вокруг дома не бегал. Выкурил 2 пачки «Явы». Уже выпил 200 г, а дома **собираешься** выпить ещё грамм 200.

Собираться — *to be going*

Трогать — *to tough*

— Ребята! — попросил Лужин, — возьмите лучше у меня деньги и не **трогайте** меня больше.

— А он много может дать? — спросил рыжий у брюнета.

Банка из-под кофе — *coffee jar*

Коробка из-под обуви — *shoe box*

— 382$ в **банке из-под кофе**, и ещё 100$ в **коробке из-под обуви**.

Лужину стало плохо. Да, деньги лежали в банке из-под кофе и в коробке из-под обуви. Значит, они были у него в квартире и **украли** деньги!

Украсть — *to steal*

Волноваться — *to be worry*

Бесплатно — *free of pay*

— Не волнуйся, твои деньги на месте, — сказал блондин. — Запомни: мы работаем бесплатно. А сейчас, извини, надо тебя немного поучить.

Результатом учёбы и стал синяк под глазом.

Били его и завтра, и послезавтра. На третий день он начал бегать в парке, есть **овсяную кашу** и пить апельсиновый сок. Уже через неделю он потерял 2 кг. Свидания с Тамарой Юрьевной Лужин **заменил** визитами к дантисту.

Овсяная каша — *oat meal porridge*

Заменить — *to replace*

***

Бить стали не так часто и только тогда, когда он делал что-нибудь не по программе. Постепенно Лужин **привык**, что парни знают о нём всё.

Привыкнуть — *to get into the habbit*

Через 5 месяцев Лужина трудно было узнать. Бритый, **стройный**, **трезвый**, с новыми зубами — он выглядел моложе своих сорока лет.

Стройный — *well-built*

Трезвый — *sober*

Наконец пришёл день, когда рыжий **с удовольствием** посмотрел на Лужина и сказал:

С удовольствием — *with pleasure*

— Сколько мы его уже не били? Четыре недели. Молодец, Лужин! Больше мы к тебе приходить не будем. Но **если что** — вернёмся!

— Спасибо, друзья! — **искренне** сказал Лужин. — Только скажите, кто вас **нанял**?

— А как ты сам думаешь? — спросил блондин.

— Я думаю, — ответил Лужин, — что это моя жена. Она у меня очень хорошая, я только сейчас это понял, и ещё я понял, как она любит меня.

Рыжий открыл **рот**, чтобы что-то сказать, но брюнет ответил раньше:

— Да, правильно, это твоя жена. А мы бесплатно, для эксперимента, **согласились** ей **помочь**.

— Ребята, а нельзя и её **исправить**? Тогда у нас будет счастливая жизнь! Пока я был **скотиной**, она тоже **потолстела**, характер **испортился**. Я вам хорошо заплачу.

— А как мы будем её исправлять? Тоже бить? — спросил блондин.

— Нет, нет! — ответил Лужин. — Я не это **имел в виду**...

— Ты сам прекрасно всё сделаешь, — сказал чёрный. — **Прощай**!

***

В эту ночь парни сидели на **крыше** дома.

— Ну, — сказал рыжий, — **задание выполнено**.

— Хотел бы я знать, — сказал брюнет, — почему к моему Лужину такое **внимание**? Не к каждому присылают **команду** ангелов...

— Может быть, твой Лужин должен стать великим человеком? Ну, наше дело выполнять, а не **обсуждать**. А задание мы выполнили как надо. Пока!

И рыжий встал. Блондин тоже встал и сказал брюнету:

Если что — *if something will be happened*
Искренне — *sincerely*
Нанять — *to hire*
Рот — *mouth*
Согласиться — *to agree*
Помочь — *to help*
Исправить — *to improve*
Скотина — *swine*
Потолстеть — *to gain weight*
Испортиться — *to be spoiled*
Иметь в виду — *to mean*
Прощай! — *Goodbye!*
Крыша — *roof*
Задание — *mission*
Выполнить — *to carry out*
Внимание — *attention*
Команда — *team*
Обсуждать — *to discuss*

Кулак — *fist*
Как — шёлковый *meek*
Раскрыть — *to open*
Крылья — *wings*
Взлететь — *to soar*
Исчезнуть — *to disappear*
Невидимый — *invisible*
Потолок — *ceiling*

— Ладно, пока! Если Лужин опять возьмётся за старое, приди к нему и покажи **кулак**! Он сразу станет как **шёлковый**.

Рыжий и блондин **раскрыли крылья** и **взлетели**. Через минуту они уже **исчезли** в небе.

Брюнет подождал, пока они исчезли, стал **невидимым** и сквозь **потолки** и стены вернулся в квартиру Лужина.

Как продать 115 тонн мумиё
(по рассказу М. Розановой)

❄❄❄
- Существительные, прилагательные и местоимения (единственное и множественное число) в разных падежах
- Глаголы движения
- Виды глагола
- Безличные конструкции
- Выражения времени
- Прямая речь

Мумиё — *special natural resin which is used in microscopic doses in medicine*
Улыбающийся — *smiling*
Пробовать — *to try*
Представитель — *representative*
Вам повезло — *you are lucky*
Даром — *free, for nothing*
Отборный — *selected*
Подписать — *to sign*

Дверь кабинета директора открылась, и в кабинет вошёл **улыбающийся** молодой человек. Генеральный директор в это время говорил по двум телефонам, считал что-то на калькуляторе и **пробовал** войти в Интернет.

Директор с удивлением посмотрел на молодого человека.

— Я **представитель** новой фирмы «Нью-Хелф». Поздравляю вас! **Вам** очень **повезло**. Мы можем продать вам практически **даром** 115 тонн **отборного мумиё**.

— Что? — не понял директор.

— **Подпишите** чек на 5.000$ **предоплаты**, и через **пару дней** мы **привезём** все 115 тонн к вам на **склад**.

— Вы ошиблись, — удивился директор. — Наша фирма **продаёт** и **ремонтирует** компьютеры. Если вы можете предложить мне 115 тонн процессоров, мы купим. А сейчас, извините, я занят. До свидания.

Но молодой человек не ушёл. Он сел в кресло около стола директора и **посоветовал**:

— **Всё-таки** вам нужно купить это мумиё.

— Вы ещё здесь? — начал **выходить из себя** директор. — И **вообще**, как вы сюда попали? Где **охрана**?

— Не надо охраны, я уже ухожу. Но не забудьте: вы просто **обязаны** купить эти 115 тонн мумиё. Это очень **выгодно**. Все будут вам **завидовать**.

И молодой человек вышел из кабинета.

Через полчаса вошла секретарша. Она подошла к директору и сказала:

— Андрей Павлович, нам повезло. 115 тонн мумиё и очень дёшево. Мы сможем получить почти 50% **прибыли**. 5.000$ предоплаты и...

Директор **закричал**:

— Что? Опять мумиё? Ну, подумай сама: зачем нам мумиё, если мы — компьютерная фирма?

— Выгодно! — ответила секретарша.

— Почему ты так думаешь? **Объясни**! — закричал директор.

Секретарша в ответ **подняла** глаза на **потолок** с видом человека, которому **надоело** объяснять.

— Всё, иди и не **мешай** мне работать, — закончил директор.

Секретарша вышла, но уже около двери она **грустно** повторила:

— А всё-таки **стоит** купить это мумиё.

Через 5 минут в кабинет вошёл массивный **охранник** Толя и тихо сказал:

— Андрей Павлович, нам предлагают очень выгодный контракт — му...

Предоплата — *advance payment*
Привезти — *to bring*
Склад — *warehouse*
Ремонтировать — *to repair*
Продавать — *to sale*
Посоветовать — *to advice*
Всё-таки — *nevertheless*
Выходить из себя — *to lose temper*
Вообще — *on the whole*
Охрана — *security*
Обязан (а, ы) — *obliged*
Выгодно — *profitably*
Завидовать — *to envy*
Прибыль — *profit*
Закричать — *to cry*
Объяснить — *to explain*
Поднять — *to raise*
Потолок — *ceiling*
Надоесть — *to be tired of sth.*
Мешать — *to bother*
Грустно — *sadly*
Стоит — *it is worth*
Охранник — *guard*

Вон! — *Get out of here!*
Сойти с ума — *to get mad*
Бросить — *to throw*
Упасть — *fall down*
Пожаловаться — *to complain*
Мне пришлось — *I had to*
Отложить — *to put aside*
Мерить — *to try on*
Заключить сделку — *to conclude a deal*
Потерять сознание — *to lose consciousness*
Скорая помощь — *ambulance*
Укол — *injection*
Прийти в себя — *to come to one's*

— **Вон**! — закричал директор.

После этого зазвонил телефон.

— Таня? Какая Таня? С которой я был на прошлой неделе в ночном клубе? Да-да, я слушаю. Что? 115 тонн отборного мумиё? Да вы все **сошли с ума**! — И директор **бросил** телефон на пол.

Дома он сразу **упал** на диван и **пожаловался** жене:

— Наташа, **мне пришлось** вернуться домой раньше, потому что у меня кошмарный день... Что у нас сегодня на обед?

Жена **отложила** в сторону новую шляпку, которую она в этот момент **мерила**, посмотрела на мужа и сказала:

— Я сейчас приготовлю, но сначала я хочу тебе сказать... Можно **заключить** очень выгодную **сделку**, предоплата всего 5.000$...

Директор **потерял сознание**.

Врач из скорой помощи сделал **укол**. Укол помог, директор **пришёл в себя**. Врач спросил:

— Ну, как вы сейчас себя чувствуете?

— Ничего, спасибо. Уже лучше, — улыбнулся **бледный** директор и попробовал **пошутить**:

— Надеюсь, вы не будете предлагать мне купить мумиё?

Доктор вдруг стал очень серьёзным и сказал:

— Сейчас тот момент, когда вам просто необходимо купить 115 тонн мумиё, да и цена **смешная**.

Директор тихо заплакал. Через час **ему удалось заснуть**. **Во сне** он увидел себя в Большом театре.

Оперный хор пел: «Нет выгоднее **сделки**, чем сделка с мумиё!»

Проснулся директор от крика **попугая** в **клетке**: «Купи мумиё! **Дурак**! Купи мумиё!»

Бледный — *pale*
Пошутить — *to joke*
Надеяться — *to hope*
Смешной (-ая, ое, ые) — *funny*
Ему удалось — *he managed*
Заснуть — *to fall asleep*
Во сне — *in a dream*
Сделка — *deal*
Проснуться — *to wake up*
Попугай — *parrot*
Клетка *carriage*
Дурак — *fool*

Директор почувствовал, что ему нужен **свежий воздух**.

Он подошёл к окну. В небе он увидел **аэростат** с **рекламой**: «Мумиё — сегодня! Не откладывай на завтра то, что можно сделать сегодня!»

Директор понял, что **ему придётся** купить мумиё. Он надел пальто и пошёл в офис. На первом этаже консьержка поинтересовалась: «Ну, что — **оформляете покупку** мумиё?»

В офисе его уже ждал всё тот же молодой человек с пакетом документов.

— Ну, как — согласны? Я же говорил — смешная цена предоплаты, 5.000$, и через пару дней мы **доставим** вам 115 тонн. Вы можете нам **доверять**. Вот здесь подпишите, пожалуйста. И ещё здесь. Ну, вот видите, как всё хорошо. Спасибо! Пойду заплачу рекламным агентам. А вы ждите **ящики** с мумиё.

Через 2 дня, как **обещал** молодой человек, ящики с мумиё доставили на склад. А ещё через день в офисе и во всей **округе** начало **вонять** так, как будто **городская служба канализации** начала **забастовку**.

Жители соседних домов пожаловались в санэпидемстанцию.

— А, знакомые ящики, — засмеялись врачи из санэпидемстанции. — С **кроличьим помётом**. Если за 24 часа вы всё это не **вывезете**, то вам придётся платить **штраф**, а вашу фирму мы закроем. Только помните, что ни одна **свалка** у вас это не примет по санитарным нормам.

Директор вошёл к себе в кабинет, достал из ящика пистолет, положил на стол. Потом **налил** стакан водки и **разом** выпил. Вдруг он что-то вспомнил, положил пистолет обратно в ящик и **набрал** номер:

— Соедините меня с отделом рекламы. Рекламный отдел? Галина Павловна? Я хочу

Свежий воздух — *fresh air*
Аэростат — *aerostat*
Реклама — *advertisement*
Откладывать — *to postpone*
Ему придётся — *he will have to*
Поинтересоваться — *to take an interest in*
Оформлять — *to draw up*
Покупка — *purchasing*
Доставить — *to deliver*
Доверять — *to trust*
Ящик — *box*
Обещать — *to promise*
Округа — *neighbourhood*
Вонять — *to pong*
Городская служба канализации — *urban service of the water drain*
Забастовка — *strike*
Кроличий — *rabbit*
Помёт — *dung*
Вывезти — *to take out*
Штраф — *fine*
Свалка — *rubbish dump*
Достать — *to take out*
Налить — *to pour*
Разом — *all in one go*
Набрать — *to dial*

Поручить — *instruct*
Красочный — *colourful*
Буклет — *booklet*
Польза — *benefit*
Служебный кабинет — *office*
АО — *joint-stock company*

поручить вам одну вещь... Сколько времени вам нужно, чтобы приготовить **красочный буклет** о **пользе** мумиё? Сколько?.. Нет, это долго. Через час — не позже.

Через час с рекламным буклетом и пакетом документов директор входил в **служебный кабинет** директора соседнего **АО**.

Чудесный чёрный парик
(по рассказу из журнала «Отдохни»)

❄❄❄ • Существительные, прилагательные и местоимения (единственное и множественное число) в разных падежах
• Глаголы движения
• Виды глагола

Парик — *wig*
Бухгалтер — *accountant*
Задержаться — *to be delayed*
Появиться — *to appear*
Руководитель — *head*
Отдел — *department*
Представить — *to present*

Стажировка — *probationary period*
Прошу любить и жаловать — *I ask you to like him*
Стрижка — *haircat*
Седой — *gray*
Прядь — *lock*

Зоя Васильевна Ерёмина, главный **бухгалтер** фирмы, **задержалась** в банке и поэтому **появилась** в кабинете директора последней. Там уже собрались все **руководители отделов**.

— Коллеги, — начал директор, — я пригласил вас, чтобы **представить** нового коммерческого директора.

Со стула поднялся незнакомый мужчина, которого Зоя Васильевна сначала не заметила, и улыбнулся голливудской улыбкой.

— Андрей Георгиевич Тестов, кандидат экономических наук, — продолжал директор, — работал во Внешторгбанке, потом был на **стажировке** во Франции... **Прошу любить и жаловать**.

Зоя Васильевна посмотрела на Тестова. Спортивная фигура, короткая **стрижка**, зелёные глаза, несколько **седых прядей**.... Он был очень красив!

После знакомства с коллективом Тестов пошёл с Зоей в её офис. Он сел за компьютер, чтобы познакомиться с документацией. Он **задавал** Зое **вопросы** по тем или иным документам, Зоя смотрела на него и чувствовала, что с трудом находит ответы — так он ей нравился!

Задавать вопросы — *to ask questions*

Через 40 минут он ушёл к директору, а Зоя села за компьютер.

Клавиатура была ещё тёплой от рук Андрея... «Да, Андрея, а не Андрея Георгиевича...» — подумала Зоя и **почему-то** улыбнулась.

Клавиатура — *key-board*
Почему-то — *for some reason*

Она задержалась почти до семи: завтра нужно было сдавать **отчёт**.

«Сделаю новую **причёску**!» — решила Зоя и выключила компьютер.

Отчёт — *report*
Причёска — *hairstyle*

***

— У вас **тонкие** волосы и, чтобы причёска была красивая, нужно делать «**химию**», — сказали Зое в парикмахерской. — Сегодня вы не **успеете**. Мы через полчаса закрываем. Приходите завтра, мы открываем в 8.

Тонкий — *thin*
«Химия» — *permanent*
Успеть — *to manage*

«Завтра до работы успею», — подумала Зоя и **направилась** домой.

Направиться — *to make for*

Утром, ровно в 8, она уже сидела в кресле.

— **Стричь** или на всю **длину**? — без интереса спросила толстая парикмахерша.

Стричь — *to cut*
Длина — *length*

— На всю длину, — сказала Зоя. — И, если можно, побыстрее, пожалуйста...

Парикмахерша закончила процедуру и **скомандовала**:

— Идите **сушитесь** и **следите** за временем. Следующий!

Скомандовать — *to give order*
Сушиться — *to dry*
Следить — *to take care of*

Зоя села под **колпак сушилки** и включила её. Она закрыла глаза и представила себе...

Сегодня Тестов увидит её с прекрасными **локонами**... И, может быть...

Колпак — *lampshade*
Сушилка — *dryer*
Локон — *singlet*

Из сушилки шёл тёплый воздух, Зоя закрыла глаза.

Бигуди — *curler*
Посыпаться — *to pour*

Вдруг она услышала, как что-то упало на пол. Потом ещё что-то... Зоя встала — и **бигуди посыпались** на пол. Зоя подошла к зеркалу...

Описать — *to describe*
Нечто — *something*
Пятно — *stain, spot*
Лоб — *forehead*

То, что она увидела, невозможно было **описать**. Из зеркала на неё смотрело **нечто** безволосое и с красными **пятнами** на **лбу**.

Зоя закричала от ужаса и упала на пол. На шум сбежалась вся парикмахерская.

Виноват (-а, ы) — *is/are guilty*

— Чего плачешь? — спросила парикмахерша. — Волосы — не зубы, вырастут. Сама **виновата**, я же сказала: следи за временем. Ладно, пошли!

Она опять посадила Зою в кресло и сняла с её головы всё, что там ещё оставалось. Под ноль.

Зоя заплатила и медленно вышла из парикмахерской.

***

Около метро продавали фрукты, овощи, какие-то вещи. Вдруг Зоя увидела то, что ей было нужно. Она не **поверила** своему счастью.

Поверить — *to believe*

— Сколько вы хотите за парик? — спросила она.

Торговка — *trader*
Превратиться — *to turn into*
Цыганка — *gypsy*

Торговка назвала цену. Зоя купила парик, надела его и сразу **превратилась** в опереточную цыганку, только почему-то в деловом костюме.

Когда она вошла в лифт в офисе, она увидела там нового коммерческого директора.

— Доброе утро, Андрей Георгиевич! — тихо сказала Зоя.

Рассмотреть — *to discern*

— Это вы, Зоя Васильевна? Извините, я вас сразу не узнал. Наверное, вчера плохо **рассмотрел**.

***

Попрощаться — *to say good-bye*

Весь день Зоя и Андрей работали с документами. В 6 часов он **попрощался** и ушёл, но через 5 минут вернулся и подошёл к ней.

— **Простите**, Зоя Васильевна... Вы сегодня так **выглядите**! Вам так идут эти чёрные локоны! Может быть, мы поужинаем вместе? — спросил Андрей.

«А что потом? — подумала Зоя. — Если всё будет хорошо, значит, мне всю жизнь придётся **носить** этот идиотский парик?»

Простите — *excuse me*
Выглядеть — *to look*
Носить — *to wear*

***

Тестов поднял **бокал** и сказал:

— А сейчас давайте выпьем за ваши чудесные волосы! — Он **нежно** посмотрел на Зою. — Когда-то в юности я **подрабатывал** — продавал парики. А потом начал их коллекционировать. У меня уже больше 300 париков, но такого, как у вас, я никогда не видел... Продайте его мне, я заплачу! Сколько вы за него хотите?

Бокал — *glass*
Нежно — *gently*
Подрабатывать — *to earn extra*

Семён бросился на бомбу
(по рассказу из журнала «Отдохни»)

***
- Существительные, прилагательные и местоимения (единственное и множественное число) в разных падежах
- Виды глагола
- Прямая речь

Всю жизнь Семён Можаев **страдал** от **избыточного веса**. Страдал дома, на работе, в транспорте. Всю жизнь он **боролся** с **лишним** весом.

В пятом классе он начал курить, потому что услышал, что от **курения худеют**. Он курил до окончания института, но не похудел ни на один килограмм. А ему так хотелось почувствовать **лёгкость** своего тела!

Вечером Семён любил сидеть в удобном кресле и читать газету. Сегодня, когда он от-

Страдать — *to suffer*
Избыточный вес — *excess weight*
Бороться — *to fight*
Лишний — *extra*
Курение — *smoking*
Худеть — *to lose weight*
Легкость — *lightness*

Заголовок — *title*

Урна — *bin*
Мусор — *garbage*
Тиканье — *ticking*

Вполне — *completely*

Совершить — *to commit*
Спасти — *to rescue*
Твёрдо — *firmly*
Заснуть — *to fall a sleep*
Набито битком — *jam-packed*
Найти силы — *to find forces*

Опуститься — *to sit down*
Сидение — *seat*
Мешок — *sack*
Хранить — *to keep*
Прямоугольный — *rectangular*
Принадлежать — *to belong*

Сходить с ума — *to get mad*
Везде — *every where*
Отвлечься — *to abstract from*

крыл газету, он сразу увидел **заголовок**: «В аэропорту пассажир обнаружил бомбу». В статье рассказывалось, что вчера обычный пассажир проходил мимо **урны** с **мусором** и услышал негромкое **тиканье**. В урне лежал небольшой пакет. Пассажир сразу вызвал милицию, и всё закончилось хорошо. Под статьёй в газете была фотография пассажира, который нашёл бомбу. Так же как и Семён, пассажир страдал от избыточного веса. Семён сразу почувствовал к нему **вполне** понятную симпатию.

Даже когда Семён лёг спать, он продолжал думать о толстом герое. А что он, Семён, **совершил** в своей жизни? Никого не **спас**, никому не помог... «Завтра начну бегать по утрам в парке!» — **твёрдо** решил Семён и **заснул**.

Утро было такое же, как всегда. Метро, как обычно, было **набито битком**. Сегодня утром Семён **нашёл** в себе **силы** и бегал 30 минут в парке и поэтому сейчас чувствовал себя ужасно усталым. А впереди ещё был целый рабочий день! Вдруг он увидел свободное место рядом с какой то маленькой старушкой. Он с удовольствием **опустился** на **сидение**. Закрыл глаза и вдруг услышал тиканье! Семён открыл глаза, посмотрел направо и увидел старый грязный **мешок**, в котором обычно **хранят** картошку и в котором сейчас лежало что-то **прямоугольное**. Тиканье шло из мешка. Мешок лежал около двери и непонятно было, кому он **принадлежал**. Может быть, этому мужчине с усами и с детективом в руках? Или молодому человеку в старых и грязных джинсах? Мешок мог принадлежать кому угодно или никому. «Я, кажется, **с ума схожу**, — подумал Семён. — После газет **везде** бомбы видятся! Надо **отвлечься**!»

Но отвлечься **ему** так и **не удалось**. Семён давно уже проехал свою остановку. Все **возможные владельцы** мешка давно уже вышли из вагона, и их места заняли другие пассажиры. А мешок продолжал **тикать**.

«Бомба! — с ужасом думал Семён. — Точно бомба!» Он представил себе **взрыв**, **крики**, **дым** и **грохот**... «А я сижу совсем рядом с бомбой! — вдруг подумал Семён. — Я первый **погибну**!»

Семён поднялся и начал **пробираться** к выходу. «Скорей бы станция!!» И вдруг ему стало стыдно. «Что же я делаю? Ведь тут полно детей, женщин, стариков! Что с ними будет?» И в этот момент он принял решение — может, самое важное решение в своей жизни. «Я должен их спасти!» Семен **повернулся** спиной к двери и закричал:

— Граждане, здесь бомба! Все **отойдите** в сторону!

После этих слов Семён почувствовал вдруг необычайную лёгкость, такую, о которой мечтал.

Вокруг Семёна сразу **образовалось пустое пространство**. **Испуганные** пассажиры смотрели на Семёна, какой-то ребёнок заплакал.

— Без паники, граждане, — сказал Семён. — Кто-нибудь сообщите машинисту!

Пассажиры **отодвинулись** от Семёна ещё дальше. Теперь между Семёном и мешком никого не было. «А вдруг **взорвётся** прямо сейчас?» — подумал Семён. И он принял второе важное решение: **прыгнул** на мешок и закрыл его своим телом. Под его животом что-то **хрустнуло**. «Пусть теперь взрывается!» — подумал Семён.

Но взрыва не было. Вместо этого Семён почувствовал, что кто-то **бьёт** его по спине и кричит:

— Ты мне заплатишь, хулиган! Ты мне заплатишь, **свинья**!

Ему не удалось — *he didn't manage*
Возможный — *possible*
Владелец — *owner*
Тикать — *to tick*
Взрыв — *explosion*
Крик — *scream, shout*
Дым — *smoke*
Грохот — *racket*
Погибнуть — *to perish*
Пробираться — *to fight way through*
Повернуться — *to turn*
Отойти — *to move away*
Образоваться — *to form*
Пустые — *empty*
Пространство — *space*
Испуганный — *frightened*
Отодвинуться — *to move aside*
Взорваться — *to explode*
Прыгнуть — *to jump*
Хрустнуть — *to crunch*
Бить — *to beat*
Свинья — *swine*

Удар — *blow*

Семён посмотрел назад и тут же получил **удар** в глаз. Но несмотря на это он заметил, что его бьёт старушка, которая сидела рядом с ним с самого начала.

— Отойдите, — закричал Семён. — Отойдите как можно дальше, бомба может взорваться.

Сломать — *to break*

— Это ты сейчас взорвёшься! — закричала старушка. — **Сломал**, паразит, мои антикварные часы!

И старушка ещё сильнее начала бить Семёна по спине.

***

В отделении милиции на станции метро «Медведково» Семён заплатил старушке большую сумму — за сломанные антикварные часы. Ещё заплатил штраф за хулиганство в транспорте. Потом ему пришлось взять такси, потому что он уже **безнадёжно** опаздывал на работу.

Безнадёжно — *hopelessly*

Замечательный — *remarkable*

Чудесный — *wonderful*

Об этом случае Семён никогда никому не рассказывал и даже не хотел вспоминать. Единственное, что он не мог и не хотел забыть — это ту **замечательную**, **чудесную** лёгкость, которую он почувствовал тогда в метро.

Гости из Космоса
(по рассказу из журнала «Отдохни»)

***
- Существительные, прилагательные и местоимения (единственное и множественное число) в разных падежах
- Глаголы движения
- Виды глагола

Вахтёр — *caretaker*

Иван Кожедубов работал **вахтёром** на небольшом заводе в городе Калуге. Но главным для Ивана была не работа, главным для Ивана было его хобби. Иван занимался астрономией. Он искал контакт с Космосом. Даже послал в Космос письмо: «Если вы слышите меня — прилетайте! Меня зовут Иван Кожедубов. Мой адрес: Земля, город Калуга, улица Циолковского, дом 18. Я обещаю вам тёплую встречу. Ваш брат по **разуму** Иван».

Разум — *reason*

***

Недавно около завода, где работал Иван, **появился** чёрный **бродячий пёс**. Женщины, которые работали в столовой, **кормили** его и дали ему **кличку** Бобик.

Появиться — *to appear*
Бродячий — *wandering*
Пёс — *dog*
Кормить — *to feed*
Кличка — *name*

Этот Бобик почему-то ненавидел Ивана. К другим людям он **относился** по-разному: одних людей любил, на других не обращал внимания. Только Ивана он ненавидел. Когда Иван подходил к заводу, он с ужасом думал, что Бобик ждёт его около входа.

Относиться — *to treat*

Так было и на этот раз. Пёс что-то ел в снегу около входа. «Может, **удастся** войти, пока он завтракает», — подумал Иван. Но пёс поднял голову и **направился** к нему. Иван остановился. Бобик не спешил. Он начал ходить **кругами** вокруг Ивана и **рычать**.

Удаться — *to manage to*
Направиться — *to make for*
Круг — *circle*
Рычать — *to growl*

«Какая **скотина**! — думал Иван. — Ну что я ему сделал? И долго я буду так стоять?»

Скотина — *swine*

На этот раз Ивану **повезло**. Из столовой вышла повар Нина с едой для Бобика. Пёс **оставил в покое** Ивана и побежал к еде. Иван **бросился** к входу, вбежал внутрь и закрыл за собой дверь.

(ему) повезло — *(he) was lucky*
Оставить в покое — *to leave in peace*
Броситься — *to rush to*

***

На следующий день Иван направился к своему приятелю ветеринару Плюшкину, чтобы посоветоваться, что делать с собакой.

— Собаки очень хорошо чувствуют, когда их **боятся**, Ваня, — объяснил ветеринар. — Вот твой Бобик чувствует, что ты его боишься и поэтому так **себя ведёт**. Ты не должен его бояться!

Бояться — *to be afraid*
Вести себя — *to behave*

Детство — *childhood*
Палка — *stick*
Броситься — *to throw at*
Побить — *to beat*
Как шёлковый — *as a meek*

— А если я не могу? — спросил Иван. — Я с **детства** боюсь собак!

— Но ты должен! Ты должен показать псу, что ты сильнее его! Завтра возьми с собой **палку** и, когда он **бросится** к тебе, — **побей** его. Вот увидишь, он станет **как шёлковый**.

***

Иван подходил к заводу. В руке у него была большая палка. Он уже увидел Бобика, и Бобик тоже увидел его. Когда между ними осталось метров десять, Бобик, как обычно, бросился на Ивана.

Ударить — *to hit*
Противный — *disgusting*
Прочь — *away*

Когда Иван изо всех сил **ударил** его палкой, пёс остановился и как будто удивился. «Что, не ждал, крокодил **противный**?» — подумал Иван и ударил Бобика ещё раз.

Бобик бросился **прочь**. Иван побежал за ним и ударил его третий, четвёртый, пятый раз... Только когда Бобик упал, Иван остановился. Через пять минут Бобик с трудом встал и медленно направился прочь от завода. На снегу остались **пятна крови**.

Пятно — *stain, spot*
Кровь — *blood*

***

Пилот Корг, который прилетел на Землю с планеты Гамма, сидел перед экраном и ждал ответа на своё сообщение.

Установить — *to establish*
Попытка — *attempt*
Наладить — *to initiate*
Избить — *to beat*

Сообщение он послал десять минут назад. В нём говорилось: «**Установить** контакт с Иваном Кожедубовым мне не удалось. Все мои **попытки наладить** контакт заканчивались агрессией с его стороны. Сегодня эта агрессия перешла в открытое хулиганство: он так **избил** меня палкой, что на мне нет живого места. Прошу разрешить вернуться домой. Мне срочно нужна медицинская помощь. Пилот 1-го класса академик Корг. P.S. Наверное, на языке Кожедубова битьё палкой означает «тёплую встречу», которую он обещал в своём письме. Я считаю, что **дальнейшие** контакты с землянами **бессмысленны**. Академик Корг».

Дальнейший — *further*
Бессмысленный — *senseless*

Корг внимательно смотрел на экран. Он ждал, когда экран станет зелёным — это означает разрешение на **взлёт**.

Взлёт — *takeoff*

«Как он меня вообще не убил? — думал Корг. — Боже, как болит спина! Классный контакт!»

Наконец экран стал зелёным. «Домой!» — радостно подумал Корг и **нажал кнопку «Пуск»**.

Нажать — *to press*
Кнопка — *button*
Пуск — *start*

Над лесом около завода поднялось зелёное **светящееся** пятно. Оно немного повисело над заводом, потом начало быстро подниматься и через несколько минут **исчезло** в небе.

Светящийся — *shining*
Исчезнуть — *to disappear*

Многие люди видели это пятно, по городу **поползли слухи**. Кто-то говорил, что это была летающая тарелка и гости из Космоса, кто-то не верил... И только Иван Кожедубов точно знал, что это были гости из Космоса и прилетали они к нему, по его **личному** приглашению... А он из-за какого-то бродячего Бобика, который, слава Богу, исчез в тот же день, в который видели тарелку, **прозевал** их визит!

Поползли слухи — *rumors crawl*

Личный — *personal*

Прозевать — *to miss out*

Опасный вагон
(по рассказу из журнала «Отдохни»)

❄❄❄
- Существительные, прилагательные и местоимения (единственное и множественное число) в разных падежах
- Глаголы движения
- Виды глагола

Этой зимой меня послали в командировку в тихий **городок** в **тайге**. А оттуда мне пришлось, тоже по работе, съездить в другой городок — совсем **дальний** и **глухой**. Коллега, **местный** житель, сказал мне:

Опасный — *dangerous*
Городок — *small town*
Тайга — *taiga*
Дальний — *long-distance*

Глухой — *deaf*
Местный — *local*
Сутки — *24 hours*
Зато — *but then*

В общем — *on the whole*

Многолюдно — *crowded*
Накурено — *smoke-filled*
Тишина — *silence*
Покой — *rest*
Толстый *fat*

Оживлённый — *animated*

Волк — *wolf*

Довоенный — *prewar*
Медведь — *bear*
Буран — *snow storm*

Разбудить — *to wake*
Крик — *scream*
Беда — *trouble*
Обратный — *opposite*
Направление — *direction*

— Поезд ходит туда один раз в двое **суток**, **зато** всегда по расписанию. И потом сейчас не очень холодно — на завтра обещают не холоднее 30 градусов С. Не волнуйтесь, всё будет в порядке. Только, пожалуйста, в последний вагон не садитесь.

— А это почему?

— Да, так... **В общем**, в последний вагон не садитесь.

***

В поезде оказалось всего четыре вагона. В первых трёх было **многолюдно**, шумно и **накурено**. Через полчаса я почувствовал, что у меня ужасно болит голова.

Из интереса я пошёл в последний вагон. Там — **тишина** и **покой**. Всего восемь человек: семь мужчин и одна **толстая** женщина лет пятидесяти.

Я сбегал за своим чемоданом и через пять минут уже сидел напротив толстой женщины. В вагоне шёл **оживлённый** разговор.

— Я, наверное, одна среди вас местная, — говорила женщина. — Я всегда ужасно боюсь на этом поезде ехать! Тут такое бывает!

— Что, бандиты? — спросил один из пассажиров.

— Да нет, с бандитами договориться можно. Чего надо бояться — это **волков**. Их у нас много! Как поезд где-нибудь остановится — они сразу прибегают... А двери у вагонов старые, ещё **довоенные**... Или ещё хуже — когда **медведь** в вагон приходит. От медведя не убежишь. А страшнее всего — **буран**. Иногда неделю под снегом сидишь. Через пару дней, без продуктов, люди есть друг друга начинают...

Я ненадолго заснул. **Разбудил** меня женский **крик**:

— Ой, **беда** какая! Ой, беда!

Все пассажиры бросились к окнам. А вагон двигался в **обратном направлении**. Медленно, но двигался. Видно, вагон **оторвался** от **состава**.

— Оторвались! Оторвались от состава! — плакала женщина. — Ой, что будет!

Скоро вагон остановился. Я бросился к двери, открыл её и **выглянул** наружу. **Локомотива** я не увидел. Вокруг нас был **заснеженный** лес.

— Закройте! — истерично закричала женщина. — Всё тепло выйдет! И волк может появиться!

— Состав вернётся, — сказал один из пассажиров. — Заметят, что наш вагон оторвался, и вернутся. Дело пяти минут.

— Ох, — сказала женщина. — Сразу видно, что вы не местный, и жизни нашей не знаете! Там, на локомотиве тоже холодно, машинист и его **помощник**, наверное, уже не первую бутылку выпили против холода. Сейчас они ничего не заметят!

Мы все **инстинктивно вручили свои судьбы** этой женщине.

— Извините, как вас зовут? — спросил я её. — Неудобно, что мы до сих пор не познакомились.

— Марья Петровна. Но местные зовут Скворчихой — фамилия у меня Скворцова.

***

Прошло полчаса. Волки, медведи и бандиты не появлялись. Но и локомотив тоже не появлялся. Скворчиха начала считать:

— Два часа туда. На станции заметят не сразу — там тоже все **пьяные**. Часа через 1,5—2 заметят. Два часа сюда. Значит, раньше полуночи не приедут. А, может, только утром за нами приедут А к утру тут, в вагоне, холодно будет, как на улице. Если бы поесть — тогда не так холодно было бы.

Тут все вспомнили, что **еды** у нас нет.

Оторваться — *to tear away*
Состав — *train*
Выглянуть — *to look out*
Локомотив — *locomotive*
Заснеженный — *snow-covered*
Помощник — *assistant*
Инстинктивно — *instinctively*
Вручить — *to hand*
Судьба — *destiny*
Пьяный — *drunk*
Еда — *food*

Робко — *shy*

— А у вас... случайно... ничего нет? — **робко** спросил кто-то.

— Ваше счастье. Я как раз за продуктами ездила. Полные сумки. На всех хватит.

Выкладывать — *to lay out*
Сидение — seat
Кусочек — *slice*
Ветчина — *ham*

Скворчиха начала **выкладывать** на **сидения** разную еду. Но когда первый из нас хотел взять **кусочек ветчины**, она твёрдо сказала:

— Хочешь кушать — плати.

Шокирован (-а, ы) — *shocked*

Мы были **шокированы**.

— И сколько?

С носа — *from one person*

— По 500 рублей **с носа**.

Всеобщий — *general*

Всеобщий ответ был один: «Побойтесь Бога!»

— Дело ваше, — сказала Скворчиха.

Пожслать — *to wish*

Пообедать по цене дорогого московского ресторана никто не **пожелал**. Стали опять ждать локомотив...

Сдаться — *to give up*
Тяжело — *hardly*
Доставать — *to take out*

Через 4 часа самый молодой из нас **сдался**. Он бросил Скворчихе 500 рублей и начал с аппетитом есть. Смотреть на него было так **тяжело**, что все начали **доставать** деньги.

— У меня и водка есть, — сообщила Скворчиха. — 200 рублей за бутылку.

— Давай! — закричали мы. — Гулять, так гулять!

Стемнеть — *to darken*
Послышаться — *to be heard*
Вой — *howl*

За окнами давно **стемнело**. Где-то **послышался вой** волков.

Жив (-а, ы) *to be alive*
Ночевать — *to spend a night*

— Волки, — сказала Скворчиха. — В прошлом году тоже один вагон от локомотива оторвался. А утром, когда за ним приехали, только один пассажир из пятнадцати **жив** был — других волки съели. В доме **ночевать** надо.

— А где же тут дом?

— А мы недалеко от моей деревни!

— Что же вы молчали?

Ружьё — *gun*

— Так ведь волки! По лесу без **ружья** нельзя. Если только моего мужа позвать? Он на **лыжах**, и ружьё у него есть... По стенке вагона громко **постучим**, он услышит... Только у меня не бесплатная гостиница. Платить будете?

— Сколько?

— По 300 рублей с человека.

Мы начали стучать по стене вагона. Шум был такой, что все волки должны были испугаться и убежать.

Через полчаса на лыжах пришёл муж Скворчихи, а ещё через час мы сидели в тёплой комнате и доставали из карманов деньги. Сейчас было уже нетрудно **догадаться**, в какую историю мы **попали**... Но Бог знает, что в тайге делают с людьми, которые слишком легко обо всём догадываются... Кто-то вагон **отцепляет**, кто-то на это глаза закрывает...

***

Когда я рассказал эту историю местному коллеге, он не удивился.

— Всё-таки встретились со Скворчихой! — засмеялся он.

— Так вы знали? Почему же не **предупредили**?

— Я же вам **прямо** сказал: не садитесь в последний вагон.

— А почему **конкретно** не объяснили?

— Да ладно! Вы, **столичные жители**, люди не бедные. А у Скворчихи — пятеро детей и муж-**пьяница**.

— А куда смотрит милиция?

— Милиция занимается **преступниками**. А Скворчиха — не преступница, у неё бизнес такой. Кстати, на локомотиве работает Ванька, **племянник** Скворчихи. **Солярку** для локомотива, когда он туда-сюда ездит, сама Скворчиха **оплачивает**.

Ну что тут можно сказать? Ничего! Но если вам случится попасть в эти **края** — не садитесь в последний вагон!

Лыжи — *ski*
Постучать — *to knock*
Догадаться — *to guess*
Попасть — *to get*
Отцеплять — *to uncouple*
Предупредить — *to warn*
Прямо — *directly*
Конкретно — *specifically*
Столичный — *metropolitan*
Житель — *inhabitant*
Пьяница — *drunkard*
Преступник — *criminal*
Племянник — *nephew*
Солярка — *diesel fuel*
Оплачивать — *to pay*
Край — *region*

Кровавые слова на зеркале
(по рассказу из журнала «Отдохни»)

❄❄❄ • Существительные, прилагательные и местоимения (единственное и множественное число) в разных падежах
• Виды глагола
• Прямая речь

Кровавый — *bloodied*
Переговоры — *negotiations*
Провести — *to carry out*
Договориться — *to agree*
Обсудить — *to discuss*
Предчувствие — *premonition*
С какой стати? — *Why?*
Назначить встречу — *to arrange meeting*
Иметь в виду — *to mean*
Гибель неминуема — *Death is unavoidable*
Броситься — *to rush to*

Переговоры решили **провести** в ресторане. Во время десерта Павел заговорил о делах.

— Давайте сегодня не будем ничего планировать, — вдруг предложил его партнёр Михаил.

— Почему? — удивился Павел. — Ведь мы **договорились**, что сегодня мы должны всё **обсудить**...

— Давайте подождём. У меня есть **предчувствие**, что очень скоро вы перейдёте в мою фирму. Вы мне очень нужны.

— Я перейду в вашу фирму? — удивился Павел. — **С какой стати**?

— Поживём — увидим, — сказал Михаил. — Давайте пить кофе.

❄❄❄

В этот вечер Павел решил лечь спать пораньше. На следующее утро у него была **назначена встреча** ещё с одним партнёром. Но в кровати Павел долго не мог заснуть: он никак не мог понять, что **имел в виду** Михаил, когда говорил о предчувствии. Утром Павел встал с трудом, у него болела голова. Он опять вспомнил слова Михаила. Какое-то предчувствие! Идиотизм!

Павел пошёл в ванную. Он открыл дверь и... Никогда ему ещё не было так страшно! На зеркале он увидел кровавые буквы. «**Гибель неминуема**», — прочитал Павел короткую фразу.

Он **бросился** к телефону.

— Срочно! — закричал он в трубку секретарше. — Все переговоры сегодня **отменить**! Пришлите ко мне **охрану**! Найдите какого-нибудь **экстрасенса** или **астролога** и тоже пришлите ко мне! Срочно!

Через 10 минут секретарша перезвонила Павлу и сказала, что позвонили его партнёры и отказались от **сотрудничества**.

Павлу стало совсем плохо.

***

Наконец в дверь позвонили **охранники**. За ними в квартиру вошёл экстрасенс — маленький старичок в грязном джинсовом костюме. На шее у него висели какие-то амулеты.

Старичок вошёл в ванную, посмотрел на **надпись** и сказал:

— Обычный **сглаз**.

Потом он **зажёг** какую-то свечку, поднёс её к зеркалу и буквы исчезли.

Из ванны он прошёл на кухню. На столе старичок **разложил** карты Таро и сообщил:

— Дела ваши плохи... Чтобы **спасти** свою фирму, вы должны немедленно поехать в Киев к моей **двоюродной сестре**. Только у неё есть **корень мандрагоры**, который поможет вам. Но приехать в Киев нужно до **полнолуния**, **иначе** корень мандрагоры потеряет свою силу. И, кстати, о **гонораре**. Я хотел бы получить его сейчас.

Когда Павел **рассчитывался** с экстрасенсом, опять позвонила секретарша.

— Я их **уговорила**! — закричала она. — Партнёры согласились на встречу. Через полчаса вы должны быть на месте, потому что после обеда они улетают в Лондон.

— А как же Киев? — сказал Павел.

— Поезжайте на встречу, — разрешил экстрасенс. — Но если вам будет какой-нибудь **знак свыше**, бросайте всё — и в Киев!

Отменить — *to cancel*
Охрана — *security*
Экстрасенс — *psychic*
Астролог — *astrologer*
Сотрудничество — *cooperation*
Охранник — *guard*
Надпись — *inscription*
Сглаз — *evil eye*
Зажечь — *to light*
Разложить — *to place*
Спасти — *to save*
Двоюродная сестра — *cousin*
Корень мандрагоры — *root of mandragor*
Полнолуние — *full moon*
Иначе — *otherwise*
Гонорар — *fee*
Рассчитываться — *to settle up*
Уговорить — *to persuade*
Знак свыше — *sign from heaven*

Рыжая баба — *red-haired woman*
Ведро — *bucket*
Пустой — *empty*

Когда Павел уже подходил к машине, вдруг прямо перед ним появилась толстая **рыжая баба**. В каждой руке у неё было **ведро**. Вёдра были **пустыми**.

— Воду в нашем доме отключили, — сказала она. — Можно у вас воды взять?

— Нет, я спешу, — сказал Павел и сел в машину.

Примета — *omen*

«Плохая **примета**, — подумал он, — баба с пустыми вёдрами...»

Секунду он думал, куда ехать: на встречу или в Киев?

Огромный — *huge*

Поехал на встречу. Только он отъехал от дома, как вдруг **огромный** чёрный кот перебежал дорогу прямо перед автомобилем.

Ясно — *clearly*

«Всё **ясно**», — решил для себя Павел и поехал в аэропорт.

***

Автоответчик — *answering mashine*
Отказаться — *to refuse*
Разорён (а, ы) — *is/are ruined*

В Киеве Павел провёл два дня. Он искал сестру экстрасенса и не нашёл. Через два дня он вернулся домой. На **автоответчике** его ждало неприятное сообщение: «партнёры от контрактов **отказались**, фирма **разорена**, счёт в банке арестован». С ужасом Павел понял, что у него совсем нет денег — всё, что у него было дома, а не в банке, он отдал экстрасенсу.

Что было делать? Павел поехал на фирму Михаила.

Обрадоваться — *to be glad*

— А мы вас ждём! — **обрадовался** Михаил. — Я говорил вам, что у меня было предчувствие. Пойдёмте, я познакомлю вас с вашими новыми коллегами.

Михаил открыл дверь в соседнюю комнату.

За большим столом сидел немолодой человек в дорогом костюме. Это был старичок-экстрасенс.

— Вы? — удивился Павел. — Здесь?

— Давайте сразу о деле, — сказал старичок. — Сначала ознакомьтесь с нашей технологией. Вот, например, эта **краска**. Вы уже видели её — на своём зеркале. А это — газ, с его помощью краску можно **убрать**. Текст у нас стандартный: «Гибель неминуема». Ну, а теперь о картах Таро...

Краска — *paint*

Убрать — *to remove*

***

Павел почувствовал, что **сходит с ума**. Он посмотрел вокруг. Около окна в тёмном костюме работала на компьютере «рыжая баба с пустыми вёдрами». У её ног лежал и спал огромный чёрный кот.

Сходить с ума — *to get mad*

Булавка как повод для знакомства
(по рассказу из журнала «Отдохни»)

***
- Существительные. Прилагательные и местоимения (единственное и множественное число) в разных падежах
- Глаголы движения
- Глаголы с частицей **-ся**
- Виды глагола
- Прямая речь

Я **провожала** мужа в **заграничную командировку**. В Шереметьево-2 я обратила внимание на красивую пару: высокий блондин и очень хорошенькая девушка о чём-то громко **спорили**. На **груди** у блондина что-то **сверкнуло**.

— Я ещё не уехал, а ты уже интересуешься другими мужчинами, — **пошутил** мой муж.

— У него булавка для галстука... Такая была у отца.

В этот момент **объявили посадку**. Я поцеловала Олега и подождала, пока он пройдёт через паспортный контроль.

А пара в стороне продолжала **ссориться**. Мне почему-то не хотелось уходить.

Наконец подруга молодого человека тоже прошла через паспортный контроль. Мужчи-

Булавка — *pin*
Повод — *reason*
Знакомство — *acquaintance*
Провожать — *to accompany*
Заграничный — *foreign*
Командировка — *business trip*
Спорить — *to argue*
Грудь — *breast*
Сверкнуть — *to flash*
Пошутить — *to joke*
Объявить — *to announce*
Посадка — *boarding*

Ссориться — *to quarrel*
Дипломат — *briefcase*
Выпасть — *to drop out*
Сметана — *sour cream*
Поднять — *to pick up*
Лопнуть — *to burst*

на пошёл к выходу, но его **дипломат** вдруг открылся, и всё, что было в нём, упало на пол. Я поспешила на помощь.

Из дипломата **выпали** газеты, органайзер, пакет сосисок и пачка **сметаны**. Я **подняла** сосиски и сметану, но пачка вдруг **лопнула** у меня в руках, и сметана попала на мой бежевый плащ.

Я стояла такая несчастная, с сосисками в руке, вся в сметане...

— Спасибо, вы очень добры, — сказал блондин.

— Да... но мой плащ...

— Дайте мне сосиски и пойдёмте, на нас смотрят.

И мы пошли к выходу.

— Я отвезу вас домой. Где вы живёте? — спросил мой новый знакомый.

Соврать — *to lie*
В таком виде — *with this appearance*

— На Рязанском проспекте, — почему-то **соврала** я. — Но мне надо в центр. А я **в таком виде**...

Он улыбнулся.

Дело в том, что — *the case is that*
Щенок — *puppy*
Какая прелесть! — *How charming!*

— Не волнуйтесь. Я отвезу вас, но только сначала заедем ко мне. Это совсем недалеко. **Дело в том, что** моя жена купила **щенка** ньюфаундленда, ему только 4 месяца.

— Щенок? **Какая прелесть**! — сказала я.

— С этой прелестью надо несколько раз в день гулять и кормить в определённое время.

— Да, — согласилась я, — с собаками всегда проблемы. Поэтому я больше люблю кошек, с ними не надо гулять.

Ненавидеть — *to hate*

— Я тоже люблю кошек, но моя жена их просто **ненавидит**. Она говорит, что кошка может съесть рыбок из аквариума.

Удобнее — *more comfortable*
Достать — *to take out*

— Это может быть. В детстве у меня были и рыбки, и кошка. Ночью кошка пила воду из аквариума, чтобы **удобнее** было **достать** рыбок.

— Да, умная кошка. А вот мой дом. Мы приехали.

Он **припарковал** машину около подъезда. На первом этаже его дома была срочная **химчистка**. Мы зашли туда и сдали плащ в чистку.

— Всё готово, — через 30 минут сказала **приёмщица**. — Но плащ нельзя надевать прямо сейчас. После чистки он должен **сохнуть** на вешалке как минимум 2 часа.

— А что же делать? — **растерялась** я.

— Давайте пойдём ко мне! Пока я гуляю с Джерри, вы приготовите кофе, — предложил блондин.

Джерри так обрадовался, когда увидел хозяина, что сразу сделал **лужу**.

— Ничего, я сейчас всё **уберу**, — сказал блондин. — А вы сделайте кофе.

— Я бы хотела сначала помыть руки...

Он показал мне, где находится ванная. На **полке** под зеркалом я увидела **старинные серьги** и такое же **колье**.

— О, моя жена забыла. Всегда всё забывает, — сказал хозяин.

***

Когда кофе был готов, он достал из шкафа **изящный** старинный кофейный **сервиз**: сахарницу, кофейник, молочник и две маленькие чашки.

— Да, мы забыли познакомиться, — вспомнил блондин. — Меня зовут Вадим. И я совсем забыл **покормить** Джерри. Где мои сосиски?

Два часа уже давно прошли. Мы ещё раз приготовили кофе, посмотрели каталоги антикварных аукционов, даже потанцевали. Когда я уже собралась уходить, я увидела, что одна из моих туфель совсем **съедена**. Это сделал Джерри, о котором мы забыли.

— Вам сегодня не везёт, — **смутился** Вадим, — сначала сметана, а теперь туфли. Мы поедем сейчас и купим вам новые... У вас

Припарковать — *to park*
Химчистка — *dry cleaner*
Приёмщица — *shopassistent*
Сохнуть — *to dry*
Растеряться — *to go missing*
Лужа — *puddle*
Убрать — *to clean*
Полка — *shelf*
Старинный — *ancient*
Серьги — *earnings*
Колье — *necklace*
Изящный — *elegant*
Сервиз — *set*
Покормить — *to feed*
Съеден (а, ы) — *eaten*
Смутиться — *to get embarrassed*

Неприятности — *troubles*
Кольцо — *ring*
Изумруд — *emerald*
Отказываться — *to refuse*

Палец — *finger*

Набрать — *to dial*

Расследовать — *to investigate*
Ограбление — *robbery*

Серебряный — *silver*

Не имеет значения — *It's not care*
Просьба — *request*

из-за меня так много **неприятностей**! Возьмите это как компенсацию — Он дал мне **кольцо** с маленьким **изумрудом**. — Прошу вас, не **отказывайтесь**.

Я подумала минуту и надела кольцо. В обувном магазине он купил мне новую пару туфель.

— Ну что, до завтра? — спросил Вадим. — Джерри будет очень рад.

***

В новых туфлях и с кольцом на **пальце** я вернулась домой. Как только я вошла в квартиру, сразу зазвонил телефон.

— Оля! — кричал в трубку Олег. — Где ты была? Я весь день не могу тебе дозвониться!

— Я немного погуляла по центру, купила новые туфли.

— Молодец! Значит, всё в порядке? Я завтра вечером ещё позвоню. Целую!

Он повесил трубку. Я подумала немного, потом нашла свою старую записную книжку, открыла её и **набрала** номер.

— Майор Лестров слушает!

— Это Ольга Сизова, — начала я. — Два года назад вы **расследовали** дело об **ограблении** квартиры моего отца, профессора Сизова.

— Да, я помню вас.

— Так вот, я знаю, где находятся вещи из коллекции отца. **Серебряный** кофейный сервиз восемнадцатого века, булавка для галстука, серьги, колье и кольцо.

Я посмотрела на свою руку и добавила:

— Точнее, кольцо уже у меня. Запишите телефон и адрес.

— Откуда вы это знаете?

— Неважно. Это **не имеет значения**. У меня к вам только одна **просьба**. Там, в квартире, щенок ньюфаундленда. Пусть он после ареста хозяина поживёт у меня.

Последняя операция майора
(по рассказу из журнала «Отдохни»)

❋❋❋ • Существительные, прилагательные и местоимения (единственное и множественное число) в разных падежах
• Виды глагола
• Прямая речь

Майор Собуров жил один в большой двухкомнатной квартире в центре города. Пока он работал, он не чувствовал **одиночества**. Но сейчас, когда майор ушел на пенсию, он часто думал, как быть в этой ситуации. Наконец, он решил **сдать** одну из комнат одинокой, **порядочной**, тихой женщине. «А там... посмотрим!» — думал он. И майор отнес в газету короткое **объявление**: «Сдается комната. Для одинокой порядочной женщины без детей».

❋❋❋

Конечно, приходили и более молодые и более красивые **претендентки**, но Собуров **выбрал** именно ее, Галину Михайловну. Эта **полная** сорокалетняя женщина сразу понравилась Собурову.

В паспорте, который она показала майору, было 6 **штампов**: 3 — **о заключении брака** и 3 — о **разводах**. Значит, в данный момент Галина Михайловна была не замужем.

Она сразу **предупредила**, что профессия у нее — свободная, поэтому она будет часто **задерживаться** на работе, а иногда **ей придется** работать дома.

После ее **переезда** в квартиру жизнь Собурова изменилась. В его квартире стало **уютнее**, теплее. Правда, Галина Михайловна **действительно** часто задерживалась на работе, а иногда приходила домой очень усталая и только под утро. Но когда она была свободна, они

Одиночество — *loneliness*
Сдать — *to rent out*
Порядочный — *decent*
Объявление — *advertisement*
Претендентка — *candidate*
Выбрать — *to make a choice*
Полный (-ая, ые) — *fat*
Штамп — *stamp*
Заключение брака — *marriage*
Развод — *divorce*
Предупредить — *to warn*
Задерживаться — *to be delayed*
Ей придется — *she has to*
Переезд — *move*
Уютный — *comfortable*
Действительно — *indeed*

Проводить — *to spend*
Борщ — *borsch*

Предложение — *proposal*

Порог — *threshold*

С первого взгляда — *at first sight*

Спина — *back*

Поцеловаться — *to kiss*

Поспешить — *to hurry*

Договариваться — *to agree*

Пожалеть — *to feet sorry*
Попробовать — *to try*
Мешать — *to disturb*

Приложить — *to put to*
Чемодан — *suitcase*
Перевезти — *to transport across*
Граница — *border*

проводили чудесные вечера на кухне. Раз в неделю, обычно в воскресенье, она готовила вкусные украинские **борщи** и домашние котлеты.

Скоро Собуров понял, что когда Галины Михайловны нет дома, ему плохо без неё, и он решил сделать ей **предложение**.

Но мечтать ему пришлось недолго. Потому что на следующий день...

— Здравствуйте! — На **пороге** стоял красивый молодой человек в модном костюме. Собурову он не понравилась **с первого взгляда.**

— Добрый день, — ответил Собуров. — Вам кого?

— Это ко мне, — услышал он за **спиной** голос Галины Михайловны. — Это по работе!

— Разрешите, — сказал молодой человек и прошел мимо Собурова в квартиру.

Молодой человек и Галина Михайловна **поцеловались** в коридоре, Галина Михайловна назвала молодого человека Вовочкой. Это было Собурову совсем неприятно.

Вовочка и Галина Михайловна **поспешили** в комнату, и Собуров услышал, как Галина Михайловна закрыла дверь на ключ.

«Так мы не **договаривались**, — подумал майор и вернулся в свою комнату. — Что это за работа такая? Дома...»

Сейчас он **пожалел**, что не узнал, где и кем работает Галина Михайловна. Он **попробовал** смотреть телевизор, но ему **мешали** голоса за стеной.

Майор больше не мог так сидеть и ничего не делать. Он встал и **приложил** ухо к стене.

— Дорогая, — говорил Вовочка, — этот **чемодан** нужно **перевезти** через **границу**. И как можно скорее. У нас только неделя.

— Неделя? — удивилась Галина Михайловна. — Милый, но это невозможно!

«Милый, дорогая, — думал Собуров. — Что это у них за **отношения**?»

— Но это нужно сделать, — говорил Вовочка. — **Держать** дома 5 кг **порошка опасно**. И **покупатели** не будут ждать так долго!

— Я понимаю, — ответила Галина Михайловна. — Как мне это все **надоело**!

Собуров всё понял: «А, вот какая у нее работа! **Наркотики** продает!»

— Дорогая, — **продолжал** Вовочка. — Это в последний раз. Я тебе **обещаю**. Потом мы станем богатыми и уедем отсюда... **Поверь**!

— Ты меня **используешь**! — в голосе Галины Михайловны **появились** истеричные **нотки**. — Я могу пойти в милицию!

— Не советую, дорогая... **Свидетели** нам не нужны!

«Она **жертва**! — догадался Собуров. — Он ее **шантажирует**! Я должен ее спасти!»

За стеной начали **прощаться**, и через несколько минут он услышал, что Вовочка ушел.

Собуров сел в кресло, выключил телевизор и **задумался**... «Галина **боится** его, это понятно. Я сам должен поговорить с этим Вовочкой... А потом мы уедем. Она отдохнет, придет в себя. А потом мы поженимся».

Собуров **принял решение**, и ему стало легче. Надо было только подождать, когда Вовочка придёт следующий раз.

***

— Здравствуйте! — Через 2 недели Вовочка опять стоял на пороге квартиры и улыбался Собурову.

«Улыбаешься, паразит!» — подумал Собуров и внимательно посмотрел на Вовочку.

Но потом майор взял себя в руки и спокойно сказал:

— Вы к Галине Михайловне? Она у себя, проходите.

Отношение — *relation*
Держать — *to keep*
Порошок — *powder*
Опасно — *dangerous*
Покупатель — *customer*
Мне это надоело — *I am sick of this*
Наркотик — *drug*
Продолжать — *to continue*
Обещать — *to promise*
Поверить — *to believe*
Использовать — *to use*
Появиться — *to appear*
Нотка (нота) — *note*
Свидетель — *witness*
Жертва — *victim*
Шантажировать — *to blackmail*
Прощаться — *to say goodbye*
Задуматься — *to become to think*
Бояться — *to be afraid*
Принять решение — *to make a decision*

Шутка — *joke*
Шутить — *to joke*
Товар — *goods*
Нервничать — *to fret*
Объяснить — *to explain*
Выбить — *to knock out*
Во сне — *in a dream*
Прыгнуть — *to jump*
Упасть — *to fall down*
Пол — *floor*
Вести себя — *to behave*
Пачка — *bundle*
Сломать — *to break*
Вызвать — *to call*
Скорая помощь — *ambulance car*
Съёмка — *shooting*
Догадаться — *to guess*
Подслушивать — *to eavesdrop*
Великолепен (-а, ы) — *magnificent*
Экран — *screen*

Вовочка прошел в комнату, и Собуров услышал, как опять за ним закрыли дверь. Собуров побежал в свою комнату и приложил ухо к стене.

— Послушай, дорогая, что ты делаешь? Ты решила **шутки шутить**? Покупатели не получили **товар**, они **нервничают**... Что с тобой? Ты можешь мне **объяснить**?

— Могу, — ответила Галина Михайловна. — Я больше не буду этим заниматься! Я иду в милицию!

— Не будешь? Да ты знаешь, что я с тобой сделаю? Да я тебя...

«Пора!» — решил Собуров.

Он выбежал в коридор и **выбил** дверь маленькой комнаты. Дальше все было как **во сне**...

Собуров увидел Вовочку. Тот с какими-то бумагами сидел в кресле. Собуров **прыгнул** на него. Вовочка **упал** на **пол**, а на него упал Собуров.

— Галя, — крикнул Собуров, — не бойся!

Но Галина Михайловна **вела** себя как-то странно. Она подбежала к Собурову и начала бить его по голове **пачкой** бумаги.

— Он мне руку **сломал**! — кричал Вовочка. — **Вызови** милицию и **скорую помощь**!

— Оставь его, идиот! — Крикнула Галина Михайловна Собурову. — У него послезавтра **съёмка**!

— Вы что, актеры? — **догадался** Собуров.

— А вы, как я понимаю, нас **подслушивали**? — сказала Галина Михайловна. — Не стыдно?

***

На следующий день Галина Михайловна уехала. А через год Собуров пошёл в кино. Вовочка в роли мафиози был **великолепен**. А Галина Михайловна на **экране** Собурову не понравилась.

В воскресенье он взял такси и поехал на Птичий рынок. Там он долго ходил, смотрел. У одного продавца были хорошенькие маленькие **хомячки**. Собуров подумал минуту — и выбрал одного.

Хомяк (хомячок) — *hamster*

Лучший в жизни отдых
(по рассказу из журнала «Отдохни»)

❄❄❄
- Существительные, прилагательные и местоимения (единственное и множественное число) в разных падежах
- Глаголы движения
- Виды глагола
- Прямая речь

Наш друг, бизнесмен Лева, устал и понял, что пора отдохнуть. А как это делается, Лева не знал, поэтому попросил меня и Татьяну помочь ему. Он пригласил нас в свой кабинет и спросил, как теперь отдыхают люди.

— Кто как... — сказал я.

— Кто как хочет, — сказала Татьяна.

— А если человек хочет, а не знает как? — спросил Лева.

— Ну, нужно взять какую-нибудь газету, где много рекламы, и попросить секретаря позвонить в турагенство. Она все сделает, ты сядешь на самолет — и через четыре часа увидишь синее море, белый **песок**, **кокосы**...

— **Не подходит**, — грустно сказал Лева. — И синее море, и белый песок, и кокосовые пальмы — все это я уже пробовал.

— И почему тебе это не понравилось? — удивились мы с Татьяной.

— Потому что везде у моря, на песке, под кокосовыми пальмами уже сидят мои деловые партнеры и сразу начинаются дело-

Песок — *sand*
Кокос — *coconut*
Не подходит — *not suitable*

Обсуждение — *discussion*
Комиссионные — *commission*
Успеть — *to manage*

Тётка — *aunt*
Область — *region*

Испугаться — *to get scared*
Сценарий — *script*
Рекламный ролик — *advertisment*

Сглазить — *to jinx*

Трубка — *receiver*

Выглядеть — *to look*
Загорелый — *tanned*

вые разговоры, **обсуждения**... А я устал! Найдите мне, ребята, для отдыха такое место, чтобы меня никто не знал. А я вам заплачу за работу **комиссионные**. До послезавтра **успеете**?

Когда мы вышли из кабинета Левы, Татьяна сказала:

— Давай пошлем его к моей **тетке** в Саратовскую **область**? Там на 100 километров вокруг — ни одного бизнесмена.

— Да, и электричества, ванны, горячей воды тоже нет, — сказал я. — Нет, надо придумать что-нибудь другое.

Мы думали два дня, но ничего не придумали.

— Знаешь, — сказала Татьяна, — я сейчас поеду к моей подруге Люське, у нее всегда миллион идей!

— К Люське? — **испугался** я. — Она ведь не в турагенстве работает, а на телевидении, пишет **сценарии** для **рекламных роликов**. Что она может предложить? Италию, Анталию, Грецию...

— Я все-таки попробую, — сказала Татьяна и уехала к Люське.

Вернулась она поздно и сообщила:

— Есть одна идея. Но сейчас я не буду тебе рассказывать, боюсь **сглазить**.

Через три недели Лева сам позвонил мне домой.

— Приезжай за комиссионными! — весело кричал он в **трубку**. — За хорошую работу — хорошие деньги. С Татьяной приезжай!

— Ее сейчас нет дома.

— Тогда приезжай сам.

Лева **выглядел** отдохнувшим и **загорелым**.

— Ну, спасибо, ребята! — сказал Лева и дал мне конверт с деньгами. — Это был лучший отдых в моей жизни!

— Это все Татьяна.

— Передай ей большое спасибо, — сказал Лева и начал рассказывать о своем отдыхе.

Отдых был, как я понял, достаточно обычный — с синим морем, с белым песком, с экзотическими фруктами, с какой-то Натэллой из туристического бюро, с которой у него был роман... Натэлла, как сказал Лева, училась в Университете дружбы народов и говорила по-русски прекрасно...

— И **представляешь**, — говорил Лева, — **кругом** — ни одного знакомого. Хотя по-русски многие говорят очень хорошо! Я там двух наших актеров встретил, Фролова и Багреева, помнишь, они в этом детективе играли... забыл, как называется... И еще я там видел, как Интерпол **наркомафию ловит**. Представляешь, возвращаюсь я с **пляжа** в гостиницу, смотрю — машина, полиция. Никого в гостиницу не **пускают**, полиция **стреляет** по третьему этажу, оттуда, с балкона, человек падает — весь в **крови**. Полицейские бегут к нему, а он уже убит. Они его сумку открывают, а там пакеты с героином. Я все это сфотографировал. Сделаю фотографии — покажу.

— Лева, — спросил я. — А где ты отдыхал?

— Как где? — удивился Лева. — **На курорте**. У моря. Пальмы, кокосы, Натэлла...

— А как этот курорт называется?

— Не помню.

— А давай твой паспорт посмотрим — там виза должна стоять.

— Нет там визы. Туда не нужна виза...

— А деньги какие?

— Я по карточке долларами платил. Там все недорого.

— А **местные жители**...

— Я не интересовался.

— А лететь туда сколько?

— Не помню. Я в самолете сразу **заснул**. Сколько спал — не знаю, проснулся —кругом пальмы... Натэлла встречает: «Вы, — гово-

Представлять — *to imagine*
Кругом — *around*

Наркомафия — *drug mafia*
Ловить — *to catch*
Пляж — *beach*
Пускать — *to let go*
Стрелять — *to shot*
Кровь — *blood*

Курорт — *resort*

Местные жители — *local resident*

Заснуть — *to fall as leep*

Обратная дорога — *back trip*

Отвезти — *to take off*

рит,— Лева?». Сели мы в машину, поехали в гостиницу... И **обратную дорогу** не помню. С утра, в день отъезда, выпили мы с Фроловым и Багреевым виски... Наверное, Натэлла меня в аэропорт **отвезла**... Проснулся уже в Москве.

***

Киносъемки — *shooting*

Режиссёр — *director (of film)*

Снимать — *to shoot*

Скучать — *to be bored*

Гонорар — *fee*

Массовка — *crowd scene*

Когда Татьяна вернулась домой, я спросил:

— Может, ты все-таки расскажешь, где отдыхал наш Лева? Он сам ничего не помнит.

— Он был в Ялте, на **киносъемках**, — засмеялась Татьяна. — У моей подруги Люськи есть знакомый **режиссер**, он там фильм **снимает**. Про наркомафию. В главных ролях — Фролов и Багреев.

— А Натэлла — это кто?

— Администратор киногруппы. Я ее попросила, чтобы она не давала Лёве **скучать.**

— Она не давала... Вот наш **гонорар**, — я положил на стол комиссионные.

— О, хорошо! — обрадовалась Татьяна. — Кстати, фильм, который они снимают, скоро будет готов. Надо будет купить видеокассету, может быть, они и нашего Лёву в **массовке** сняли. У него же скоро день рождения. Представляешь, какой подарок!

Спасение через Интернет
(по рассказу из журнала «Отдохни»)

***
- Существительные (единственное и множественное число) в разных падежах
- Глаголы движения
- Виды глагола
- Прямая речь

Спасение — *save*

В 11 часов в офис торговой компании, где Тамара работала менеджером, пришел ее сын Пашка.

— Мама, у нас учитель заболел, математики не будет. А домой я не хочу, там делать нечего. Ты же знаешь, наш компьютер в ремонте... Можно я здесь посижу?

— Ты видишь, у меня **полно работы**, — сказала Тамара. — Ладно, вон там в **чулане** есть свободный компьютер. С выходом в Интернет.

— Интернет — это хорошо! — обрадовался Пашка.

Тамара и Пашка вошли в чулан — **тесную** комнату без окон. Пашка сразу включил компьютер.

— Ты иди, мам. Я сам, — сказал он.

Тамара вернулась к своему столу.

— Хороший у тебя сын, Томка, и компьютер хорошо знает — сразу видно, что сын программиста, — сказала ее подруга и коллега Соня, которая работала за соседним столом. — Жалко только, что мальчик отца не видит! **Зря** ты с Михаилом **рассталась**, ведь он любит тебя!

— Хватит, Соня, — **оборвала** ее Тамара. — Все уже решено, **назад дороги нет**.

— Интересно, надолго у тебя характера **хватит**? — спросила Соня. — **Спорим**, что очень скоро вы опять будете вместе?

— Спорим! На бутылку шампанского! — согласилась Тамара. — Я люблю французское!

Она посмотрела на дверь чулана. Дверь была закрыта.

В этот момент в офисе что-то произошло. **Входная дверь с грохотом** открылась, и три человека в масках **ворвались** в офис.

— Всем к стене, быстро! Стоять тихо! Где сейф? — один из грабителей бросился в кабинет директора, двое других остались в комнате.

— Что там? — **грабитель** показал на дверь чулана.

— Там ничего. Чулан. Старые столы, стулья...

Полно работы — *a lot of work*
Чулан — *storeroom*
Тесный — *cramped*
Зря — *in vain*
Расстаться — *to part with*
Оборвать — *to cut*
Назад дороги нет — *there are no way back*
Хватит — *enough*
Спорить — *to bet*
Входная дверь — *front door*
Грохот — *racket*
Ворваться — *to burst in*
Грабитель — *robber*

Надёжный — *secure*

Человек в маске попробовал открыть дверь чулана, но она не открывалась. Он отошел от двери.

Сейф в кабинете директора был **надежный**. Только через 10 минут третий грабитель крикнул из кабинета:

— Открыл! Давайте быстро сумку! Нужно деньги упаковать...

Руки вверх! — *hands up!*
Порог — *threshold*
Наручники — *handcuff*

— **Руки вверх**! — вдруг услышала Тамара. На **пороге** офиса стояли 4 омоновца в зеленой форме. Через несколько секунд все три грабителя лежали на полу **в наручниках**.

И тут Тамара увидела, что в комнату вошел Миша, отец Пашки. Вместе с командиром омоновцев они подошли к чулану. Дверь открылась, и все увидели Пашку.

Герой — *hero*

— Ну, спасибо, **герой**! — сказал омоновец.

Сообщение — *message*
Ролики — *roller-blades*
Кататься — *to ride*

Тамара вошла в чулан и прочитала на экране **сообщение**:

— Привет, пап! В школу сегодня не приходи. У нас заболел учитель, и сейчас я у мамы на работе. Поэтому на **роликах** мы сегодня **кататься** не пойдем... Ой, папа, тут что-то случилось! Какие-то люди в масках... Помоги нам, скорее!

Тамара посмотрела на сына:

— Значит, ты весь этот год встречаешься с отцом?

Виновато — *guilty*
Переписываться — *to correspond*

— Да, — **виновато** ответил Пашка. — И **переписываюсь** по Интернету...

Сеть — *net*
Дать знать куда надо — *to inform police*
ОМОН — *police*

— Понимаешь, Тома, — сказал Пашкин отец, — я последние две недели на Петровке работаю. Компьютерную **сеть** модернизирую. Поэтому, когда я Пашкино сообщение получил, сразу **дал знать куда надо**. Поэтому **ОМОН** приехал так быстро.

Тамара посмотрела на сына, а потом на мужа и почему-то заплакала.

***

— Тамара Николаевна, — сказал генеральный директор, — спасибо Вам и вашему сыну. Кстати, сегодня Вы свободны: Вам, я думаю, нужно сегодня отдохнуть. Ваш сын, я слышал, хотел бы на роликах покататься — вот и пойдите с ним, покатайтесь.

— Может, правда, пойдем? — спросил Миша. — Я весь месяц обещаю Пашке пойти с ним на роллердром, но всё времени нет.

— Ладно, поехали на роллердром, — согласилась Тамара и пошла к двери. — Если вы так хотите...

— Тома! — крикнула Соня. — С тебя — бутылка шампанского!

— Знаю, французского, — улыбнулась Тамара и вышла из офиса.

Зимняя охота на женихов

(по рассказу из журнала «Отдохни»)

*** • Существительные, прилагательные и местоимения (единственное и множественное число) в разных падежах
• Безличные конструкции
• Глаголы движения
• Виды глагола
• Прямая речь

В стандартной кухне стандартной квартиры сидела семья за воскресным обедом. Папа, мама и **дочь четырнадцати лет**. Папа Иван ел борщ и смотрел **одним глазом** в телевизор, где транслировался футбольный матч. Мария, как всегда, **была на подхвате** — **присаживалась** на минуту, потом **вскакивала**, бросалась к плите, что-то **солила**, что-то **мешала**. Дочь Наташа **пыталась** читать под столом книгу, но когда мать **отобрала** книгу, вдруг **ни с того ни с сего** спросила:

Охота — *hunting*
Жених — *groom*
Дочь четырнадцати лет — *daughter of fourteen years*
Одним глазом — *by one eye*
Быть на подхвате — *to be at hand*

— Мамочка, а как ты познакомилась с папой?

Мария присела на стул и **смущённо** посмотрела на Ивана.

— Это было 15 лет назад, — начала Маша и **запнулась**.

***

15 лет назад Маше было 22 года, и она училась на ветеринара. Была у неё подруга Тамара — начинающая актриса. Тамара **снялась** только в двух фильмах в эпизодах, но **считала** себя кинозвездой и сейчас искала перспективного **режиссёра**, за которого можно было бы выйти замуж. Тамара уже дважды проводила свой отпуск в домах **творчества**, где, как ей казалось, такие мужья на каждом шагу... Но, **увы**, поездки оканчивались ничем. Слишком большая была **конкуренция**. На этот раз Тамара решила поехать с подругой — чтобы не **скучать**. Кроме того, Маша никогда не была на море.

Был декабрь, на море часто **штормило**. Дом творчества **заполнили в основном** семейные пары — несезонные **путёвки** стоили дешевле. В общем — **тоска**. Маша **целыми днями** бегала по экскурсиям, а Тамара скучала. Но однажды...

Однажды около моря Тамара увидела ЕГО. Красивый, элегантный... Он **кормил чаек**. «Конечно, режиссёр, — подумала Тамара. — И профиль, как у Роберта де Ниро. Надо с ним заговорить».

Тамара тихо подошла к нему:

— Я не **нарушу** ваше **одиночество**? — кокетливо спросила она.

— Что? — не понял он.

— Я не помешаю?

— Да стойте, сколько хотите, места много... — он улыбнулся, и Тамара увидела, какие у него красивые белые зубы.

Присаживаться — *to sit down*
Вскакивать — *to leap up feet*
Солить — *to salt*
Мешать — *to stir*
Пытаться — *to try*
Отобрать — *to take away*
Ни с того ни с сего — *neither from that nor from this*
Смущенно — *embarrassed*
Запнуться — *to falter*
Сняться — *to appear*
Считать — *to consider*
Режиссер — *producer*
Творчество — *creative work*
Увы — *alas*
Конкуренция — *competitiveness*
Скучать — *to be bored*
Штормить — *to be rough*
to memorize
Заполнить — *to fill*
В основном — *in main*
Путёвка — *holiday voucher, package*
Тоска — *melancholy, boredom*
Целыми днями — *in the whole days*
Кормить — *to feed*
Чайка — *seagull*
Нарушить — *to disturb*

— А вы знаете, — продолжала Тамара, — что **души моряков переселяются** в чаек? Души моряков, которые не вернулись домой из моря...

— Какие ещё души? Чайки — просто птицы, видите, есть хотят...

— Странно, что у вас нет фантазии. Как вы работаете в кино без фантазии?

— Нет, я не в кино работаю. Я машинист в метро. Меня Иван зовут. А вас?

Тамара сразу потеряла к нему интерес, но всё-таки ответила:

— А меня зовут Тамара, я киноактриса. Холодно тут, пойду я домой...

— Киноактриса? — радостно **переспросил** он. — Можно я вас **провожу**?

— Провожайте, — **безразлично** ответила она.

По дороге в дом отдыха он рассказал ей пару анекдотов, в другой ситуации Тамара обязательно посмеялась бы, но сейчас ей хотелось плакать. «Опять не повезло, — думала она, — вот так весь год ждёшь этого отпуска, а тут... какой-то машинист. Надо от него сбежать, а утром собрать вещи и уехать...»

Но **избавиться** по дороге от **навязчивого незнакомца** ей не удалось.

Вместе они вошли в лифт.

— Вам на какой этаж? — спросил он.

— На другой, — **грубо** ответила Тамара, — всего хорошего!

Она открыла дверь своего номера и **рухнула** на кровать. Ей хотелось **разрыдаться**, но в этот момент в комнату **ворвалась** Машка.

— Тамарка! Давай поедем завтра в дельфинарий! — радостно закричала она **с порога**.

— Конечно, конечно, — ответила Тамара.

В этот момент она решала для себя вопрос: уехать ей домой сегодня вечером или завтра утром.

— Ладно. Завтра посмотрим, — скорее себе, чем подруге, сказала она **вслух**.

Одиночество — *loneliness*
Душа — *soul*
Моряк — *sailor, seaman*
Переселяться (душа) — *to move (soul)*

Переспросить — *to ask again*
Проводить — *to spend*
Безразлично — *indifferently*

Избавиться — *to get rid of*
Навязчивый — *bothersome*
Грубо — *roughly*
Рухнуть — *to crash down*
Разрыдаться — *to sob*
Ворваться — *to burst in*
Порог — *threshold*

Вслух — *out loud*

Как назло — *to make things worse*
Подмигнуть — *to wink at*
Наглость — *impudense*
Шёпот — *whisper*
Лишний — *unnecessary*
Свернуть — *to turn aside*
Спиртное — *spirits*

Через 2 часа они спустились на ужин. **Как назло**, Иван оказался за соседним столиком. Когда он увидел Тамару, он глупо улыбнулся и **подмигнул**.

«Вот **наглость**!» — подумала Тамара.

— Кто это? — спросила Маша и почему-то покраснела.

— А что, понравился? Я сегодня с ним познакомилась, — **шёпотом** ответила Тамара. — Хочешь, познакомлю? Мне он не нужен.

Когда закончился ужин, заиграла тихая музыка.

— Потанцуем? — спросил Иван Тамару.

Тамара равнодушно согласилась. Пока они танцевали, она не заметила, что Маша исчезла из ресторана.

— Может быть, пойдём ко мне? — предложила она Ивану.

— Прямо сейчас?

— А почему нет? Только я пойду первая, а ты поднимешься потом! Не хочу **лишних** разговоров, — она назвала номер комнаты.

— Ты шампанское будешь или коньяк?

— И шампанское, и коньяк... — Тамара вспомнила, что Машка не пьёт. — И конфет возьми...

Они улыбнулись друг другу, и Иван побежал к бару.

Тамара поднялась на лифте на свой этаж, как можно тише прошла мимо своей двери и **свернула** на тёмную лестницу. Оттуда можно было попасть в солярий.

Иван купил **спиртное** и сладкое и минут через десять тихо постучал в дверь номера. Ответа не было, поэтому он открыл дверь. В тёмной комнате никого не было, но дверь на балкон была открыта.

***

— Так что же случилось 15 лет назад? — спросила Наташка у матери.

— 15 лет назад я сидела на балконе и смотрела на ночное море...

— Понятно. Запах магнолий, тихая музыка, папа в белом костюме... Скучно, как в книжках.

— **Вообще-то** была зима, — сказал Иван. — Магнолий не было. На море был шторм, меня унесло в море **на льдине**, а мама прилетела меня **спасать** на **вертолёте**. — Иван подмигнул жене.

— Ой, папа, ты всегда **шутишь**! Только и можешь, что своё кино **сочинять**! А я, между прочим, ещё ни разу не видела моря — всегда **каникулы** у бабушки провожу!

— Этим летом поедем к морю. Все вместе! — Иван включил телевизор. — Опять я «машинистом» стану.

— Каким машинистом? Ничего не понимаю! — удивилась дочь.

— Он раньше всех так **разыгрывал**. **Стеснялся**, наверное, что работает в кино, — сказала Маша. — Кстати, как мы поедем, у тебя же летом **съёмки**?

— Значит, поедем в декабре, — сказал Иван. — Зимой там тоже неплохо.

Вообще-то — *generally*
Льдина — *ice floe*
Спасать — *to save*
Вертолёт — *helicopter*
Шутить — *to joke*
Сочинять — *to compose*
Каникулы — *holidays*
Разыгрывать — *to trick on*
Стесняться — *to be shy*
Съёмка — *shooting*

Заказчик заказал два выстрела
(по рассказу из журнала «Отдохни»)

❄❄❄
- Существительные и прилагательные (единственное число) в разных падежах
- Выражение времени
- Выражение условия
- Глаголы с частицей **-ся**
- Глаголы движения
- Виды глагола

В среду утром семья Гуськовых, как обычно, собиралась на работу. Анна Гуськова, полная женщина **неопределённого возраста**, го-

Заказчик — *customer*
Выстрел — *shot*

Неопределённый возраст — *uncertain age*
Яичница — *fried eggs*
Бриться — *to shave*

Восхититься — *to admire*

Переложить — *to move*

Взяться за — *to start (doing)*

Подозревать — *to suspect*
Дело в том, что — *the point is that*
Киллер — *killer*
Разлюбить — *to stop loving*
Смешливая — *jolly*
Бросить — *to throw*
Обстоятельство — *circumstance*

Любовница — *lover*

товила на кухне кофе и **яичницу**. Пётр Гуськов **брился** в ванной.

Гуськов закончил бриться и пошёл на кухню.

— Какой запах! — **восхитился** он, подошёл к жене и поцеловал её в щёку. Так он делал каждое утро по давней семейной традиции.

— Садись за стол! — сказала Анна и **переложила** яичницу на тарелку. — Я уже опаздываю.

Гуськов сел за стол и **взялся** за яичницу.

Ни Гуськов, ни его жена не интересовались жизнью друг друга.

Гуськов не знал, где работает его жена и куда она может опаздывать. И Анна — Гуськов был в этом уверен — даже не **подозревала**, чем занимается её муж. И это было очень хорошо. **Дело в том, что** Гуськов был **киллером**. И все заказчики очень ценили его за высокий профессионализм.

Гуськов закончил есть яичницу, и жена поставила перед ним чашку кофе. Гуськов посмотрел на Анну. Он давно **разлюбил** свою жену. Раньше это была симпатичная **смешливая** девчонка, а к тридцати восьми годам она стала толстой некрасивой женщиной. Детей у них не было, и Гуськов давно уже **бросил** бы Анну, если бы не два **обстоятельства**: Анна хорошо готовила и с ней Гуськову было удобно. Она никогда не интересовалась его работой, не спрашивала, куда он уезжает — иногда на неделю или на две, никогда не ссорилась с ним, когда он поздно возвращался... Сейчас Гуськов смотрел на жену и думал: «Надо позвонить Наташе, давно я не был у неё...» Наташа, школьная подруга Анны, уже лет 5 была его **любовницей**.

— Ну, я побежал, — сказал Гуськов.

— Ага, счастливо... — ответила Анна.

Она занималась **мытьём посуды** и даже не посмотрела на него.

Пётр Гуськов спешил на встречу с заказчиком. Встреча должна была **состояться** в Нескучном саду. Пётр пришёл на встречу вовремя — **секунда в секунду**. Через минуту в саду появился немолодой мужчина в хорошем костюме с небольшой седой **бородой**.

— У вас нет сигареты? — поинтересовался он у Гуськова.

— Нет, — ответил Пётр. — Я курю только сигары.

— Я завидую вашему здоровью! — Это были **условные слова пароля**.

Мужчина понял, что Гуськов — тот, кто ему нужен, и начал объяснять **суть дела**. Это заняло 5 минут — Гуськов посмотрел на фотографию своей будущей **жертвы**, узнал адрес, кое-какие детали и получил **задаток**. Разговор был **закончен**. Гуськов положил **пачку** долларов в карман и **крепко пожал** руку своему клиенту.

Можно было приступать к делу — **«счётчик»** был включён...

Гуськов поднялся на последний этаж **«хрущёвки»**.

Чердак был закрыт на замок. Но это не испугало Гуськова. Через минуту он уже открыл замок и вышел на чердак.

Там было грязно и **пыльно**. Но Гуськов не собирался проводить здесь много времени. Он подошёл к чердачному окну и посмотрел на улицу.

Нужное здание — серое, с большими окнами — находилось прямо напротив. Гуськов **отсчитал** пятое окно на третьем этаже. Именно там жил человек, чью фотографию он видел сегодня. Окно было открыто, и Гуськов увидел свою жертву — **полного** мужчину в длинном чёрном **халате**.

Пётр положил на пол газету, на газету портфель, открыл его и **приступил к делу**. В

Мытьё — *washing*
Посуда — *dish*
Состояться — *to take place*
Секунда в секунду — *second per one second*
Борода — *beard*
Условные слова — *code words*
Пароль — *password*
Суть дела — *the crux of the matter*
Жертва — *victim*
Задаток — *deposit*
Закончен — *is finished*
Пачка — *bundle*
Крепко — *strong*
Пожать руку — *to shake a hand*
«Счётчик» — *counter*
«Хрущёвка» — *5-floor building, which was built in the time of Russian leader Chrushov*
Чердак — *attic*
Пыльно — *dusty*
Отсчитать — *to count*
Полный — *fat*
Халат — *dressing gown*
Приступить к делу — *to get down to job*
Разобрать — *to take apart*

Винтовка — *rifle*
Прицел — *sight*
Оружие — *weapon*
Собрать — *to assemble*
Надеть — *to put on*
Глушитель — *silencer*

портфеле лежала **разобранная** немецкая **винтовка** с оптическим **прицелом** — любимое **оружие** Гуськова.

Гуськов быстро **собрал** винтовку, **надел** на неё **глушитель** и направил прицел на окно, где жил «объект».

Мужчины не было.

«Придётся подождать», — понял Гуськов. Он достал из кармана мобильный телефон и набрал номер.

— Алло... — услышал он голос Натальи.

Обрадоваться — *to rejoice*
Пропасть — *to disappear*
Увидеться — *to see each other*

— Наташа, это я, — тихо сказал Гуськов.

— Это ты? — **обрадовалась** Наташа. — Куда ты **пропал**?

— У меня много работы. Но сегодня вечером я свободен. **Увидимся**?

— Конечно! А ты можешь приехать сейчас?

Жертва появилась в окне.

— Извини, я перезвоню потом и мы договоримся, — Гуськов выключил телефон.

Переносица — *bridge of the nose*
Нажать — *to press*
Курок — *hummer*

«Объект» сел в кресло около окна. Гуськов направил прицел на **переносицу** жертвы и **нажал курок**. Вместе с креслом мужчина упал на пол.

«Порядок! Дело сделано!» — Гуськов начал разбирать винтовку.

Блик — *flash*
Пуля — *bullet*
Ударить — *to hit*

Он уже положил в портфель последнюю деталь, когда вдруг увидел в чердачном окне дома напротив какой-то **блик**. «Оптический прицел», — понял Гуськов. И в этот момент **пуля ударила** его между глаз. «Не увижу я сегодня Наташу», — успел подумать Гуськов, и это было последнее, что он подумал...

***

Аккуратно — *accurately*
Футляр — *case*
Скрипка — *violin*

Анна Гуськова увидела, что пуля попала Петру точно в лоб, и начала разбирать австрийскую винтовку с оптическим прицелом. **Потом** она **аккуратно** положила детали винтовки **в футляр** от **скрипки** и быстро спустилась вниз.

Когда она выходила из подъезда, никто не обратил на неё внимания. **Не спеша** Анна направилась к метро. До встречи с заказчиком оставалось ещё много времени и можно было не спешить.

Не спеша — *slowly, at a relaxed pace*

Встреча состоялась в том же Нескучном саду.

— Вы нам очень помогли, — сказал мужчина с бородой и дал Анне конверт с деньгами. — Дело было очень серьёзным, и мы не могли **оставить исполнителя в живых**.

Оставить в живых — *to keep in a live*
Исполнитель — *executor*

— Я всё понимаю, — спокойно ответила Анна.

— Надеюсь, в будущем мы тоже сможем обратиться к вам?

— Всегда **к вашим услугам**, — Анна посмотрела на часы. — Мне пора...

К вашим услугам — *at your service*

— Жалко, что вы работаете только в Москве... И только днём. У нас так много заказов в провинции!

— Дело в том, что до сегодняшнего дня я была замужем... Теперь я могу работать и ночью.

— Вот как? — Он внимательно посмотрел на Анну. — В вашей жизни произошли перемены? Вы развелись?

— Можно сказать и так...

— Прекрасно, до встречи! — И мужчина направился к выходу из парка.

Хрустальная ваза
(по одноимённому рассказу А. Иванникова)

❄❄❄
- Существительные (единственное и множественное число) в разных падежах
- Глаголы с частицей **-ся**
- Глаголы движения
- Виды глагола
- Прямая речь

Утром жена сказала:

— Ты не забыл, что в субботу мы должны пойти на день рождения к Наде?

Конечно, я забыл о дне рождения, но тут сразу же вспомнил.

Жена продолжала:

— Я надеюсь, что ты купишь ей подарок. И помни, пожалуйста, что подарок должен быть хорошим. Надя предпочитает дорогие подарки.

— Интересно, на какие деньги ты предлагаешь мне купить подарок? Ты же знаешь, что денег дома нет уже 3 дня, а зарплату я получу только на следующей неделе?

— Ты мужчина, а настоящий мужчина должен уметь сам решить эти проблемы. Когда мы собирались пожениться, ты обещал мне, что будешь моей **опорой** и **защитой**. Вот и покажи себя.

Опора — *support*
Защита — *defence*

Жена сказала это, взяла сумку и ушла на работу. Я стал думать, где найти деньги. Вдруг я вспомнил, что еще две недели назад положил в карман пиджака 3 рубля, так, **на всякий случай**, если я вдруг встречусь с друзьями. Я не сразу нашел деньги, потому что, мне казалось, что я положил их в карман **пиджака**, а нашел их почему-то в кармане **брюк**. Но это было неважно. Кроме того, когда я искал деньги, я нашел еще в кармане **мелочь** — так, немного, но все-таки... Я **вынул** мелочь из кармана и **посчитал**. Оказалось, 40 копеек. Теперь, когда у меня были деньги, я решил не терять времени и быстро пошел в магазин. Понять, что нужно купить, можно только в магазине, и чем больше магазин, тем понятнее. За хорошим товаром в большом магазине всегда **очередь**, и когда смотришь на нее — понимаешь, что люди не будут стоять в очереди за какой-нибудь **ерундой**. Поэтому я решил **побывать** в ЦУМе. Там я сразу увидел огромную очередь. Все, как сумасшедшие, покупали вазы из **хрусталя**. Ничего, неплохие вазы — и недорого, всего

На всякий случай — *just in case*

Пиджак — *jacket*
Брюки — *trousers*

Мелочь — *small change*
Вынуть — *to take out*
Посчитать — *to count*

Очередь — *queue, line*

Ерунда — *rubbish*
Побывать — *to visit*

Хрусталь — *crystal*

45 рублей, а выглядят на 150. Я решил стать в очередь. **Отстоял** 40 минут и получил чек на 2 вазы, все люди брали по две. Я тоже решил взять две. Решить-то я решил, но где взять деньги? Вынул я из кармана мои 3 рубля 40 копеек и начал думать, что делать дальше.

Отстоять — *to wait (in queue)*

Вдруг я увидел какого-то **старичка**. Он с трудом выходил из **толпы**. В руках у него было 2 вазы, на спине висел **рюкзак**, **под мышкой** тоже была сумка. Когда он уже вышел из толпы, кто-то **толкнул** его. В результате ваза познакомилась с **полом** и, конечно, **разбилась**. На полу лежало 5 кусков вазы, один из них очень маленький и с цветочком. Старичок **собрал** с пола куски вазы, отошел в сторону и **загрустил**. Я подумал: «Может быть, я помогу старичку, посоветую ему что-нибудь».

Старичок — *old man*
Толпа — *crowd*
Рюкзак — *rucksack*
Под мышкой — *under one's arm*
Толкнуть — *to push*
Пол — *floor*
Разбиться — *to break*
Собрать — *to pick*
Загрустить — *to become sad*

— Ничего, — говорю я, — дед. Одна ваза у тебя осталась. Считай, что ты купил одну вазу. А деньги, которые ты за нее заплатил, в толпе потерял или в метро оставил или в **бане пропил**. Не грусти, дед, — объясняю я ему с моей **«трёшкой»** в кармане. — Деньги — не главное в жизни, еще заработаешь.

Баня — *baths*
Пропить — *to spend in drink*
«Трёшка» — *3 rubles*

— Я в баню не хожу, я дома в ванной моюсь, — не согласился со мной дед. — И в Москву я не за колбасой приехал. Меня в Москву с лошадью послали. Она на **агровыставке** сейчас, первый приз получила. Мы с моей лошадью в Москве в командировке.

Агровыставка — *agriculture exhibition*

— Извини, дедушка — сказал я.

— Ладно, — сказал дед. — Не буду я с тобой **ссориться**. Я понимаю, что ты посоветовать мне хотел, как лучше. Понимаешь, сынок, мне обязательно 2 вазы нужны. У меня 2 дочери замуж вышли, я обещал им подарки купить и вот... Как только дед это сказал, мне в голову сразу пришла гениальная идея.

Ссориться — *to quarrel*

Осколок — *piece*

Урна — *bin*

Парень — *guy*

Любоваться — *to admire*

Курятник — *chicken coop*
Куры — *hen*

Возмутиться — *to be appalled*
«Червонец» — *10 rubles*
Спорить — *to argue*
Торговаться — *to haggle*
Мириться — *to reconciled*
Соглашаться — *to agree*
Расставаться — *to part*
Сойтись на — *to agree on (price)*

— Слушай, дедушка, а что ты с **осколками** делать собираешься? Тут в магазине оставишь или домой возьмешь?

— Тут оставлю, зачем мне осколки нужны? Вот **урна**, туда положу. А теперь придется мне еще раз в очереди стоять.

— Подожди, дедушка! Милый! Зачем тебе очередь, возьми мой чек, купить вазу без очереди. А куски вазы мне дай.

— А зачем тебе эти осколки, **парень**?

— Понимаешь, дед, — объяснил я. — Есть у меня дома аквариум, в нем рыбки плавают. Вот я и собираюсь в аквариум осколки положить, чтобы рыбки ими **любовались**. Ну, что, согласен?

— А что, это хорошая идея, — сказал дед. — Я летом в санатории отдыхал, там из осколков бутылок на стене панно было, называется «Здоровье». Я тоже панно в **курятнике** сделаю, пусть мои **куры** любуются. Пусть у них тоже красивая жизнь будет. Поэтому, извини, не договорились мы с тобой, мне самому эти осколки нужны!

— Ладно, дед, я тебе предлагаю: давай, я у тебя их куплю. Хочешь, 1 рубль дам?

— 1 рубль??? — **возмутился** дед. — А ты знаешь, сколько я за вазу заплатил?

— Слушай, дед, — возмутился в ответ я. — Это уже не ваза, это уже куски вазы.

— Ладно, парень, давай «**червонец**» и бери осколки. Договорились?

Мы долго **спорили** и **торговались**. Сорок минут мы ссорились, **мирились**, не **соглашались**, **расставались**, возвращались и, наконец, договорились. **Сошлись на** трех рублях. Я вынул из кармана «трёшку», дал ее деду и получил осколки.

Потом я пошел домой и начал ждать жену. Моя жена всегда возвращается домой в 6 часов. Сегодня она вернулась тоже в 6 часов.

— Здравствуй, дорогая, — поздоровался я с ней. — Я **одолжил деньги** на подарок у Иванова, купил вазу, но по дороге домой разбил.

Одолжить деньги — *to lend money*

Жена не стала **ругаться** со мной, она просто взяла в руки **веник**. Это было почти не больно и не очень **опасно**, потому что очки я снял заранее. Когда любимая женщина немного устала, я **взял инициативу** в свои руки и объяснил ей мою идею:

Ругаться — *to swear*
Веник — *broom*
Опасно — *dangerous*
Взять инициативу — *to take an initiative*

— Давай скажем Наде, что разбили вазу в ее подъезде, когда выходили из лифта. Кстати, у нас есть чек из ЦУМа (чек я купил у деда за 40 копеек). Чек положим в пакет.

Жена долго не соглашалась, но потом согласилась со мной.

Через 3 дня мы пришли на день рождения к Наде. Счастливая Надежда с надеждой посмотрела на **свёрток** в моей руке.

— Там ваза была, — грустно сказал я.

— Да, и он, **дурак**, **споткнулся** около лифта. Ваза упала и разбилась! — объяснила жена.

Надя осторожно взяла сверток и **развернула**. Красивые хрустальные куски вазы заиграли на солнце. Все залюбовались ими. Надя загрустила. Ее сосед сказал:

Свёрток — *package*
Дурак — *fool*
Споткнуться — *to trip,to stumble*
Развернуть — *to unfold*

— Не грусти, Надя! Я **склею** вазу, тут куски большие, не будет заметно.

Склеить — *to glue together*

И начал показывать, как он это будет делать. Собрал он куски, и ваза стала как целая, только одного кусочка не было. Посмотрели в **упаковке** — нет, вышли к лифту, где, как я сказал, ваза разбилась — тоже нет.

Упаковка — *packing*

— Да, жалко, — сказал сосед. — А я мог бы ее склеить... Вдруг к нему подошла маленькая дочка Нади:

— Дядя Коля, а, может быть, это подойдет?

И она дала соседу маленький кусочек хрусталя. Дядя Коля **приложил** этот кусо-

Приложить — *to affix*

Родственник — *relative*

Жулик — *crook*

чек к вазе, и ваза стала целая. А муж Нади сказал:

— У нас тут на днях **родственник** был из деревни и подарил девочке кусочек хрусталя. Сказал, что купил в ЦУМе 2 вазы, но одну разбил. Куски вазы дал какому-то **жулику**, а один кусочек подарил девочке.

Всем (и мне тоже) стало стыдно за жулика-деда.

Сдаётся комната
(по рассказу из журнала «Отдохни»)

❄❄❄ • Существительные, прилагательные и местоимения (единственное и множественное число) в разных падежах
• Безличные конструкции
• Виды глагола
• Прямая речь

Сдавать — *to rent out*
Неприятность — *trouble*
Схватить — *to catch*
Бумажник — *wallet*
Вор — *thief*
Привлечь — *to attract*
Стенд — *stand*
Пропасть без вести — *to disappear without a message*
Попасть — *to get*
Объявление — *advertisement*
Постель и завтрак — *bed and breakfast*
Восхититься — *to be delighted with*

На парижском вокзале Сен-Лазар со Славой Красносельским произошла **неприятность**. Около кассы какой-то арабский мальчик **схватил бумажник**, который Слава держал в руках, и бросился бежать. Полисмену удалось схватить **вора** через 5 минут. Но в результате Славе пришлось идти в полицию. Пока там оформляли протокол, Славе пришлось ждать в коридоре, где его внимание **привлёк стенд «Пропали без вести»**.

Поэтому в маленький город около моря, где он собирался провести отпуск, Слава **попал** только вечером. Здесь ему сразу повезло: недалеко от вокзала в окне двухэтажного дома его внимание привлекло **объявление**: **«Постель и завтрак**, 120 F». «Прекрасно, — **восхитился** Слава. — Цена смешная!» Слава посмотрел в окно дома: в небольшой **гостиной** было очень **уютно**. Везде ковры, старинная мебель. Около камина лежит собака, в углу висит **клетка** с попугаем. «Красота», — подумал Слава и позвонил в дверь.

Дверь открыла женщина лет пятидесяти в элегантном платье. Она поздоровалась и сказала:

— Добро пожаловать, мсье. Комната наверху, там уже всё готово. Меня зовут мадам Рошфор.

— Я на неделю, — сказал Слава. — **Вас это устроит**?

— О, конечно. Мсье иностранец?

Уже на лестнице, когда они поднимались на второй этаж, она сказала:

— Вам понравится у меня. Мы тут совсем одни. Я не **пускаю кого попало**.

На лестнице Слава почувствовал странный **запах**. Это был очень лёгкий запах, похожий на запах формальдегида. «Может быть, такой запах всегда есть в старом доме», — подумал Слава.

— **Разложите** свои вещи, а потом, если вам не трудно, приходите вниз и **распишитесь** в регистрационной книге.

Комната Славе понравилась.

Он **достал** свои вещи из **рюкзака**, положил в шкаф, а потом вспомнил о просьбе хозяйки и направился вниз. В гостиной на журнальном столике он обнаружил регистрационную книгу. В ней были только 2 записи: Жан-Люк Берль из Тулузы, 23 мая, и Леон Константен из Лиона, 4 июня.

«Как мало у неё клиентов, — подумал Слава. — Странно».

Потом он ещё раз прочитал имена в книге. Ему показалось, эти имена что-то ему напоминают. Но что? Он попробовал **вспомнить**, но не смог. «Потом **разберусь**», — подумал Слава.

Когда он писал в регистрационной книге своё имя и фамилию, в гостиную вошла мадам Рошфор.

Гостиная — *sitting room*
Уютно — *cosy*
Клетка — *cage*
Вас это устроит? — *is it suitable for you?*
Пускать кого попало — *to let in anybody*
Запах — *smell*
Разложить — *to place*
Расписаться — *to sign*
Достать — *to take out*
Рюкзак — *rucksack*
Вспомнить — *to recall*
Разобраться — *to form an understanding of*

Предложить — *to offer*
Угощать — *to treat*
Печенье — *cookies*
Представить себе — *to imagine*

— Вы не хотите кофе? — **предложила** она.

— Спасибо, нет, — отказался Слава.

— Не отказывайтесь, молодой человек. Я **угощаю** только кофе и **печеньем**. Вы **представить себе** не можете, как я рада видеть вас у себя.

«Конечно, — подумал Слава, — когда у неё только 2 клиента за сезон, она рада третьему клиенту».

— Мне кажется, у вас не много клиентов?

Объяснить — *to explain*
Любопытство — *curiosity*

— Это потому, — **объяснила** мадам Рошфор, — что я не пускаю кого попало. Извините **за любопытство**, сколько вам лет?

— 19.

— О, почти мальчик! Мсье Берль на 2 года старше вас. А мсье Константену 23. Они оба приятные юноши, высокие и красивые. Как вы. Я люблю, когда молодые люди высокие и красивые. Садитесь в кресло, я приготовлю кофе.

Неподвижно — *motionless*

Слава посмотрел вокруг и отметил, что собака всё также **неподвижно** лежит около камина, а попугай неподвижно сидит в клетке.

Через несколько минут мадам Рошфор вернулась с кофе.

— Кстати, — сказал Слава. — Когда я посмотрел вашу регистрационную книгу, мне показалось что я откуда-то знаю мсье Берля и мсье Константена. Где-то я встречал эти фамилии. Это было совсем недавно, и эти фамилии были вместе... Но где?

Сливки — *cream*

— Вам кофе со **сливками**? — спросила мадам Рошфор.

— Спасибо — без. А вы не будете кофе?

Заснуть — *to fall asleep*
Залпом — *all in on go*
Горький — *bitter*

— Нет, я выпью молоко. Не пью кофе так поздно — не **засну**. Мсье Берль очень любил кофе на ночь. Помню, 3 чашки выпил **залпом**.

Слава знал, что французы любят крепкий горький кофе. Но этот был какой-то ужасно горький. Слава с трудом допил чашку.

— И долго они пробыли у вас — я **имею в виду** Берля и Константена?

— Они и сейчас тут.

— Как? — **удивился** Слава. — Вы же сказали, что мы тут одни.

— Они здесь, а мы тут одни... — кокетливо засмеялась мадам Рошфор. — Ах, мсье Берль! Какая у него **кожа**! Как **атлас**.

Такой **поворот** в разговоре совсем не понравился Славе и он сказал:

— Я хочу **отметить**, что с попугаем и собакой вы здорово придумали. Я не сразу понял, что это **чучела**. А выглядят как живые! Вы **увлекаетесь изготовлением** чучел? Это работа настоящего мастера.

— Да, я сделала это сама, я 25 лет работала в чучельной **мастерской**. Вы правы, чтобы сделать хорошее чучело, нужно быть настоящим мастером. Я была лучшим мастером в мастерской. А потом! — По её лицу пробежала **судорога**... — Пришло трудное время, и меня **выгнали**. Меня! Лучшего мастера! **Сволочи**! — Она уже не говорила, а кричала.

Но через секунду она пришла в себя и опять начала улыбаться.

«Она, по-моему, немного **с приветом**. Но вообще приятная», — подумал Слава. У него странно **кружилась** голова. Наверно, он очень устал после трудного дня.

— Вы записали вашу фамилию в регистрационной книге, — сказала мадам Рошфор. — У вас очень трудная фамилия — Красно... Красно...

— Красносельский, — **пришёл на помощь** Слава.

— Ужасная фамилия. Никогда не запомнить.

Слава улыбнулся, хотя у него всё сильнее кружилась голова. Было трудно разговаривать.

Иметь в виду — *to mean*
Удивиться — *to be surprise*
Кокетливо — *flirtatiously*
Кожа — *scin*
Атлас — *atlas*
Поворот — *turn*
Отметить — *to recognise*
Чучело (-а) — *stuffed*
Увлекаться — *to be keen on*
Изготовление — *manufacturing*
Мастерская — *workshop*
Судорога — *spasm*
Выгнать — *to sack, to throw out*
Сволочь — *bastard*
Она с приветом — *she is crazy*
Кружиться — *to turn*
Прийти на помощь — *to help*

— Извините за любопытство, но, как я понял, у вас за всё лето было только 2 клиента, да?

— Да, вы третий. Но мне не нужно больше. Если бы было больше, я бы не смогла. С каждым так много хлопот...

Завеса — *curtain*
Знаком (-а, ы) — *familiar*

И вдруг как будто **завеса** открылась в голове у Славы: он вспомнил, почему обе фамилии были ему **знакомы**.

— О господи! — по-русски сказал он.

Да, теперь он знал точно. Несколько часов назад в полиции он видел обе фамилии под фото на стенде «Пропали без вести».

Потерять сознание — *to lose consciousness*

Прежде чем **потерять сознание**, Слава услышал слова мадам Рошфор:

— Не волнуйтесь, дорогой! Вы станете самым лучшим экземпляром моей коллекции. Самым экзотическим.

III. ТЕКСТЫ ПО МОТИВАМ РАССКАЗОВ ЗАРУБЕЖНЫХ ПИСАТЕЛЕЙ

Случай из практики
(по рассказу Ги де Мопассана «Хитрость»)

❄❄❄
- Существительные (единственное и множественное число) и прилагательные (единственное число) в разных падежах
- Виды глагола
- Глаголы движения
- Выражение времени

Старый врач и его молодая пациентка сидели около камина и разговаривали.

— Нет, доктор, — говорила молодая дама, — я никогда не пойму: как жена может

обманывать мужа? Ну, хорошо, пусть она его не любит. Но как можно **скрыть** это от людей?

Доктор улыбнулся.

— Ну, это не трудно. Женщины, если хотят **изменить** мужу, могут придумать такие **способы**, что никто никогда не узнает об этом.

— Послушайте историю, которая случилась с моей пациенткой много лет назад, — предложил доктор.

Я жил и работал в маленьком городе. Однажды вечером, когда я уже спал, кто-то позвонил в мою дверь. Через некоторое время мой **слуга** принёс мне **записку**. Я прочитал, что госпожа Лельевр очснь просит доктора Симеона **срочно** прийти к ней.

Я подумал несколько секунд: «Наверно, у неё истерика или какие-нибудь **пустяки**, а я так устал!» И я написал ответ: «Я болен, пригласите моего коллегу, доктора Бонне». Потом я отдал записку слуге и сразу заснул.

Через полчаса опять кто-то позвонил в дверь. Слуга вошёл в мою комнату и сказал:

— Там женщина. Она говорит, что от вас **зависит** её жизнь.

Мне **пришлось** встать и выйти к ней. Это было молодая женщина, которая три года назад **вышла замуж** за очень богатого человека.

— Доктор, — сказала она взволнованно, — пойдёмте быстрее! Мой любовник умер в моей спальне... а муж скоро вернётся из клуба...

Я быстро оделся, мы сели в **карету**, в которой приехала дама, и поехали.

— У вас, наверно, никто не спит? — спросил я.

— Нет, — ответила она, — все спят, **кроме** Розы. Это моя **служанка**, она всё знает.

Карета **остановилась** около подъезда. В доме действительно все спали. Только Роза сидела на лестнице и ждала свою **хозяйку**.

Обманывать — *to deceive*
Скрыть — *to hide*
Изменить — *to betray*
Способ — *method*
Слуга — *servant*
Записка — *note*
Срочно — *urgently, quickly*
Пустяк — *trifle*
Зависеть — *to depend*
Мне пришлось — *I had to*
Выйти замуж — *to get married (feminine use)*
Карета — *carriage*
Кроме — *except*
Служанка — *servant (female)*
Остановиться — *to stop*
Хозяйка — *madam*

Беспорядок — *in a mess*
Посреди — *in the middle of*
Труп — *corpse*
Осмотреть — *to examine*

Бельё — *underclothes*
Носки — *socks*
Перенести — *to move*
Посадить — *to put*
Убрать — *to clean*
Беда — *misfortune*

Отнести — *to take off*
Польза — *use*
Нести — *to carry (by hand)*
Покойник — *the deceased*

Потерять сознание — *to lose consciousness*
Констатировать — *to certify*

На всякий случай — *just in case*

Мы вошли в комнату госпожи Лельевр. Всё было здесь в **беспорядке**. **Посреди** комнаты лежал **труп**. Я подошёл к нему, **осмотрел** и сказал:

— Всё, конец. Помогите мне одеть его.

Я посмотрел на часы. Было уже 12. Клуб закрылся, и надо было спешить, потому что муж дамы скоро должен был вернуться домой.

Это было ужасно! С трудом мы надели на него **бельё, носки**, костюм, **перенесли** из спальни в гостиную, **посадили** на диван.

Дверь с улицы открылась. Это был он! Я немедленно послал Розу **убрать** всё в спальне, а сам закричал:

— Скорее, друг мой, у нас **беда**!

Муж дамы вошёл в комнату.

— Что случилось? — спросил он.

— Мы с другом сидели и разговаривали с вашей женой, — начал я, — потом ему вдруг стало плохо и уже два часа он не приходит в себя. Помогите мне **отнести** его вниз, у него дома я принесу ему больше **пользы**.

Удивлённый муж помог мне отнести труп в карету.

Пока мы **несли покойника**, я всё время разговаривал с ним:

— Не волнуйтесь, дорогой друг, всё будет хорошо. Я надеюсь вам уже лучше? Скоро вы будете дома.

Наконец, мы посадили труп в карету, и я уехал.

В доме покойника я сказал, что он **потерял сознание** в пути. Я помог отнести его наверх, в комнату, и **констатировал** смерть.

Доктор закончил свой рассказ. Молодая женщина спросила:

— Зачем вы рассказали мне эту кошмарную историю?

Он улыбнулся:

— Чтобы предложить вам свою помощь... **на всякий случай.**

Папа Симона
(по одноимённому рассказу Ги де Мопассана)

❄❄❄
- Существительные (единственное и множественное число) и прилагательные (единственное число) в разных падежах
- Глаголы движения
- Прямая речь
- Выражение времени
- Обстоятельство образа действия

В двенадцать часов дверь школы открылась, и оттуда выбежали мальчики. В этот день они не побежали, как обычно, домой обедать, а **остались** в школьном **дворе** ждать Симона, нового мальчика, который первый раз сегодня пришёл в школу.

Остаться — *to stay*
Двор — *yard*

Симон был сыном Бланшотты. Дети слышали, как родители **с презрением** говорят о Бланшотте, но были всегда **вежливы,** когда встречали её на улице. Ребята мало знали Симона, потому что он всегда сидел дома, не играл с ними. За это они не любили его и сейчас **с удовольствием** повторяли друг другу слова одного мальчика, который, наверно, знал много, потому что, когда он говорил, он всегда **хитро** улыбался:

Презрение — *contempt*
Вежлив — *to be polite*
С удовольствием — *with pleasure*
Хитро — *slyly*

— Послушайте! У Симона нет папы!

Сын Бланшотты вышел из школы. Ему было лет семь-восемь. Это был **бледный**, **робкий** мальчик. Он хотел пойти домой, но другие мальчики не дали ему **пройти**. Симон стоял удивлённый и не понимал, что они хотят. Один из мальчиков, который принёс эту новость, спросил:

Бледный — *pale*
Робкий — *shy*
Пройти — *to pass*

— Как тебя зовут?

— Симон.

— А фамилия?

— Симон.

— Симон! Разве фамилия может быть «Симон»?

Парень — *fellow*
Наступить — *to become*
Тишина — *silence*
Несчастный — *unhappy*

Кладбище — *cemetery*
Злой — *angry*
Схватить — *to seize*
Драка — *fight*
Остановить — *to stop*
Проходить — *to pass*

Утопиться — *to drown oneself*
Молитва — *prayer*
Лечь — *to be placed*
Плечо — *shoulder*
Обидеть — *to offend*

Побить — *to beat*

Деревня — *village*

Мальчик повторил ещё раз:

— Меня зовут Симон.

Все засмеялись. Тогда **парень** сказал:

— Ну, вы видите, у него нет папы!

Наступила тишина. Дети не могли понять, как это может быть: у мальчика нет папы! Они смотрели на него, как на монстра. А Симон чувствовал себя очень **несчастным**. Он искал слова, хотел объяснить что-то, но не мог. Потом он сказал:

— Неправда, у меня есть папа!

— Где он?

— Он умер, мой папа лежит на **кладбище**!

— Это неправда! У тебя нет папы! Нет папы! — говорил **злой** мальчик.

Тогда Симон **схватил** его за волосы. Началась **драка.** Через некоторое время драку **остановили** люди, которые **проходили** мимо.

Ребята убежали. Симон остался один. Мальчик чувствовал себя очень несчастным, ему хотелось умереть, и он побежал к реке, чтобы **утопиться.** Там Симон ни о чём не мог думать. Он только плакал и читал **молитву**.

Вдруг тяжёлая рука **легла** на его **плечо**, и чей-то голос спросил:

— Кто тебя **обидел**, мальчик?

Симон повернулся. Около него стоял высокий рабочий.

— Они **побили** меня... потому что... у меня нет папы... нет папы.

Мужчина улыбнулся.

— Как это? У каждого есть папа.

Мальчик с трудом сказал:

— А у меня... у меня нет!..

Лицо рабочего стало серьёзным; он узнал сына Бланшотты. Рабочий приехал недавно в эту **деревню**, но уже кое-что слышал о Бланшотте.

— Не плачь, мальчик, — сказал он, — пойдём со мной к твоей маме! Мы найдём тебе папу.

Он взял Симона за руку, и они пошли домой. Рабочий улыбался: ему хотелось познакомиться с Бланшоттой. Он слышал, что она **самая** красивая девушка в деревне.

Самая — *most*

Они подошли к небольшому, чистому дому.

— Вот здесь! — сказал мальчик.

Дверь открылась, и из дома вышла высокая девушка с очень серьёзным лицом.

— Вот, хозяйка, ваш сын, я нашёл его около реки. Он потерял дорогу.

Но Симон подбежал к матери и опять заплакал.

— Нет, мама, я хотел умереть, потому что они меня побили... побили... потому что у мсня нет папы.

Молодая женщина **покраснела** и тоже заплакала. Рабочий стоял и не знал, как уйти. Вдруг Симон спросил его:

Покраснеть — *to blush*

— Хотите быть моим папой?

Наступило долгое **молчание**. Бланшотте было очень стыдно. Ребёнок опять сказал:

Молчание — *silence*

— Если вы не хотите, я опять пойду к реке.

Тогда рабочий решил **пошутить** и сказал со **смехом:**

Пошутить — *to joke*
Смех — *laugh*

— Да нет, я согласен!

— А как тебя зовут? — спросил ребёнок. — Мне надо знать, чтобы ответить, когда ребята спросят меня.

— Филипп, — ответил рабочий.

— Значит, Филипп, ты мой папа!

Филипп взял мальчика на руки, **поцеловал** его и пошёл домой.

Поцеловать — *to kiss*

На следующий день в школе Симон сказал, что его отца зовут Филипп.

Следующие три месяца Филипп часто проходил мимо дома Бланшотты. Иногда, когда она сидела у окна, он подходил и говорил с ней. Бланшотта отвечала **вежливо**, серьёзно, никогда не шутила с ним, не приглашала войти.

Вежливо — *politely*

Симон очень любил своего нового папу. Почти каждый вечер после работы Филипп гулял с мальчиком в парке или около реки.

Однажды в школе парень, который начал драку, сказал Симону:

— Ты сказал неправду, у тебя нет папы Филиппа!

— Почему? — спросил Симон.

— Потому что Филипп не муж твоей мамы.

— Нет, Филипп мой папа!

— Может быть, — улыбнулся парень, — но только он не совсем твой папа.

Задуматься — *to begin thinking*
Кузница — *smithy*
Пламя — *flame*
Кузнец — *blacksmith*

Сын Бланшотты **задумался**. После школы он пошёл к своему другу Филиппу.

В **кузнице,** где работал Филипп, было темно. Можно было увидеть только красное **пламя** и сильные фигуры пяти **кузнецов**.

Симон тихо подошёл к Филиппу. Работа остановилась. Все внимательно смотрели на мальчика.

— Послушай, Филипп! — начал Симон. — Один мальчик в школе говорит, что ты не совсем мой папа.

— Почему? — спросил рабочий.

— Потому что ты не муж моей мамы.

Среди — *among*
Гигант — *giant*

Порядочный — *decent*

Филипп задумался. Четыре его товарища смотрели на него и ждали, что он ответит. Симон, маленький **среди** этих **гигантов**, тоже ждал ответа. Вдруг один из кузнецов сказал Филиппу:

— А Бланшотта хорошая, **порядочная** девушка. Она будет хорошей женой честному человеку.

— Это правда, — согласились другие кузнецы.

Жениться — *marry*

— Она не виновата, что это случилось с ней. Он обещал **жениться** на ней.

— Это правда, — сказали кузнецы.

Потом Филипп сказал Симону:

— Передай маме, что я приду вечером поговорить с ней.

Поздно вечером Филипп пришёл к Бланшотте. На нём была воскресная, **свежая** рубашка. Молодая женщина открыла дверь и сказала:

— Нехорошо так поздно приходить, господин Филипп. Поймите, я не хочу, чтобы обо мне опять начали говорить.

Он **неожиданно** сказал:

— Это не их дело, если вы согласны стать моей женой.

Симон, который уже лежал в кровати, услышал, как Филипп вошёл в дом, потом несколько слов, которые сказала его мать и **звук поцелуя**. Филипп подошёл к кровати, взял Симона на руки и сказал ему:

— Скажи в школе, что твой папа кузнец Филипп Реми и если кто-нибудь обидит тебя, он будет **иметь дело** со мной.

На следующий день перед началом урока маленький Симон сказал:

— Мой папа — кузнец Филипп Реми, и он **обещал наказать** каждого, кто обидит меня.

В этот раз никто не засмеялся. Все знали кузнеца Филиппа Реми. Это был такой папа, которым каждый мальчик мог бы **гордиться**.

Свежий — *clean*

Неожиданно — *unexpectedly*

Звук — *sound*
Поцелуй — *kiss*

Иметь дело — *to have to deal*

Обещать — *to promise*
Наказать — *to punish*
Гордиться — *to be proud of*

Ожерелье
(По одноимённому рассказу Ги де Мопассана)

❄❄❄
- Существительные, прилагательные и местоимения (единственное и множественное число) в разных падежах
- Виды глагола
- Прямая речь
- Выражение причины
- Выражение условия
- Отрицательные местоимения и наречия

Это была **изящная очаровательная** девушка с тонким **вкусом**. Она родилась в бедной семье. У неё не было шанса, чтобы её узнал

Ожерелье — *necklace*
Изящный — *elegant*

Очаровательный — *charming*
Вкус — *taste*
Общество — *society*
Мелкий — *petty*
Чиновник — *official*
Одеваться — *to dress*
Занавеска — *curtain*
Уютный — *cosy*

и полюбил богатый человек из хорошего **общества**, поэтому она вышла замуж за **мелкого чиновника** из министерства.

У неё никогда не было денег, поэтому она **одевалась** очень просто. Она чувствовала себя всё время несчастной от бедности своей квартиры, от голых стен, старых стульев и **занавесок**. Она хотела бы жить в большом **уютном** доме, где стояли бы мягкие кресла, столы тонкой работы и высокие канделябры из старинной бронзы. Она хотела бы сидеть в шикарном салоне и принимать близких друзей-мужчин и **известных** людей.

Известный — *famous*
Капуста — *cabbage*
Серебро — *silver*
Фарфор — *china*

Когда она садилась обедать за круглый стол, на котором стоял суп с **капустой**, она мечтала о **серебре** и тонком **фарфоре**. Всё это она видела у своей богатой подруги, с которой она вместе была в монастыре. После каждого своего визита в богатый дом она целый день плакала от **горя** и **жалости** к себе.

Горе — *grief*
Жалость — *pity*

Однажды вечером её муж вернулся домой с **конвертом** в руке.

Конверт — *envelope*

— Это тебе, — радостно сказал он, — это сюрприз.

Она быстро открыла **конверт**. Там была **карточка**, на которой было написано:

Карточка — *card*
Образование — *education*

«Министр **образования** и его жена приглашают господина и госпожу Луазель на вечер в министерство, в понедельник 18 января».

— Зачем всё это, скажи, пожалуйста? — сказала она с **досадой**.

Досада — *annoyance*

— Дорогая, я думал, что ты будешь рада. Ты никуда не ходишь, и это прекрасный **случай**. Я с большим трудом получил это приглашение. Все хотят пойти туда, но не каждому дают билеты. Там ты увидишь всё **высшее** общество.

Случай — *opportunity*
Высший — *high*

Она сердито посмотрела на мужа и сказала:

— В чём я поеду туда? Что я **надену**?

— Ты могла бы надеть платье, в котором ходишь в театр. По-моему, оно очень хорошее.

Вдруг он увидел, что его жена плачет.

— Что с тобой? Ну что? — спросил он.

— Ничего. Если бы у меня было платье, я смогла бы поехать на этот вечер, но у меня ничего нет. Ты можешь отдать этот билет тому, чья жена одевается лучше, чем я.

— Послушай, Матильда, — начал он, — сколько будет стоить хорошее платье, совсем простое, чтобы ты могла надеть его и в другой раз?

Она помолчала немного и ответила:

— Точно я не знаю, но, по-моему, мне хватило бы 400 франков.

Он **побледнел**, но ответил:

— Хорошо. Я тебе дам 400 франков. Только **постарайся**, чтобы платье было красивое.

За день до бала платье было готово, но когда муж вернулся домой, госпожа Луазель опять сидела **грустная**. Вечером муж сказал ей:

— Послушай, что с тобой? Ты какая-то странная все эти дни.

Она ответила:

— У меня нет **украшений**. Лучше совсем не ездить на этот вечер. **У меня будет жалкий вид**.

— Съезди к своей близкой подруге, госпоже Форестье, и попроси, чтобы она дала тебе украшение на этот вечер, — предложил муж.

— Это хорошая идея! Я об этом не подумала, — сказала она и поехала на следующий день к госпоже Форестье.

Та принесла большую **шкатулку,** где лежали украшения, и предложила подруге взять, что она хочет. Матильда долго рассмат-

Надеть — *to wear*

Побледнеть — *turn pale*

Постараться — *to try*

Грустный — *sad*

Украшение — *jewelry*

У меня будет жалкий вид — *I will look pitiful*

Шкатулка — *jewelry box*

Драгоценность — *jewel*
Выбрать — *to choose*
Горячо — *warmly*
Успех — *success*
Победа — *victory*
Зеркало — *mirror*
Потерять — *to lose*
Экипаж — *carriage*

ривала **драгоценности** и, наконец, **выбрала** бриллиантовое ожерелье.

— Ты можешь мне дать это, только это? — спросила она.

— Ну, конечно, могу.

Госпожа Луазель **горячо** поцеловала подругу и убежала домой.

На балу госпожа Луазель имела большой **успех**. Она была самая красивая. Весь вечер она танцевала, и все мужчины смотрели на неё и спрашивали, кто она. Это была полная **победа**, всегда приятная для женского сердца. Только в четыре часа утра они ушли домой.

Дома она подошла к **зеркалу**, чтобы ещё раз посмотреть на себя. И вдруг она увидела, что у неё нет ожерелья.

— Боже мой, я **потеряла** ожерелье госпожи Форестье! — закричала она.

— Как! Не может быть! — подбежал к ней муж.

Они начали искать ожерелье везде и не нашли.

Он спросил:

— Ты помнишь, где ты могла его потерять?

— Наверно, на улице или в **экипаже**.

Они долго смотрели друг на друга. Потом Луазель оделся.

— Пойду, — сказал он, — посмотрю, может быть, я найду ожерелье.

Муж вернулся домой в семь утра. Он ничего не нашёл.

На следующий день они пошли в магазин, чтобы посмотреть, сколько может стоить такое ожерелье. В одном магазине они нашли такое же ожерелье. Оно стоило 36 тысяч франков. Они попросили ювелира не продавать ожерелье три дня. Надо было срочно найти деньги.

У Луазеля было 18 тысяч франков, которые оставил ему отец. Остальные деньги он просил, **занимал**, где только мог. Наконец, они купили ожерелье, и на следующий день госпожа Луазель **отнесла** его госпоже Форестье.

Для госпожи Луазель началась страшная жизнь **бедняков**. Нужно было выплатить этот ужасный **долг**. Они переехали на другую квартиру, **уволили прислугу**.

Теперь она узнала тяжёлый домашний труд. Она сама мыла посуду, стирала бельё, носила воду и ходила на рынок. Каждый месяц они должны были платить долги. Муж работал по вечерам, а иногда и ночью.

Так жили они десять лет. Через десять лет они всё выплатили. Госпожа Луазель сильно постарела от такой жизни. Иногда, когда муж был на работе, она садилась к окну и вспоминала бал, тот вечер, когда она имела такой успех. А что было бы, если бы она не потеряла ожерелье? Кто знает?

Однажды в воскресенье она вышла погулять и вдруг увидела женщину с ребёнком. Это была госпожа Форестье, молодая, красивая, как раньше.

Подойти к ней? Ну, конечно! Сейчас, когда она выплатила долг, она может рассказать ей всё. Почему нет?

— Здравствуй, Жанна!

— Но... **сударыня**... я не знаю... Вы, наверно, **ошиблись**.

— Нет. Я Матильда Луазель.

Её подруга **ахнула**:

— Бедная Матильда, как ты **изменилась**!

— Да, у меня было трудное время. И это всё из-за тебя!

— Как из-за меня?

— Ты помнишь бриллиантовое ожерелье, которое ты дала мне надеть на бал в министерстве?

Занимать — *to lend*

Отнести — *to take to*

Бедняк — *poor person*

Долг — *debt*

Уволить — *to fire*

Прислуга — *servant*

Сударыня — *Madam*

Ошибиться — *to be mistaken*

Ахнуть — *to exclaim*

Измениться — *to change*

— Помню.

— Я его потеряла.

— Как! Ты вернула его мне.

— Я вернула другое, такое же. Мы платили за него долги десять лет. Ты понимаешь, как нам было трудно, у нас ничего не было.

Госпожа Форестье остановилась.

— Ты говоришь, вы купили новое ожерелье?

— Да.

С волнением в голосе — *in a troubled voice*
Фальшивый — *fake*

— Бедная моя Матильда! — **с волнением в голосе** сказала госпожа Форестье. — Все мои бриллианты были **фальшивые**! Они стоили только 500 франков.

Исповедь
(по одноимённому рассказу Ги де Мопассана)

❄❄❄
- Существительные и прилагательные (единственное число) в разных падежах
- Виды глагола
- Выражение времени
- Выражение условия
- Краткие прилагательные

Исповедь — *confession*
Умирать — *to die*
Выглядеть — *to look*
Лекарство — *medicine*
Свеча — *candle*
Священник — *priest*

Маргарита де Терель **умирала**. Ей было пятьдесят шесть лет, но **выглядела** она на семьдесят пять. Её сестра Сюзанна была старше её на шесть лет. Она сидела около кровати младшей сестры и плакала. На столе, на полке лежали **лекарства** и стояли две **свечи**, потому что скоро должен был прийти **священник**.

Каждый человек в городе знал историю Маргариты и Сюзанны. Старшая сестра любила молодого человека, и он тоже любил её. Они решили пожениться, но **жених**, Анри де Сампьер, **неожиданно** умер перед **свадьбой**.

Жених — *fiance*
Неожиданно — *unexpectedly*
Свадьба — *wedding*
Отчаяние — *despair*

Сюзанна была в полном **отчаянии** и решила никогда не выходить замуж. Она надела **вдовье** платье и никогда не **снимала** его.

Однажды утром её сестра Маргарита, которой было только двенадцать лет, сказала:

— Сюзанна, я не хочу, чтобы ты была **несчастной**. Я не хочу, чтобы ты плакала всю жизнь. Я никогда не оставлю тебя! Я тоже никогда не выйду замуж. Я буду с тобой всегда.

Сюзанна поцеловала сестру, но не поверила ей. Но младшая сестра **действительно** не вышла замуж. Она была красива, очень красива; многие молодые люди были влюблены в неё, но она **отказала** всем: она не оставила сестру. Они всю жизнь были вместе. Но Маргарита всегда казалась более **печальной**, чем её старшая сестра. Она быстро постарела, **поседела** в тридцать лет и часто болела.

Теперь она умирала первой. Уже **сутки** она молчала и только утром попросила послать за священником. Её сестра плакала и повторяла:

— Марго, **родная** моя!

Дверь открылась, и в комнату вошёл священник. Он подошёл к Маргарите, поцеловал её и **ласково** сказал:

— Бог простит вас, **дитя моё**, говорите.

— Сестра, садись и слушай... — заговорила Маргарита. — Прости меня! О, если бы ты знала, как я всю жизнь **боялась** этого часа!

— О чём ты говоришь, родная? Ты отдала мне всё. Ты ангел... — плакала Сюзанна.

Но Маргарита остановила её:

— Молчи, молчи! Дай мне сказать... Как страшно!.. Дай мне сказать всё... до конца... Ты помнишь Анри?.. Слушай, и ты всё поймёшь. Мне было двенадцать лет, только двенадцать, ты помнишь? Я была **избалована**, делала всё, что хотела. Я полюбила его сразу,

Вдовье — *widower's*
Снимать — *take off*
Несчастный — *unhappy*
Действительно — *indeed*
Отказать — *to refuse*
Печальный — *sad*
Поседеть — *to turn grey (hair)*
Сутки — *24 hours*
Родной — *dear*
Ласково — *tenderly*
Дитя моё — *my child*
Бояться — *to be afraid*
Избалован (а, ы) — *spoiled*

как только увидела. Он был так красив! Я думала только о нём.

Горе — *grief*

Потом я узнала, что он хочет жениться на тебе. Какое это было **горе** для меня! Я не спала три ночи и плакала... Он приходил каждый день, после завтрака... помнишь? Не отвечай... слушай... Ты делала для него **пирожные** с кремом, которые он очень любил.

Пирожное — *fancy cake*
Ревновать — *to be jealous*

Я **ревновала**, о, как я ревновала!.. Через две недели должна была быть ваша свадьба. Я говорила себе: «Он не женится на Сюзанне, нет, я не хочу, чтобы он женился на ней. Он женится на мне, когда я буду большая. Я никого не полюблю так сильно, как его...» Но однажды вечером ты гуляла с ним в саду, и я увидела, как он **поцеловал** тебя. Ты помнишь это? Наверно, это был ваш первый **поцелуй**. Я ненавидела вас.

Поцеловать — *to kiss*
Поцелуй — *kiss*

Ты знаешь, что я сделала?.. Слушай... Я взяла бутылку, **разбила** её и сделала **порошок** из **стекла**. На следующий день, когда ты приготовила пирожные, я положила порошок в крем. Он съел три, а я одно пирожное. Остальные я **выбросила**. Он умер, а я нет... Потом наступило страшное время. Всю мою жизнь я думала, когда и как я расскажу тебе обо всём. Я умираю, и мне страшно умереть без твоего **прощения**. Прости меня!

Разбить — *to break*
Порошок — *powder*
Стекло — *glass*

Выбросить — *throw out*

Прощение — *forgiveness*

Она замолчала. Сюзанна закрыла лицо руками и тоже молчала. Она думала о нём, кого могла бы любить долго, с кем она могла бы жить счастливо. Она вспомнила, как он поцеловал её в саду. Это был первый и последний поцелуй в её жизни, а потом — ничего.

Вдруг она услышала голос священника:

— Мадмуазель Сюзанна! Ваша сестра умирает!

Сюзанна подошла к сестре, поцеловала её и сказала:

— Я прощаю тебя, моя родная, прощаю...

Подарки к Рождеству
(по рассказу О'Генри «Дары волхвов»)

❄❄❄
- Существительные (единственное и множественное число) и прилагательные (единственное число) в разных падежах
- Безличные конструкции
- Виды глагола

1$ 87c. Делла **пересчитала** 3 раза. 1$ 87c. А завтра Рождество.

Единственное, что можно было сделать — это **упасть** на диван и заплакать. Именно это Делла и сделала.

Когда **ей удалось** успокоиться, она встала и подошла к окну. Во дворе гуляла **серая** соседская кошка. Делла смотрела на неё и думала, что делать. Завтра Рождество, а у неё только 1$ 87с на подарок Джиму. Что можно подарить на такие деньги? Многие месяцы ей приходилось экономить каждый цент и вот всё, что ей удалось сэкономить. Двадцать долларов в неделю, которые получал Джим, слишком маленькая сумма. Делла никогда не **жаловалась**, что у них мало денег, но сегодня...

Вдруг Делла вспомнила о чём-то и подбежала к **зеркалу**. Она быстро **распустила** волосы. Надо сказать, что у Деллы и её мужа Джима были два **сокровища**. Одно — золотые часы Джима, которые оставил ему дед. Другое — волосы Деллы. Любая женщина **завидовала** Делле, когда видела её прекрасные волосы. Сейчас, когда Делла распустила их, они закрывали всю её фигуру. Несколько секунд Делла смотрела на себя, потом быстро **заколола** волосы и вышла из дома. Через 15 минут она уже входила в салон, на котором висела **вывеска**: «M-me Sophronie. Парики».

— Не купите ли вы мои волосы? — спросила Делла м-м Sophronie.

Пересчитать — *to re-count*

Упасть — *to fall down*

Ей удалось — *she managed*

Серый — *grey*

Жаловаться — *to complain*

Зеркало — *mirror*

Распустить — *to let down*

Сокровище — *treasure*

Завидовать — *to envy*

Заколоть — *to pin up*

Вывеска — *sign board*

Хозяйка — *owner*

Ей повезло — *she was lucky*
Цепочка — *chain*
Строгий — *severe strict*
Кожаный ремешок — *leather strap*

Вырасти (perf) — *to grow*
Расти (imperf) — *to grow*

Как будто — *as if*

Разлюбить — *to stop loving*

— Я покупаю волосы, — сказала **хозяйка** салона. — Распустите волосы, надо посмотреть товар.

Делла распустила волосы.

— 20 долларов, — сказала мадам Sophronie.

— Давайте скорее, — согласилась Делла.

Следующие 2 часа Делла провела в магазине — она искала подарок для Джима.

Наконец **ей повезло**, ей удалось найти то, что нужно. Это была **цепочка** для часов, простая и **строгая**. Дело в том, что золотые часы Джима висели на старом **кожаном ремешке**, который абсолютно не подходил к ним. А сейчас, думала Делла, Джиму будет не стыдно посмотреть на часы при публике.

Радостная, она вернулась домой и начала готовить ужин. К семи часам, к приходу Джима, всё было готово.

Джим никогда не опаздывал. Ровно в семь он вошёл в квартиру, и... Он смотрел на Деллу.

— Джим, — закричала Делла, — не смотри на меня так. Я сейчас всё объясню. Я продала волосы, потому что мне хотелось подарить тебе что-нибудь на Рождество. Но они скоро опять **вырастут**, я обещаю. У меня очень быстро **растут** волосы. Ну, пожалуйста, Джим! Поздравь меня с Рождеством и улыбнись! Ты ещё не знаешь, какой прекрасный подарок я тебе приготовила.

— Ты продала волосы! — медленно спросил Джим, **как будто** плохо понял, что она сказала.

— Да, я продала волосы, но я сделала это, потому что я люблю тебя. А ты? Ты любишь меня, Джим?

Джим подошёл к жене и обнял её.

— Ты не поняла, Делл, — сказал он. — Я никогда не **разлюблю** тебя. Но открой пакет, который я принёс для тебя, и ты сразу поймешь, почему я в первую минуту был в шоке.

Делла быстро открыла пакет — и начался **водопад слёз**. В пакете лежали **гребни** — тот самый **набор** гребней, которые Делла видела в одной витрине и которые всегда **желала** купить. Гребни стоили дорого, Делла знала это. И вот сейчас у неё есть эти гребни, но нет волос, которые они могли бы **украсить**.

Но через минуту она нашла в себе силы улыбнуться **сквозь слёзы** и сказала:

— У меня очень быстро растут волосы, Джим!

Подарок Джима напомнил ей, что Джим ещё не видел её подарок.

— Джим, смотри, что я купила для тебя. Я искала это 2 часа. Разве это не **прелесть**? Дай мне часы, я хочу посмотреть, как это будет выглядеть вместе.

Но Джим вдруг улыбнулся и сказал:

— Делла, нам придётся **отложить** на время наши подарки, пусть они полежат немного. Часы я продал, чтобы купить для тебя гребни. А сейчас давай ужинать.

Водопад слёз — *waterfall of tears*
Гребень — *comb*
Набор — set
Желать — *to wish*
Украсить — *to decorate*
Сквозь слёзы — *through tears*
Прелесть — *charming*
Отложить — *to put aside*

Сделка
(по рассказу О'Генри «Супружество как точная наука»)

❄❄❄
- Существительные, прилагательные и местоимения (единственное и множественное число) в разных падежах
- Виды глагола
- Прямая речь
- Выражение времени
- Выражение цели

— Я не **доверяю** женщинам, — сказал Джефф Питерс. — С ними невозможно вести серьёзные дела.

— По-моему, ты не прав, — не согласился я. — В мире очень много **честных** женщин.

Сделка — *deal*
Доверять — *to trust*
Честный — *honest*

Обманывать — *to cheat*
Реклама — *advertisement*
Брачная контора — *marriage office*
Удвоить — *to double*
Объявление — *announcement*
Вдова — *widow*
Поместье — *estate*
Верный — *faithful*
Возраст — *age*
Внешность — *appearance*
Распорядиться — *to manage*

— Ну, это всё, что они могут — быть честными, а для того, чтобы **обманывать**, есть мужчины.

Когда у вас есть деньги на **рекламу** — открывайте **брачную контору**. У нас было шесть тысяч долларов, и мы хотели **удвоить** эту сумму за два месяца. Для этого мы написали **объявление**:

«Симпатичная молодая **вдова** (32 года) с капиталом (2 тысячи долларов) и большим **поместьем** хотела бы второй раз выйти замуж. Вдова ищет небогатого, но **верного** мужа. Возможен любой **возраст** и любая **внешность**, главное, чтобы он смог правильно **распорядиться** её капиталом. Брачная контора Питерса и Таккера».

— До сих пор всё идёт хорошо, — сказал я. — А сейчас нам надо найти симпатичную вдову, которая согласится работать с нами, и я думаю, что у меня есть такая вдова. Это жена моего старого приятеля, который умер около года назад.

— Хорошо ли это? — спросила миссис Троттер, когда я рассказал ей о наших планах.

Лентяй — *lazy person*
Бездельник — *idler*
Украсть — *to steal*

— Мы с Энди Таккером решили дать хороший урок всем **лентяям** и **бездельникам**, которые хотят **украсть** деньги одинокой вдовы, — объяснил я ей.

Благородный — *noble*

— Да, да, — согласилась она, — я всегда знала, что вы, мистер Питерс, **благородный** человек. Что я должна делать?

— Всё очень просто, — сказал я. — Вы будете жить в тихой гостинице. Иногда, может быть, вам надо будет встретиться с клиентом, если он захочет поговорить с вами лично. Мы вам будем платить двадцать пять долларов в неделю, оплата гостиницы **за наш счёт**.

За наш счёт — *at our expense*
Уговорить — *to persuade*

Итак, я **уговорил** миссис Троттер, и скоро она переехала в тихий семейный отель. Потом мы послали объявление в газету, положили на имя миссис Троттер две тысячи долларов в банк и дали ей чековую книжку, чтобы она могла показать клиенту, если он начнёт **сомневаться**. Я знал, что она честная женщина, и не боялся доверить ей деньги.

Сомневаться — *to doubt*

Через некоторое время у нас уже было много работы. Мы получали и отвечали на 100 писем в день. Я никогда не думал, что **на свете** есть так много любящих мужчин, которые хотели бы жениться на симпатичной вдове и распорядиться её капиталом.

На свете — *in the world*

Некоторые писали, что у них нет денег и работы, что их никто не понимает, но у них остались большие **запасы** любви и другие мужские **достоинства**. Они писали, что вдова будет самой счастливой женщиной на свете.

Запас — *stock*
Достоинство — *dignity*

Каждый клиент получал ответ из офиса Питерса и Таккера. В письме агент миссис Троттер благодарил за интересное письмо, которое **произвело** большое **впечатление** на вдову, и просил, если возможно, **выслать** фотографию и заплатить два доллара за **передачу** второго письма в руки вдовы.

Произвести впечатление — *to impress*
Выслать — *to send*
Передача — *handing over*

Сейчас вы видите, как всё было просто и красиво. Девяносто процентов женихов нашли два доллара и прислали их нам. Часто клиенты приходили к нам и хотели лично познакомиться с вдовой. И тогда мы посылали их к миссис Троттер, и она разговаривала с ними сама.

Это был хороший бизнес, и иногда мы **зарабатывали** по двести долларов в день. Через три месяца у нас уже было пять тысяч долларов, и мы решили, что пора остановиться.

Зарабатывать — *to earn*

Я пошёл к миссис Троттер, чтобы заплатить ей за работу. Когда я вошёл в её номер, я увидел, что она сидит и плачет.

— Почему вы плачете? — спросил я.

— Мистер Питерс, я **влюбилась**. Я нашла свой идеал, о котором **мечтала** всю жизнь.

Влюбиться — *to fall in love*
Мечтать — *to dream*

— Какие проблемы? Берите его, если хотите, но любит ли он вас?

— Да, — ответила она. — Он приходил ко мне по объявлению, и он женится на мне, если я дам ему две тысячи. Его зовут Уильям Уилкинсон.

И она опять заплакала.

— Миссис Троттер, — сказал я, — Я готов дать вам эти деньги. Вы помогли нам заработать пять тысяч. Но сначала я должен поговорить с моим партнёром Энди Таккером. Мы посмотрим, что мы можем сделать для вас.

Я вернулся к Энди и рассказал ему всё, что случилось.

— Я всегда знал, что так будет, — сказал Энди. — Женщины слишком сентиментальны. У тебя, Джефф, всегда был **мягкий** и **нежный** характер, но я готов помочь тебе. Иди и скажи ей, чтобы она взяла из банка две тысячи долларов и отдала их, кому она хочет. Пусть она будет счастлива.

Мягкий — *mild*
Нежный — *tender*

Целых пять минут я **благодарил** Энди, а потом побежал к миссис Троттер, чтобы рассказать ей о нашем решении.

Благодарить — *to thank*

За два дня до **отъезда** из города я сказал Энди:

Отъезд — *departure*

— Не хочешь ли ты пойти к миссис Троттер? Я думаю, что она будет рада познакомиться с тобой.

— Это невозможно, — ответил Энди и положил на стол деньги.

— Что это? — спросил я.

— Это две тысячи от миссис Троттер.

— Откуда они у тебя?

— Она сама дала их мне. Я целый месяц ходил к ней.

— Так это ты Уильям Уилкинсон? — удивился я.

— Был до вчерашнего дня, — ответил Энди.

Пока ждёт автомобиль
(по одноимённому рассказу О'Генри)

❄❄❄ • Существительные (единственное и множественное число) и прилагательные (единственное число) в разных падежах
- Виды глагола
- Глаголы движения
- Прямая речь

Сегодня девушка в сером платье опять пришла в парк. Она, как всегда, села на **скамейку**, открыла книгу и начала читать. Один молодой человек знал об этом. Он гулял недалеко от скамейки, на которой сидела девушка, и ждал **случая**, чтобы познакомиться с ней.

Девушка **задумалась,** и книга упала. Молодой человек **подбежал**, взял книгу и дал её девушке. Потом он сказал что-то о погоде. Девушка посмотрела на его недорогой, аккуратный костюм и сказала:

— Можете сесть, если хотите. Всё равно уже темно и трудно читать. Я **предпочитаю** поговорить. Как вы думаете, куда идут эти люди? Расскажите мне о них.

— Ну, наверно, — начал молодой человек, — одни идут ужинать, другие домой. Интересно узнать, как они живут?

— А мне — нет, — сказала девушка. — Я не очень **любопытна**. Я прихожу сюда, чтобы только **ненадолго** стать ближе к **простому народу**. Моя жизнь проходит далеко от него, мистер...

— Паркенстэкер, — сказал молодой человек и посмотрел на девушку.

Он ждал, что она тоже скажет своё **имя**.

— Нет, — улыбнулась она, — моё имя слишком хорошо известно. Что я могу сде-

Скамейка — *bench*

Случай — *opportunity*

Задуматься — *to begin thinking*

Подбежать — *to run*

Предпочитать — *to prefer*

Любопытен (а, ы) — *curious*

Ненадолго — *for a while*

Простой народ — *simple people*

Имя — *name*

лать, если газеты всё время **печатают** мою фамилию и портреты. Только одежда моей горничной, которая сейчас на мне, делает меня **неузнаваемой**, мистер Стекенпот...

— Паркенстэкер, — **скромно исправил** её молодой человек.

— Мистер Паркенстэкер, я хотела раз в жизни поговорить с человеком не из **высшего общества**, который не **испорчен** своим **богатством**. Вы не поверите, как я устала от денег! Я просто больна от балов, брильянтов, обедов, общества.

— А я всегда думал, — сказал молодой человек, — что деньги — это совсем неплохо.

— Конечно, без денег невозможно жить. Но когда у вас столько миллионов, это так скучно! Иногда даже **лёд** в бокале с шампанским **раздражает** меня.

Мистер Паркенстэкер слушал её с большим интересом.

— Мне всегда нравилось, — сказал он, — читать и слушать, как живут богатые люди, и мне казалось, что шампанское никогда не пьют **со льдом**.

Девушка засмеялась.

— Знаете ли вы, — объяснила она, — что в последнее время **модно** класть лёд в шампанское?

— Да, — согласился молодой человек, — наверно, простые люди ничего не знают об этом.

— Какая у вас профессия, мистер Паркенстэкер?

— Я работаю в одном ресторане.

— Я, надеюсь, вы не **официант**? **Все**, кто работают в сервисе, это **лакеи**.

Печатать — *to publish*
Горничная — *servant*
Неузнаваемый — *unrecognizable*
Скромно — *modestly*
Исправить — *to correct*
Высшее общество — *high society*
Испорчен (а, ы) — *spoiled*
Богатство — *wealth*
Лёд — *ice*
Бокал — *wine glass*
Раздражать — *to annoy*
Со льдом — *with ice*
Модно — *fashionable*
Официант — *waitress*
Лакей — *lackey*

— Нет, я не официант. Я кассир... На улице около парка есть ресторан. Я работаю там.

Девушка посмотрела на часы и быстро встала.

— Почему вы не на работе? — спросила девушка.

— Я сегодня работаю вечером. У меня есть ещё час. Могу я надеяться, что это не последняя наша встреча?

— Не знаю. Может быть. Сейчас я спешу. Сначала у меня обед, потом театр. Вы, наверно, когда шли сюда, видели белый автомобиль около парка?

— Да, — ответил молодой человек и удивлённо посмотрел на девушку.

— Это моя машина, и **водитель** ждёт меня около входа.

Водитель — *driver*

— Уже совсем темно, — сказал молодой человек, — разрешите **проводить** вас.

Проводить — *to accompany*

— Нет, нет, — ответила девушка, — я прошу вас посидеть здесь, на скамейке ещё десять минут. На машине стоит монограмма с моим именем, и я не хочу, чтобы вы знали, кто я.

Девушка ушла. А молодой человек немного посидел на скамейке, потом встал и пошёл за девушкой.

Он видел, как она вышла из парка и пошла туда, где стоял белый автомобиль, но прошла мимо машины. Потом она перешла улицу и вошла в ресторан, который находился на другой стороне. За **стеклянной** дверью стояла касса. Блондинка, которая сидела за ней, **встала**, когда увидела девушку в сером платье, а девушка в сером платье **заняла** её место.

Стеклянный — *glass*

Встать — *to stand up*

Занять — *to occupy*

Молодой человек медленно пошёл назад. Он подошёл к белому автомобилю, сел и сказал водителю:

— Поехали в клуб, Анри.

Когда любишь искусство
(по одноимённому рассказу О'Генри)

❄❄❄ • Существительные (единственное и множественное число) и прилагательные (единственное число) в разных падежах
• Виды глагола
• Прямая речь
• Выражение времени
• Выражение условия
• Выражение цели

Искусство — *art*

Джо и Дилия познакомились в Нью-Йорке, в студии, где молодые люди обычно говорят о музыке Вагнера и о картинах Рембрандта. Джо приехал сюда, чтобы изучать **живопись**, а Дилия, чтобы стать **известной** пианисткой.

Живопись — *painting*
Известный — *famous*
Влюбиться — *to fall in love*
Снять — *to rent*
Дешёвый — *cheap*
Окраина — *outskirts*

Джо и Дилия сразу **влюбились** друг в друга и немедленно поженились. Они **сняли дешёвую** квартиру на **окраине** города и были счастливы.

Каждую неделю Джо и Дилия регулярно брали уроки. Джо учился живописи, а Дилия — музыке. За обедом они любили разговаривать о будущем, когда они станут известны. Надо сказать, что каждый мечтал об **успехах** другого и всегда был готов прийти на **помощь**.

Успех — *success*
Помощь — *help*

Всё было чудесно до тех пор, пока деньги не закончились. Но, когда любишь искусство, ничего не страшно. И Дилия сказала, что хочет давать уроки музыки, чтобы помочь дорогому Джо закончить **образование**.

Образование — *education*
Искать — *to look for*
Настроение — *mood*

Каждый день она уходила из дома **искать** учеников и, наконец, однажды вернулась домой в очень хорошем **настроении**.

— Джо, дорогой мой, я получила урок! — сказала она. — Ты знаешь, какие это милые люди! Генерал с дочкой. У них большой и красивый дом на Семьдесят первой улице.

А какие комнаты! Ты не можешь себе **представить**!	Представить — *to imagine*
Я буду давать уроки его дочери Клементине три раза в неделю. Она такая деликатная. Ей восемнадцать лет. Ты только подумай, Джо, урок стоит пять долларов! Это **чудо**! Ну, пожалуйста, дорогой, **перестань сердиться** и давай ужинать.	Чудо — *miracle* Перестать — *to stop* Сердиться — *to be angry*
— Как я могу не сердиться? — сказал Джо. — Ты будешь давать уроки, а я сидеть на твоей **шее**. Я тоже могу что-нибудь делать, чтобы **заработать** деньги.	Шея — *neck* Заработать — *to earn*
— Джо, любимый мой, какой ты **глупый**! Ты не должен **бросать** живопись. Ты пойми — я не оставила музыку, я сама учусь, когда даю уроки. И на пятнадцать долларов в неделю мы будем жить, как миллионеры.	Глупый — *stupid* Бросать — *to abandon*
— Ладно, — сказал Джо. — Это, конечно, не искусство, но ты просто чудо. **Кстати**, мистер Тинкл **разрешил** мне **выставить** две картины у него в **витрине**. Может быть, кто-нибудь и купит.	Кстати — *by the way* Разрешить — *to permit* Выставить — *to exhibit* Витрина — *shop window*
— Обязательно купят, — **нежно** сказала Дилия.	Нежно — *tenderly*
Каждый день Джо и Дилия рано завтракали. Потом Джо до вечера **рисовал** в Центральном парке и **редко** приходил домой раньше семи вечера.	Рисовать — *to paint* Редко — *rare*
В субботу Дилия, немного **уставшая** и **бледная**, **торжественно** положила на стол пятнадцать долларов. Но и Джо, как какой-нибудь граф Монте-Кристо, тоже положил на стол рядом с деньгами жены восемнадцать долларов.	Уставший — *tired* Бледный — *pale* Торжественно — *with the triumph*
— Я продал **акварель** одному человеку из Пеории, — сказал он.	Акварель — *watercolors*
— Ты **шутишь**, Джо! — удивилась Дилия. — Не может быть!	Шутить — *to joke*
— Да, представь себе.	
— Я так рада за тебя, — горячо сказала	

Верить — *to believe*

Дилия. — Я **верю**, что у тебя будет успех, дорогой. Тридцать три доллара! Мы никогда не жили так богато.

В следующую субботу Джо вернулся домой раньше, чем Дилия. Он положил на стол восемнадцать долларов и быстро начал **мыть** руки. На них было что-то чёрное — наверно, масляная **краска**.

Мыть — *to wash*
Краска — *paint*

А через полчаса пришла Дилия. Её правая рука была **забинтована**.

Забинтован (а, ы) — *bandaged*

— Что случилось, Дилия? — спросил Джо.

— Клементина решила приготовить для меня **гренки** после урока, — сказала она, — и случайно **вылила** на меня **горячее** масло. Ужас как было бóльно! Но сейчас рука уже не так болит. Господи, Джо, ты продал ещё один этюд? — Она увидела деньги на столе.

Гренки — *croutons*
Вылить — *to pour*
Горячий — *hot*

— Да, наш друг из Пеории купил картину и заказал **пейзаж** в парке. Когда это случилось с тобой, Дилия?

Пейзаж — *landscape*

— В пять, наверно, — ответила Дилия. — Надо было видеть генерала, когда он...

— Подойди ко мне, — сказал Джо. Он сел с ней на диван и **обнял** её за **плечи**.

Обнять — *to embrace*
Плечо — *shoulder*

— Где ты работаешь в последнее время? — спросил он.

Дилия **храбро** посмотрела на мужа и начала опять что-то говорить о генерале и его дочери... но потом правда вместе со слезами вылилась **наружу**.

Храбро — *bravely*
Наружу — *outside*

— Я не могла найти уроков, — сказала она, — и я не хотела, чтобы ты бросил живопись. Всё это время я работала в большой **прачечной** на Двадцать четвёртой улице, я **гладила** там рубашки. И сегодня одна девушка из прачечной **обожгла** мне руку **утюгом**. Ты не сердишься на меня, Джо? Если бы я не работала в прачечной, ты бы не продал свои картины господину из Пеории.

Прачечная — *laundry*
Гладить — *to iron*
Обжечь — *to burn*
Утюг — *iron*

— Он не из Пеории, — медленно сказал Джо.

— Ну, это неважно, откуда он. Скажи, пожалуйста, как ты **догадался**, что я не даю уроки?

Догадаться — *to guess*

— Я ничего не знал до последней минуты, — сказал Джо. — И сейчас бы не догадался, но сегодня я послал **мазь** и **бинт** из **котельной** наверх, в прачечную, для какой-то девушки, которая обожгла руку утюгом. Я уже две недели тоже работаю в этой прачечной.

Мазь — *ointment*
Бинт — *bandage*
Котельная— *boiler-room*

— Значит, ты не...

— Мой господин из Пеории, как и твой генерал — это только **произведение искусства**. И когда любишь искусство...

Произведение искусства — *work of art*

Но Дилия не дала ему закончить.

— Нет, — сказала она. — Просто: когда любишь...

Последний лист
(по одноимённому рассказу О'Генри)

❄❄❄ • Существительные прилагательные и местоимения (единственное и множественное число) в разных падежах
• Виды глагола
• Прямая речь
• Выражение времени

В небольшом **квартале** недалеко от Вашингтон-сквера находилась студия Сью и Джонси. Одна приехала из штата Мейн, другая — из Калифорнии. Они познакомились в одном ресторане на Восьмой улице и нашли, что их **взгляды** на **искусство вполне совпадают**. В результате они стали жить вместе.

Квартал — *block*

Взгляд — *view*
Искусство — *art*
Вполне — *completely*
Совпадать — *to coincide*

Это случилось в ноябре, когда неприветливая **незнакомка**, которую доктора называют Пневмонией, смело гуляла по кварталам

Незнакомка — *female stranger*

Поражать — *to affect*
Жертва — *victim*
Палец — *finger*
Малокровная — *anaemic*

Кирпичный — *brick*

Лечение — *treatment*

Поправиться — *to get well*

Храбро — *bravely*

Рисунок — *drawing*

Шёпот — *whisper*

Считать — *to count*

Лист — *leaf*
Плющ — *ivy*
Стена — *wall*

и **поражала** свои **жертвы** холодными **пальцами**.

Наконец она пришла в дом, где жили Джонси и Сью. И сейчас миниатюрная и **малокровная** Джонси лежит неподвижно на кровати и смотрит в окно на стену соседнего **кирпичного** дома.

Однажды утром доктор позвал Сью в коридор.

— У неё один шанс из десяти, — сказал он. — И это только, если она сама захочет жить. Всё **лечение** бесполезно, когда люди начинают готовиться к смерти. Ваша маленькая барышня решила, что она уже никогда не **поправится**. Конечно, я сделаю всё, что смогу, а вы постарайтесь вернуть её интерес к жизни, и тогда у неё будет один шанс из пяти вместо одного из десяти.

Как только доктор ушёл, Сью выбежала в мастерскую и долго плакала. Потом она **храбро** вошла в комнату Джонси.

Джонси лежала на кровати и, казалось, спала.

Сью взяла лист бумаги и начала **рисунок** к журнальному рассказу. Вдруг она услышала тихий **шёпот**. Она быстро подошла к кровати. Глаза Джонси были широко открыты. Она смотрела в окно и **считала**.

— Двенадцать, — сказала она, и немного позже: — одиннадцать, — а потом: — «десять» и «девять», а потом: — «восемь» и «семь».

Сью посмотрела в окно и подумала: «Что она считает?» В окне можно было увидеть только старый, почти без **листьев**, **плющ** на **стене** дома.

— Что там, милая? — спросила Сью.

— Шесть, — тихо ответила Джонси. — Три дня назад их было почти сто. Вот ещё один полетел. Сейчас на плюще только пять.

— Чего пять, милая? Скажи своей Сьюзи.

— Пять листьев на плюще. Я умру, как только **упадёт** последний лист. Я это знаю уже три дня. Разве доктор не сказал тебе?

— Первый раз слышу такую **глупость**! — сказала Сью. — Сегодня утром доктор говорил мне, что ты скоро поправишься. Он сказал, что у тебя десять шансов против одного. Ты пока съешь немного бульона, а я закончу рисунок, чтобы я могла продать его и купить немного вина и **еды** для нас.

— Мне ничего не надо, — ответила Джонси. — Вот ещё один полетел. На плюще осталось только четыре листа. Я хочу увидеть, как упадёт последний лист. Тогда я умру.

— Джонси, милая, — сказала Сью, — **обещай** мне, что ты не будешь смотреть в окно, пока я не закончу работать, ладно? Я должна сдать эти иллюстрации завтра. Я бы закрыла окно, но мне нужен свет.

— Разве ты не можешь рисовать в другой комнате? — холодно спросила Джонси.

— Я хочу посидеть с тобой, — ответила Сью. — И очень **прошу** тебя не смотреть на эти дурацкие листья.

— Скажи мне, когда закончишь. Я должна видеть, как упадёт последний лист. Я устала ждать. Я устала думать. Я хочу лететь, лететь, как один из этих бедных усталых листьев.

— Постарайся **заснуть**, — сказала Сью. — Мне надо сходить к Берману. Я хочу писать с него портрет **золотоискателя**. Я только на минутку.

Старик Берман был **художник**, который жил внизу. Ему было за шестьдесят. Берман был **неудачником**. Всю жизнь он хотел написать **шедевр**, но даже не начал его. Уже несколько лет он писал только рекламу за ку-

Упасть — *to fall down*

Глупость — *foolishness*

Еда — *food*

Обещать — *to promise*

Просить — *to ask*

Заснуть — *to fall asleep*

Золотоискатель — *gold-prospector*

Художник — *artist*

Неудачник — *unlucky person*

Шедевр — *masterpiece*

Зарабатывать — *to earn*

Злой — *angry*

Охранять — *to guard*

Мольберт — *easel*
Полотно — *canvas*

Страх — *fear*
Рассердиться — *to be angry*

В течение — *during*

Подняться — *to rise*
Опустить — *to lower*
Штора — *blind*

Сон — *dream*

сок хлеба и **зарабатывал** немного денег, когда позировал молодым художникам. Он много пил, но всё время говорил о своём будущем шедевре. Это был **злой** старик, который смеялся над сентиментальностью и смотрел на себя, как на собаку, которая должна **охранять** молодых художниц.

Берман сидел в своей маленькой комнате, когда к нему вошла Сью. В одном углу уже двадцать пять лет стоял **мольберт**, а на нём чистое **полотно**, которое готово было принять шедевр старика. Сью рассказала Берману о фантазии Джонси и о своих **страхах**. Старик страшно **рассердился**.

— Всё это идиотские фантазии! — закричал он. — Как можно умереть, потому что листья падают? Первый раз слышу. Нет, не хочу позировать для вашего идиота золотоискателя. Ах, бедная маленькая мисс Джонси!

— Она очень больна, — сказала Сью, — и поэтому у неё такие фантазии. Очень хорошо, мистер Берман, — если вы не хотите позировать, то не надо.

— Вот настоящая женщина! — закричал Берман. — Кто сказал, что я не хочу позировать? Идём. Я иду с вами. **В течение** часа я говорю, что я хочу позировать. Боже мой! Здесь совсем не место болеть такой хорошей девушке, как мисс Джонси. Когда-нибудь я напишу шедевр, и мы все уедем отсюда. Да, да!

Как только они **поднялись** наверх, Сью **опустила штору** в комнате Джонси. Потом они прошли в другую комнату. Там они подошли к окну. На улице с утра шёл холодный дождь со снегом. Сью и старик со страхом посмотрели на старый плющ и ничего не сказали друг другу.

На другое утро Сью проснулась после короткого **сна** и увидела, что Джонси уже не спит и смотрит на закрытое окно.

— Открой окно! Я хочу посмотреть, — тихо сказала она.

Сью подошла к окну и подняла штору. После дождя и сильного ветра на кирпичной стене можно было увидеть один лист плюща — последний!

— Это последний, — сказала Джонси. — Я думала, что он **обязательно** упадёт сегодня ночью. Я слышала ветер. Он упадёт сегодня, и я умру.

Обязательно — *without fail*

День прошёл. Но лист не улетел. Потом, когда стало совсем темно, опять начался сильный дождь.

Утром Джонси попросила поднять штору. Лист плюща был на своём месте. Джонси долго лежала и смотрела на него. Потом она позвала Сью, которая готовила для неё куриный бульон.

— Я была не права, Сьюзи, — сказала Джонси. — Наверно, этот последний лист **остался**, чтобы показать мне, как я была не права. Нельзя **желать** себе **смерти**. Сейчас ты можешь дать мне немного бульона, потом молока с вином. Знаешь, Сьюзи, я надеюсь когда-нибудь написать **красками** Неаполитанский **залив**.

Остаться — *to stay*

Желать — *to wish*
Смерть — *death*

Краска — *paint*
Залив — *bay*

Днём пришёл доктор, и Сью вышла за ним в коридор.

— Ваша больная поправляется. Я вам больше не нужен, — сказал он. — Сейчас я должен пойти к другому больному, который живёт внизу. Его фамилия Берман. Кажется, он художник. У него тоже пневмония. Он уже старик, и форма болезни очень тяжёлая. Надежды нет, но сегодня его отвезут в больницу, там ему будет лучше.

В тот же день вечером Сью подошла к Джонси.

— Я должна сказать тебе, что мистер Берман умер сегодня в больнице от пневмонии.

Сознание — *consciousness*
Пол — *floor*
Мокрый — *wet*
Лёд — *ice*
Фонарь — *lantern*
Лестница — *ladder*
Палитра — *palette*
Дрожать — *to tremble*

Он болел только два дня. Он был без **сознания**, когда утром его нашли в комнате на **полу**. Его одежда и обувь были **мокрые** и холодные, как **лёд**. Никто не мог понять, куда он ходил ночью. Потом нашли **фонарь**, лестницу и **палитру** с жёлтой и зелёной краской.

— Посмотри в окно, дорогая, на последний лист плюща, — продолжала Сью. — Ты не спрашивала себя, почему он не **дрожит** от ветра? Да, дорогая, это и есть шедевр Бермана. Он написал его ночью, когда упал последний лист.

Жена короля
(по одноимённому рассказу Д. Лондона)

❄❄❄
- Существительные, прилагательные и местоимения (единственное и множественное число) в разных падежах
- Виды глагола
- Глаголы движения
- Выражение времени

I

Король — *king*
Отношение — *relation*
Племя — *tribe*
Ружьё — *gun*
Путешествовать — *to travel*
Ему пришлось — *he had to*
Сирота — *orphan*
Родня — *relatives*
Бездельник — *lazybones*

В те дни Северная страна была ещё молодой, и **отношения** между людьми были очень простые. Белый мужчина мог купить себе жену из индейского **племени** за бутылку виски или за старое **ружьё**.

Однажды Кел Галбрейт **путешествовал** по Северной стране. В дороге он заболел, и **ему пришлось** остановиться в миссии Святого креста. Там он познакомился с Магдалиной. Девушка была **сиротой**. Её отец был белый, а мать индианка. Из **родни** у неё остался только дядя — **бездельник** и алкоголик. Однажды к нему и пришёл Кел Галбрейт. Они долго говорили, выкурили много сигарет и договорились, что Магдалина станет женой Кела за одно **одеяло**, одно старое ружьё и двадцать бутылок виски.

Одеяло — *blanket*

На следующий день Магдалина и Кел поженились. Магдалина была хорошей женой. Она помогала мужу во всём и работала с утра до вечера. Наконец Кел нашёл золото. Он построил дом в Серкле, и все, кто знал эту пару, **завидовали** их семейному счастью. Его стали называть королём Серкла.

Завидовать — *to envy*

Прошло время, и с юга стали приезжать белые женщины. Они с **презрением** смотрели на индейских женщин, и мужчины Северной страны стали **стыдиться** своих жён.

Презрение — *contempt*
Стыдиться — *to be shamed*

Все эти годы Кел прожил тихо и **мирно**. Он был хорошим мужем Магдалине. У них родился мальчик. Но скоро он начал скучать дома. Он часто слышал фантастические **легенды** о Юконе — городе, который находился далеко на севере. Там было много золота. Там был новый прекрасный **мир**, а в Серкле, где он жил **до сих пор**, жизнь давно остановилась. Кел хотел увидеть всё сам. Поэтому весной он поцеловал Магдалину, пообещал ей вернуться через три месяца, к зиме, сел на **пароход** и уехал.

Мирно — *peacefully*
Легенда — *legend*
Мир — *world*
До сих пор — *until now*
Пароход — *steamer*

Магдалина ждала его всё это время. Северное короткое лето прошло быстро. Кел не вернулся. Он прислал только деньги и продукты для Магдалины.

В городе женщины начали рассказывать о Келе разные истории, которые они слышали от мужей. Они говорили о какой-то греческой **танцовщице**, с которой сейчас Кел; что она очень красива и мужчины для неё как **игрушки**.

Танцовщица — *dancer*
Игрушка — *toy*

Магдалина была индианка. У неё не было близкой подруги, и она ни с кем не могла **посоветоваться**. Целый день Магдалина думала, что делать. Но она была решительная женщина, поэтому к вечеру она **собрала вещи**,

Посоветоваться — *to ask advice*
Собрать вещи — *to pack things*

Санки — *sled*
Мороз — *frost*
Замёрзнуть — *to freeze*
Двигаться — *to move*
Упасть — *to fall down*
Шаг за шагом — *step by step*

тепло одела сына, посадила его на **санки** и поехала искать мужа.

Стоял сильный **мороз**, но река ещё не успела полностью **замёрзнуть**. Ей пришлось **двигаться** очень осторожно, чтобы не **упасть** в холодную воду. Медленно, **шаг за шагом**, Магдалина прошла и проехала 300 км. И, наконец, рано утром она была в Юконе.

Доверять — *to trust*
Накормить — *to feed*

Согреться — *to get warm*
Устроить — *to arrange*

Она постучала в дверь гостиницы-трактира Кида Мэйлмюта, человека, которого она знала с детства и которому она могла **доверять**. Хозяин **накормил** собак, на которых приехала Магдалина, положил её сына в кровать, дал женщине **согреться** и внимательно выслушал её историю.

Кид Мэйлмют решил помочь Магдалине и **устроить** всё так, чтобы её мужу стало стыдно. На другой день он встретился со своими друзьями Стенли Принсом и Джеком Харрингтоном.

II

— Раз, два, три, раз, два, три. А сейчас в другую сторону. Нет, не так! Всё сначала! Уже лучше. Повторите. Не смотрите на ноги! Раз, два, три, раз, два, три.

Смелая идея — *bold idea*
Соревнование — *competition*
От природы — *by nature*
Грациозный — *graceful*
Подвижный — *agile*

Магдалина училась танцевать. Это была **смелая** идея — то, что придумали эти мужчины, чтобы помочь женщине. Они готовили Магдалину так серьёзно, как готовят обычно спортсмена к **соревнованиям**. Магдалина старалась и занималась очень серьёзно. От **природы** у неё была хорошая фигура, она была **грациозна** и **подвижна**. Молодая женщина делала всё, что говорил ей Кид Мэйлмют, потому что, как она думала, этот человек знает всё на свете.

Однажды Харрингтон сидел и внимательно смотрел на Магдалину, как она танцует, и было видно, что он доволен результатами. Вдруг он неожиданно спросил:

— Что за вас взял этот старый алкоголик, ваш дядя?

— Одно старое ружьё, одно одеяло и двадцать бутылок виски, — ответила она с презрением.

Она неплохо говорила по-английски, но с небольшим индейским акцентом. Её учителя немедленно занялись и этим и, надо сказать, очень **успешно**. Кроме того, каждый день Кид Мэйлмют гулял с Магдалиной, чтобы научить её правильно и красиво ходить.

Результаты были **удивительными**. Магдалина часто читала **восторг** и чисто мужское **восхищение** в глазах своих друзей. Иногда она говорила тихо, с презрением:

— И одно старое ружьё.

В ней проснулась **гордость** дочери белого отца. До сих пор она чувствовала себя **чужой**. Её муж был Богом, женщины его рода — богини, и она не могла **сравнивать** себя с ними. И сейчас, когда Магдалина увидела, что она нравится белым мужчинам, она поняла, что сравнение её с белыми женщинами возможно.

Однажды в трактир-гостиницу Кида Мэйлмюта зашёл муж Магдалины. Надо сказать, что, как только кто-нибудь входил в трактир, Магдалина немедленно **пряталась** в другую комнату, поэтому в городе никто не знал, что она приехала.

Она стояла за дверью и старалась услышать, что говорит её муж. Когда в первый момент она узнала его голос, сердце у неё часто **забилось**, она почувствовала **слабость** в ногах и села на пол.

— Когда вы думаете вернуться в Серкл? — спросил Кид Мэйлмют у Кела Галбрейта.

— Не знаю, — ответил Кел. — Может быть, весной.

Успешно — *successfully*

Удивительный — *astonishing*

Восторг — *delight*

Восхищение — *admiration*

Гордость — *pride*

Чужой — *stranger*

Сравнивать — *to compare*

Прятаться — *to hide*

Забиться — *to beat*

Слабость — *weakness*

— А Магдалина?

Кел Галбрейт покраснел.

— Ей и без меня хорошо, — сказал король Серкла. — Там Том Диксон занимается моими делами. Он ей поможет, если будет нужно.

Потом он ушёл.

Кид Мэйлмют вошёл в комнату, где пряталась Магдалина. Она сидела на полу, **равнодушная** ко всему. Надо было вернуть её к жизни, подготовить к встрече с мужем. Она должна себя вести, как белая женщина, настоящая жена короля, иначе её **победа** не будет победой. Кид **строго** поговорил с ней, объяснил мужскую психологию и она, наконец, поняла.

Равнодушный — *indifferent*

Победа — *victory*

Строго — *strictly*

Незадолго до **Дня Благодарения** Кид Мэйлмют зашёл к своей знакомой миссис Эппингуэлл. Он попросил миссис Эппингуэлл помочь ему одеть Магдалину для маскарада. Миссис Эппингуэлл была умная женщина, и ей можно было доверять.

День Благодарения — *Thanksgiving*

Миссис Эппингуэлл сделала всё, чтобы Магдалина **выглядела**, как принцесса.

Выглядеть — *to look*

Наконец пришло время, когда Магдалина и её три её верных друга поехали на маскарад.

III

— Где Фреда? — спрашивали в зале.

Мужчины делали **ставки**, кто первый узнает под маской греческую танцовщицу.

Ставка — *stake*

Кел Галбрейт тоже пришёл на маскарад. Как и другие мужчины, он старался найти прекрасную гречанку.

Самыми красивыми масками на балу были две женщины: «**Северное сияние**» и «Русская **княжна**». Последняя была более грациозна и элегантна.

Северное сияние — *northern lights*

Княжна — *princess*

— Наверно, это прекрасная Фреда, — подумал Кел Галбрейт. Потом он подошёл к незнакомке и пригласил её на кадриль.

После танца он был абсолютно уверен, что это не Фреда. Ему показалось, что он уже где-то встречал эту женщину, но где и когда это было, он не мог вспомнить. Ему было трудно решить этот вопрос, потому что Джек Харрингтон и Кид Мэйлмют всё время танцевали с «Русской княжной» и активно **ухаживали** за ней. А после того как Джек сказал Келу, что **влюблён** в незнакомку и хочет **завоевать** её сердце, король Серкла, который не был однолюбом, немедленно забыл и Фреду, и Магдалину.

Ухаживать — *to court*
Влюблён — *fall in love*
Завоевать — *to conquer*

Ровно в полночь все начали снимать свои маски. Последними были «Северное сияние», с которой танцевал Кел Мэйлмют, и «Русская княжна», с которой танцевал Джек Харрингтон.

Кел снял маску со своей партнёрши. Это была танцовщица Фреда. В зале стало тихо. Все смотрели на «Русскую княжну» и думали: «Тогда кто это может быть»? Джек Харрингтон долго не мог снять маску с «Русской княжны». Наконец маска **слетела**, и в зале **ахнули**, потом опять стало тихо. Все ждали, что будет делать Кел.

Слететь — *to fly down*
Ахнуть — *to exclaim*

Кел страшно **рассердился**. Он подошёл к Магдалине и начал говорить с ней на индейском диалекте. Магдалина не показала ни **страха**, ни **раздражения**. Она спокойно отвечала мужу по-английски. Король был **растерян**: его жена **держит себя в руках** лучше, чем он.

— Пошли, — сказал он, наконец. — Пошли домой.

— Простите, — ответила она, — но я обещала мистеру Харрингтону поужинать с ним. И потом, **я приглашена** на танцы.

Рассердиться — *to get angry*
Страх — *fear*
Раздражение — *irritation*
Растерян (а, ы) — *was taken aback*
Держать себя в руках — *to keep head*
Я приглашена — *I am invited*

Джек Харрингтон подошел к Магдалине, предложил ей свою руку, и они ушли в столовую ужинать. У короля Серкла был шок, а Кид Мэйлмют улыбался.

Шумно — *noisily*

Через некоторое время Кел тоже пошёл в столовую. Здесь было **шумно**. Как только он подошёл к столу, где сидела его жена, все замолчали. Магдалина посмотрела на мужа равнодушными, скучающими глазами.

— Э-э... разрешите пригласить вас на мазурку? — спросил король.

Знак согласия — *token of consent*

Жена короля посмотрела в свою бальную книжку и улыбнулась в **знак согласия**.

Женское презрение
(по одноимённому рассказу Д. Лондона)

❄❄❄
- Существительные, прилагательные и местоимения (единственное и множественное число) в разных падежах
- Виды глагола
- Глаголы с частицей **-ся**
- Выражение времени
- Выражение условия

I

Презрение — *contempt*
Сойтись — *to meet*
Мех — *fur*

Однажды пути Фреды и миссис Эппингуэлл **сошлись**. Фреда была молодая танцовщица, гречанка. Она была красива, энергична и носила самые дорогие **меха**.

Звезда — *star*
Высшее общество — *high society*

А миссис Эппингуэлл была женой капитана, тоже **звездой,** но только в **высшем** обществе Доусона.

Править — *to govern*
Холм — *hill*

И миссис Эппингуэлл, и Фреда легко **правили** мужчинами. Только миссис Эппингуэлл правила в своём доме на **холме**, а также в полиции, администрации и суде, а Фреда правила в городе.

Полюс — *pole*

Эти две женщины были так же далеки одна от другой, как Северный **полюс** от Южного и, наверно, они слышали что-то друг о друге, но никогда не говорили об этом.

Жизнь в Доусоне была спокойной и тихой, но однажды в город приехала очаровательная экс-**натурщица** Лорэн Лиснаи, и по её вине миссис Эппингуэлл и Фреда **вторглись во владения** друг друга.

Сейчас эти **события** эти для Клондайка уже история, но только очень немногие в Доусоне знали их **причину**, а кто не знал, никогда не мог понять до конца ни жену капитана, ни танцовщицу.

Натурщица — *model*
Вторгнуться во владение — *to invade real each others*
Событие — *event*
Причина — *reason*

II

Флойд Вандерлип был сильным человеком. Первые годы на севере он много работал, как **настоящий** лев. Он не боялся **опасности**, холода и тяжёлой работы. Прошло немало времени и было **потрачено** много **сил**, прежде чем Флойд Вандерлип нашёл золото, и его **признали** королём севера.

У него была одна **слабость**: он был очень **влюбчивый**. Эта влюбчивость проснулась в нём, как только он **разбогател**. В один прекрасный день он вдруг вспомнил о Флосси — девушке, которая осталась в Соединённых Штатах. Флойд был уверен, что она ждёт его и хочет стать его женой. Поэтому он написал письмо, положил туда чек на большую сумму и послал всё на адрес Флосси. Потом он купил удобный дом в Доусоне и сказал знакомым, что скоро женится.

Настоящий — *real*
Опасность — *danger*
Потратить — *to spend*
Сила — *force*
Признать — *to recognize*
Слабость — *weakness*
Влюбчивый — *amorous*
Разбогатеть — *to grow rich*

Но ждать **невесту** было скучно, а его сердце, которое так долго спало, хотело любви. Флосси должна была скоро приехать, но Лорэн Лиснаи уже приехала.

Невеста — *bride*

Она была уже не так молода, как раньше, когда кардиналы и принцы оставляли в её доме свои визитные **карточки**. И потом, у неё были денежные проблемы. Лорэн Лиснаи хорошо жила в Европе и сейчас у неё была конкретная **цель**: атаковать какого-ни-

Карточка — *card*
Цель — *aim*

Бельё — *linen*

Увлечение — *infatuation*

Сплетня — *gossip*

Жалеть — *to feel sorry*

Представить — *to imagine*

Мороз — *frost*

Жених — *fiance*

Улыбнуться — *to smile*

Горд (а, ы) — *proud*

Особенный — *special*

Очаровательный — *charming*

Сожалеть — *to regret*

Знатная особа — *noble man*

будь золотого короля и выйти за него замуж. Для этого она и приехала на Север. Однажды она встретила Флойда Вандерлипа в магазине, когда он покупал столовое **бельё** для своей Флосси. Через несколько дней Лорэн Лиснаи уже обедала в доме, который Флойд купил для Флосси. А потом их часто видели вместе.

В городе начали говорить о Флойде и его новом **увлечении** Лорэн Лиснаи. Только миссис Эппингуэлл ничего не хотела слышать. Она не верила **сплетням**. А Фреда сразу поняла в чём дело, потому что никогда не верила мужчинам и не **жалела** мужчин.

У Фреды было доброе сердце. Когда она **представила** себе бедную Флосси, синюю от **мороза**, как она едет на собаках на север к своему **жениху**, ей стало жаль Флосси, и она решила помочь бедной девушке. И однажды во время танца Фреда **улыбнулась** Флойду Вандерлину.

Флойд был страшно **горд**. Он чувствовал себя «интересным мужчиной». «Наверно, у меня есть что-то **особенное**, если я понравился двум таким **очаровательным** женщинам», — думал он. Флойд уже начал **сожалеть**, зачем он послал письмо Флосси и пригласил её приехать. Конечно, он не мог жениться на Фреде, потому что она была только танцовщица, но Лорэн Лиснаи — это женщина, которая ему нужна.

Но Фреда улыбнулась и продолжала улыбаться. И в один прекрасный день она уже тоже обедала в доме, который купил Флойд для своей Флосси. Тогда экс-натурщица во время следующей встречи с Флойдом Вандерлипом рассказала ему о своих принцах и кардиналах. Она показала ему письма на элегантной бумаге, которые начинались «Моя милая Лорэн» и были подписаны очень **знат-**

ной особой из **королевской** семьи. Флойд удивлялся, что такая **важная** дама, как Лорэн Лиснаи, **тратит** на него так много своего времени. А когда Лорэн начала **сравнивать** его со своими знатными друзьями, и при этом он всегда был лучше их, Флойд совсем **потерял** голову.

Фреда **соблазняла** его более **тонко** и продолжала часто встречаться с ним и обедать в его доме.

И в этот момент миссис Эппингуэлл сделала ошибку. О Флойде Вандерлипе стали говорить все громче. Она узнала о его частых встречах с танцовщицей. И когда миссис Эппингуэлл тоже представила себе синюю от мороза Флосси, которая едет на собаках к своему жениху, она пригласила Флойда Вандерлипа на чашку чая в дом на холме. Флойд просто **опьянел** от **гордости**. Три женщины — и какие женщины! — **борются** за его **душу**.

Миссис Эппингуэлл сначала осторожно поговорила обо всём с Ситкой Чарли. Ситка Чарли был индейцем. Все верили его слову и **прислушивались** к его **мнению**. В разговоре с ним миссис Эппингуэлл не назвала имя танцовщицы, а говорила только: «Эта... эта... **ужасная** женщина». А Ситка Чарли повторял: «Эта ужасная женщина», — и думал о Лорэн Лиснаи. Он был согласен с миссис Эппингуэлл, что нехорошо **отбивать** жениха у невесты.

— Флосси совсем девочка, Чарли, — говорила миссис Эппингуэлл, — наверно, очень молодая. Она приедет сюда и будет совсем одна, без друзей. Надо что-то делать.

Ситка Чарли обещал помочь и ушёл. Он думал, какая плохая эта женщина, Лорэн Лиснаи, и какие **благородные** женщины миссис Эппингуэлл и Фреда, если они хотят помочь **незнакомой** Флосси.

Королевский — *royal*
Важный — *important*
Тратить — *to spend*
Сравнивать — *to compare*
Потерять — *to lose*
Соблазнять — *to seduce*
Тонко — *subtly*

Опьянеть — *to get drunk*
Гордость — *pride*
Бороться — *to fight*
Душа — *soul*

Прислушиваться — *to listen*
Мнение — *opinion*

Ужасный — *horrible*

Отбивать — *to take away*

Благородный — *noble*
Незнакомый — *unknown*

Спуститься — *to go down*

Ей пришлось — *she had to*

Горничная — *servant*

Отказ — *refusal*

Принять — *to receive*

Равный — *equal*

Уважать — *to respect*

Помешать — *to prevent*

Знатный — *noble*

Опомниться — *to collect oneself*

Священник — *priest*

Уговоры — *persuasion*

Угроза — *threat*

Чары — *sorcery*

Уговорить — *to persuade*

Тайно — *secretly*

Обвенчаться — *to be married*

Надо сказать, что миссис Эппингуэлл была прямая женщина. Однажды днём она **спустилась** со своего холма и подошла к дому танцовщицы. Она хотела сама увидеть эту женщину и поговорить с ней. Она долго стояла на снегу перед домом Фреды, а мороз был 60 градусов. Сначала никто не открывал дверь, а потом **ей пришлось** выслушать от **горничной отказ принять** её. «Что думает о себе эта женщина? — спрашивала себя миссис Эппингуэлл». — Если бы Фреда пришла к ней на холм, она, миссис Эппингуэлл, приняла бы её, и они посидели бы около камина, поговорили бы, как **равные**. Она очень рассердилась на Фреду.

Но не стоило сердиться на Фреду. Она была бы счастлива принять миссис Эппингуэлл в своём доме, но танцовщица очень хорошо знала своё место. Она **уважала** Миссис Эппингуэлл, но так же уважала и себя, хотя её никто не уважал. Вот это и **помешало** ей принять **знатную** даму. А потом, она ещё не **опомнилась** после визита миссис Мак-Фи, жены **священника**, которая пришла к ней с **уговорами** и **угрозами**. Фреда просто не могла представить себе, почему жена капитана тоже хочет видеть её.

III

Ничего не изменилось в течение месяца: миссис Эппингуэлл старалась спасти Флойда Вандерлипа от **чар** Фреды; Флосси ехала на север к Флойду; Фреда боролась с экс-натурщицей; экс-натурщица придумывала, как женить на себе Флойда, а Флойд, счастливый, бегал туда-сюда и представлял себе, что он Дон-Жуан.

Наконец, в один прекрасный день Лорэн Лиснаи **уговорила** Флойда убежать из города и **тайно обвенчаться**. Для этого нужны были сильные и свежие собаки. Поэтому Флойд купил собак у Ситки Чарли и уехал ненадолго из города по делам. Он не объяснил индейцу, для чего ему нужны собаки, и Ситка Чарли решил узнать всё сам.

Как только Флойд уехал, Чарли прибежал к Лорэн Лиснаи и с большим волнением спросил её: знает ли она, куда уехал мистер Вандерлип? Он, Ситка Чарли, должен был привести этому джентльмену собак, но **бессовестный торговец** Майерс заранее **скупил** всех собак. Ситка Чарли должен встретиться с мистером Вандерлипом и сказать ему, что по вине Майерса он может опоздать к **сроку**. А... она знает, куда он уехал? Вверх по реке? Прекрасно! Ситка Чарли немедленно поедет за ним. Как она сказала? Собаки нужны ему в пятницу вечером? Опять проблема! Майерс **поднял** цены. И собака сейчас стоит пятьдесят долларов. Согласится ли мистер Вандерлип заплатить дороже? Она **уверена**, что согласится? И она, как друг мистера Вадерлипа, даже сама заплатит **разницу**? Прекрасно! Итак, в пятницу вечером? Собаки будут.

Через час Фреда узнала, что Флойд и Лорэн уедут в пятницу вечером; узнала она, что Флосси уже недалеко и приедет в субботу.

Миссис Эппингуэлл тоже была рада, когда узнала обо всём. «Флойд Вандерлип сейчас далеко, — думала она, — его невеста скоро будет в городе, и Фреда уже ничего не успеет сделать».

Ситка Чарли сказал миссис Эппингуэлл, что эта ужасная женщина хочет в пятницу вечером уехать из города вместе с Флойдом. Тогда миссис Эппингуэлл утром в пятницу послала **записку** Флойду Вандерлипу. В этот же день Фреда тоже послала ему записку. К вечеру Флойд получил сразу две записки. Он

Бессовестный — *dishonest*
Торговец — *merchant*
Скупить — *to buy up*

Срок — *deadline*

Поднять — *to raise*

Уверен (а, ы) — *sure*
Разница — *difference*

Записка — *note*

не стал читал записку от Фреды. Сегодня он не поедет к ней. В этот вечер у него более важные дела. О Фреде можно уже забыть. Но миссис Эппингуэлл! Он приедет к ней на бал-маскарад, чтобы послушать, что она хочет ему сказать. Она хочет сказать о чём-то важном, а вдруг... он улыбнулся. Как **ему везёт** с женщинами!

Ему везёт — *he is lucky*

Когда он вернулся домой, он велел Ситке Чарли привести собак к реке ровно в **полночь**. Потом начал готовиться к встрече с миссис Эппингуэлл.

Полночь — *midnight*

IV

Два раза Фреда посылала человека с письмом на бал-маскарад к миссис Эппингуэлл, но не получила ответа. Тогда она надела маску, и сама поехала туда.

Надо сказать, что на бал были приглашены только самые знатные и **уважаемые** люди. Многие мужчины сразу узнали меха Фреды и удивлялись её **смелости**, но они молчали, потому что не хотели скандала.

Уважаемый — *respected*

Смелость — *courage*

Но Мак-Фи, жена священника, тоже узнала фигуру и глаза женщины, с которой недавно у неё была не очень приятная встреча и разговор. Она подошла к Фреде и сняла с неё маску. Наступила тишина.

— Миссис Эппингуэлл, — сказала она громко, — разрешите **представить** вам Фреду. Мисс Фреду Молуф, если не ошибаюсь.

Представить — *to introduce*

Фреде казалось, что она стоит **голая**. Но она была сильная женщина, и если она пришла сюда, чтобы **увести** Флойда, она сделает это.

Голый — *naked*

Увести — *to take away*

Реакция миссис Эппингуэлл была странной. Она поняла, что чувствовала Фреда в этот момент, и ей стало жаль её. Поэтому миссис Эппингуэлл сняла свою маску и **наклонила** голову в знак согласия. Фреда отве-

Наклонить — *to incline*

тила на **приветствие** миссис Эппингуэлл и потом **обратилась** к Вандерлипу:

— Пошли, Флойд, — сказала она просто. — Вы мне нужны сейчас.

Флойд стоял и **растерянно** посмотрел сначала на миссис Эппингуэлл, а потом на Фреду. Он не знал, что делать.

— Одну минуту, простите, но можно мне сначала поговорить с мистером Вандерлипом? — спросила миссис Эппингуэлл.

— Простите, но на это уже нет времени, — ответила Фреда. — Он должен уйти со мной сейчас.

— Но мисс Молуф, кто вы такая, чтобы **руководить** мистером Вандерлипом?

Флойд радостно заулыбался. Он был очень рад и надеялся, что миссис Эппингуэлл поможет ему выйти из этой ситуации.

— А кто вы такая, чтобы спрашивать? — сказала Фреда.

— Кто я такая? Я миссис Эппингуэлл и...

— Ну да, конечно! — остановила её Фреда. — Вы жена капитана, а я только танцовщица. Зачем вам этот человек?

— Наверно, у мисс Молуф на вас какие-то **права**, мистер Вандерлип, и она так спешит... но можно мне поговорить с вами сейчас?

— Да... конечно, с удовольствием, — радостно начал Флойд Вандерлип.

Но Фреда так посмотрела на него, что Флойд сразу изменил своё **решение**.

— Э... мы поговорим с вами потом. Завтра, миссис Эппингуэлл, да, да, завтра, — закончил он.

Флойд думал, что если он здесь останется, будет ещё хуже. А потом он уже должен спешить на свидание у реки. Но, чёрт возьми! Как плохо он знал Фреду! Какая она удивительная женщина!

Приветствие — *greeting*
Обратиться — *to adress*
Растерянно — *confusingly*
Руководить — *to manage*
Права — *rights*
Решение — *decision*

Замёрзнуть — *to freeze*
Ртуть — *mercury*
Лениво — *lazily*
Рассматривать — *to examine*

До дома Фреды они шли довольно долго. На улице было очень холодно. **Замёрзла** даже **ртуть** в термометре, который висел на двери. Дома Флойд сразу сел поближе к камину, закурил сигару и начал **лениво рассматривать** Фреду.

Фреда осторожно посмотрела на часы. До полуночи осталось полчаса. Что сделать, чтобы он не ушёл? Сердится он на неё или нет? Какое у него **настроение**?

Настроение — *mood*

Фреда не спешила начать разговор. А Флойд чувствовал себя прекрасно. Здесь было **уютно** и тепло. Как она шикарно одета! Интересно, почему она так странно смотрит на него? Может быть, она тоже хочет выйти за него замуж? Очень возможно; не одна она хочет это. А она красива и молода, моложе Лорэн Лиснаи. Ей, наверно, двадцать три-двадцать четыре года. И она никогда не будет **толстой**. А Лорэн, как только выйдет за него замуж, начнёт стареть и толстеть. А эта девушка, эта Фреда... Как жаль, что он родился не в Турции, где у него было бы много жён!

Уютно — *comfortably*

Толстый — *fat*

— Ну? — наконец сказал он. — Я хочу узнать, почему вы так хотели меня видеть.

Была уже полночь, и ему уже давно надо было быть у реки.

— Флойд, — начала Фреда, — я устала. Я хочу уехать. Если я не уеду сейчас, я умру.

И она положила свою руку на его руку.

«Ну вот, — подумал он, — ещё одна... А Лорэн пусть подождёт немного у реки, ничего с ней не случится».

— Я не знаю, что сказать, — ответил он. — Я был бы счастлив, но я... я **помолвлен**. Вы знаете, конечно. И моя невеста едет сюда, чтобы выйти за меня замуж. Не знаю, почему я **сделал** ей **предложение**... Это случилось давно, когда я ещё был очень молод.

Помолвлен (а, ы) — *engaged*

Сделать предложение — *to propose*

Но Фреда, **как будто** не слышала, что он говорит.

Как будто — *as if*

— Я хочу уехать отсюда, всё равно куда, — сказала она. — Из всех мужчин, которых я знаю, вы... вы...

— Я самый лучший?

Она улыбнулась. Если бы он знал, как она **презирает** его сейчас! Но она нежно посмотрела на него.

Презирать — *to despise*

А Флойд в этот момент думал: если он **изменил** Флосси, почему не изменить и Лорэн? Если женщины бегают за ним, то зачем он должен спешить. У него много денег, и Фреда красивая девушка, и все будут **завидовать** ему. Но не надо спешить.

Изменить — *to betray*

Завидовать — *to envy*

— Вы, кажется, не очень любите жить во **дворце**, правда? — спросил он.

Дворец — *palace*

— Да, это приятно на время, — быстро ответила она. — Жизнь будет интересной, когда какое-то время работаешь, а потом отдыхаешь. Например, летом на море, зимой — в Южной Америке. Такой сильный энергичный человек, как вы, не может долго жить во дворце, потому что вы **настоящий мужчина**.

Настоящий мужчина — *real man*

— Вы так думаете?

— Конечно, я это знаю. А как вы нравитесь женщинам!

— Да? Почему?

— Почему? Потому что вы такой мускулистый, сильный, вы настоящий мужчина.

Она посмотрела на часы. Прошло полчаса. Ситке Чарли она сказала, чтобы он ждал тридцать минут, не больше. Она сделала, что хотела.

Вдруг Фреда засмеялась, встала и позвала горничную.

— Алиса, принесите мистеру Вандерлипу его пальто.

Флойд ничего не мог понять.

— Спасибо, Флойд, что вы потратили на меня столько времени. Когда вы выйдете отсюда, поверните налево — это самый ко-

Быть вне себя — *to be beside oneself with rage*
Схватить — *to seize*
Перестаньте! — *Stop it!*

Ничего особенного — *nothing special*
Задержать — *to keep back*
Испортить — *to spoil*

Усмехнуться — *to smile slightly*

Сжать — *to clench*
Прислушаться — *to listen to*
Нарты — *dogsled*

Шагнуть — *to step*
Расцеловать — *to cover with kisses*
Обнять — *to embrace*

роткий путь к реке. Спокойной ночи. Я иду спать.

Флойд **был вне себя**. Он грубо **схватил** её за руку. Но она только расхохоталась. Она не боялась мужчин.

— **Перестаньте**! — сказала она. — Я передумала, я не пойду спать. Садитесь. У вас есть вопросы?

— Да, сударыня. Что вы знаете о реке?

— **Ничего особенного**. УСитки Чарли там свидание с одной дамой, которую вы, наверно, знаете, и он попросил меня **задержать** вас немного, чтобы вы не **испортили** его свидание. Вот и всё. Они уже уехали полчаса назад...

— Куда? Без меня? Я потратил четыре тысячи долларов, потерял собак и женщину, потерял всё... но не вас!

Фреда только **усмехнулась**.

— Поехали! — сказал он. — Я пойду попрошу кого-нибудь дать мне собак, и мы выедем немедленно.

— Простите, но я сейчас пойду спать.

— Что?!

Он с такой силой **сжал** её руку, что ей стало больно, но она улыбнулась и внимательно **прислушалась** к шуму во дворе. Чьи-то **нарты** подъехали к дому.

Дверь открылась. В комнату сначала влетел морозный воздух, а потом вошла женщина в меховой одежде.

— Флойд! — радостно крикнула женщина, и устало **шагнула** ему навстречу.

Это была Флосси. Что он мог сделать? Только **расцеловать** эту очень хорошенькую девушку, и она **обняла** его счастливая.

— Как ты хорошо сделал, что послал за мной человека со свежими собаками! — сказала она. — Если бы не он, я бы приехала только завтра. Ты очень хотел меня видеть? Правда, милый?

Флойд удивлённо посмотрел на Фреду и вдруг всё понял.

— Да, я уже начал нервничать, — ответил он, взял девушку на руки и понёс к выходу.

В эту ночь миссионера Джеймса Брауна **разбудил** незнакомый индеец, который оставил у него неизвестную женщину, а сам быстро уехал. Женщина была полная, красивая и очень сердитая. Она ушла пешком в Доусон только рано утром.

Разбудить — *to wake up*

V

Прошло много времени, наступило лето. Местное высшее общество **устроило** на берегу реки праздник. В этот день миссис Эппингуэлл, которая уже успела узнать многое и изменить своё мнение, в первый раз после бал-маскарада увидела Фреду. Она подошла к танцовщице и **протянула** ей руку. Сначала Фреда **испугалась**, потом женщины что-то сказали друг другу, и Фреда, великолепная Фреда **расплакалась** на плече жены капитана.

Общество было шокировано. Никто не мог понять, почему миссис Эппингуэлл сначала протянула руку какой-то танцовщице, а потом попросила при всех у неё **прощения**. Это было **неприлично**.

Устроить — *to organize*

Протянуть — *to hold*

Испугаться — *to be frightened*

Расплакаться — *to burst into tears*

Прощение — *forgiveness*

Неприлично — *indecently*

Ну, Джоунс, подожди!

(по рассказу Э. Саррантонио «Ну, Джоунс, погоди!»)

❄❄❄
- Существительные, прилагательные и местоимения (единственное и множественное число) в разных падежах
- Безличные конструкции
- Виды глагола

12 января

Сегодня я **счастлив**, потому что **представитель** фирмы поставил на моём **газоне** но-

Счастлив (а, ы) — *happy*

Представитель — *representative* Газон — *lawn* Любоваться (imperf) — *to admire* Уход — *departure* Удержаться — *to restrain* Покрыт (а, ы) — *covered* Держать себя в руках — *to keep oneself in a hands* Оба — *both* Мгновенно — *instantly* Кричать — *to yell* Шикарный — *stylish* Снимать — *to shoot a film* Отказаться — *to refuse* Негодяй — *scoundrel* Мысль — *thought* Зарабатывать — *to earn* Позволять себе — *to afford* Увеселительный — *entertaining* Попасть — *to get*	

вую абстрактную скульптуру. Когда Гарри Джоунс увидел её, он от удивления открыл рот и долго не мог закрыть. Ему придётся **любоваться** ею каждое утро перед **уходом** на работу.

30 января

Когда Джоунс пригласил меня посмотреть на его новую скульптуру, я с трудом **удержался**, чтобы не убить его. Его скульптура вся **покрыта** серебром, и в два раза больше моей. Я сумел **держать себя в руках**, но мы **оба** знали, что я думаю.

16 февраля

Сегодня я позвал сына Гарри и сфотографировал его своей новой голокамерой. Фотографию, которая была готова **мгновенно**, я отдал мальчику и он, конечно, сразу побежал к отцу — спросить, почему у них нет такой голокамеры. Могу себе представить, как Гарри **кричит** на своего сына. Мне от этого весь день было хорошо.

27 февраля

Сегодня позвонил Гарри, сказал, что купил **шикарную** голокинокамеру и пригласил нас с Шейлой **снимать** первый фильм. Конечно, я **отказался** от приглашения, но этот **негодяй** прислал потом своего сына с копией фильма. Цветной, звуковой фильм! Мне плохо от **мысли**, что этот негодяй, который **зарабатывает** не больше меня, **позволяет себе** купить голокинокамеру.

17 июня

Ну, подожди, Гарри Джоунс! Сегодня рабочие закончили всю работу и ушли, и, я должен сказать, что сделали они всё прекрасно. Наверное, ни у кого в стране нет такой **увеселительной** системы. Здесь есть всё: голографические клоуны, вечерние фейерверки. Абсолютно всё. Продавец в магазине начал объяснять мне, что я **попал** на самое начало технической революции **в бытовом увеселении** и что цены никогда уже не будут такие низкие. Я не дал ему закончить, просто **подписал** контракт и заплатил **задаток**... Ну, Гарри, выйди из дома и **полюбуйся**...

28 июня

Боже, **прости** меня, но сегодня весь день мне хотелось убить Гарри. Сейчас я уже немного **отошёл**, но утром, когда я вернулся из командировки и увидел, как Гарри строит около дома уличный **трёхмерный** театр с площадкой для гольфа и **тиром**... Часа через два я уже смог говорить, но и сейчас нахожусь в шоке...

11 ноября

Ну, вот, я потратил свой последний цент. Шейла ушла от меня, детей она взяла с собой, но **это не имеет значения**. **Мне удалось** дать **взятку** сотруднику **исследовательской** лаборатории в одной компании, которая занимается **производством** бытовых **приборов**. Сейчас я уверен, что **держу** в руках **единственный** в мире экземпляр. Человек, которому я дал взятку, сказал мне, что это абсолютно новый бытовой прибор. Он может **полностью** изменять **пространственно-временную структуру Вселенной**, может делать почти всё. В последний момент он вдруг **испугался**, хотел отказаться от **сделки**, начал объяснять, что эта вещь опасна, что она ещё не прошла все эксперименты. Он говорил, что **использовать** её надо очень осторожно, потому что Земля может попасть в Прошлое, в палеозойскую эру. Но, когда он увидел у меня толстую **пачку** денег в одной руке и пистолет в другой, он замолчал и взял деньги. Сейчас я стою на своём газоне и смотрю на дом Джоунса (я знаю, что он у себя и **пробует** заказать по телефону такую же, как у меня систему, или хотя бы узнать, что это такое). Как

Бытовой — *everyday*
Увеселение — *entertainment*
Подписать — *to sign*
Задаток — *deposit*
Полюбоваться (perf) — *to admire*
Простить — *to forgive*
Отойти — *to calm down*
Трёхмерный — *3-D, three-dimensional*
Тир — *shooting galery*
Это не имеет значения — *it is not impotant*
Мне удалось — *I managed*
Взятка — *bribe*
Исследовательский — *research*
Производство — *production*
Прибор — *device, apparatus*
Держать — *to keep*
Единственный — *only*
Полностью — *completely*
Пространственно-временная структура Вселенной — *spatially-temporary structure of universe*
Испугаться — *to be scared*
Сделка — *deal*
Использовать — *to use*
Пачка — *bundle*
Пробовать — *to try*

Нажать — *to push*
Кнопка — *button*

только этот негодяй подойдёт к окну, чтобы посмотреть на мою систему, я **нажму кнопку**. О, кажется, это его лицо я вижу в окне? Ну, Джоунс, погоди...

11 ноября

400 000 000 лет до нашей эры.

Двигать — *to move*
Камень — *stone*
Выползать — *to crawl out*
Дышать — *to breath*
Суша — *band*
Прохладно — *cool*
Радоваться — *to rejoice*

Я **двигаю камень**, большой камень. Грязные руки у меня, во рту грязь. Я **выползаю** из моря, мокрого моря. Теперь подо мной грязь, земля. Трудно **дышать**, но я дышу. Теперь я останусь на **суше**. Двигаю камень. Хороший камень, под ним **прохладно**, не жарко. Живу под камнем.

Хорошо. Я **радуюсь**.

Другой Я выползает из моря. Я смотрю на него. Он учится дышать, долго, ему трудно, я вижу, что он хочет вернуться в море, но потом остаётся. Смотрит на меня под камнем.

Залезать — *to climb*
Злиться — *to get angry*

Теперь он двигает камень, другой камень, больше моего. Под ним больше места, больше прохлады. Он **залезает** под свой камень, ложится и смотрит на меня.

Я злюсь.

Сны Гуальтьеро
(по итальянской народной сказке)

- Существительные, прилагательные и местоимения (единственное и множественное число) в различных падежах
- Выражение условия
- Глаголы движения
- Виды глагола

Дворянин — *nobleman*
Беспокоиться — *to worry*

Много лет назад во Флоренции жил молодой **дворянин,** которого звали Гуальтьеро. Был он здоров, красив и не беден, поэтому друзья за него не **беспокоились**, а **враги** ему

завидовали. Но если бы Гуалтьеро рассказал о себе побольше, друзья были бы **расстроены**, а враги **обрадовались** бы.

Дело в том, что Гуалтьеро каждую ночь видел страшные сны. Он боялся ложиться спать. Он старался не **засыпать**: гулял до утра или шёл на бал. Но человек не может жить без сна. В конце концов усталый Гуалтьеро **падал** на **постель** и засыпал.

И сразу начинались кошмары. Гуалтьеро кричал во сне, **просыпался** от ужаса и больше не мог заснуть.

Однажды в гости к Гуалтьеро приехал старый друг его отца, синьор Рикардо. Гуалтьеро рассказал ему о своей **беде**. После рассказа молодого человека синьор Рикардо сказал:

— Я часто читаю старинные книги, и из них я узнал многие **тайны**. Я любил твоего отца как брата, а тебя я люблю как сына. Поэтому я попробую помочь тебе. Слушай: в день **новолуния** пойди в лес и принеси **ветку папоротника**. А перед тем как заснуть, положи её под **подушку,** ложись спать и ничего не бойся. И ещё: ты знаешь, в самом страшном сне есть что-нибудь прекрасное. **Дотронься** до этого и скажи: «То, что я вижу, — я вижу во сне. Но ты **наяву** приходи ко мне!» Вот всё, что я могу тебе посоветовать.

В этот же день синьор Рикардо уехал.

Гуалтьеро сделал всё, что советовал синьор Рикардо. И в ту же ночь ему **приснился** такой сон.

Он на балу в прекрасном зале. Вокруг много красивых дам и кавалеров. Все они поют, танцуют, смеются, но, когда Гуалтьеро подходит к ним, они сразу **отбегают**, как будто к ним подошла грязная уличная собака.

Вдруг из **толпы** вышел высокий синьор и подошёл к Гуалтьеро. Но Гуалтьеро не мог **рассмотреть** его лицо. Человек сказал:

Враг — *enemy*
Завидовать — *to envy*
Расстроен — *upset*
Обрадоваться — *to be glad*
Дело в том, что — *the case is that*
Засыпать — *to fall asleep*
Падать — *to fall down*
Постель — *bed*
Просыпаться — *to wake up*
Беда — *trouble*
Тайна — *secret*
Новолуние — *new moon*
Ветка — *branch*
Папоротник — *fern*
Подушка — *pillow*
Дотронуться — *to touch*
Наяву — *in reality*
Присниться — *to have a dream*
Отбегать — *to run apart*
Толпа — *crowd*
Рассмотреть — *to discern*

Меч — *sword*
Драгоценный — *precious*
Камень — *stone*
Рукоятка — *handle*
Ударить — *to hit*

— Пора покончить с этой грязной собакой!

В руке у него Гуалтьеро увидел **меч** с **драгоценными камнями на рукоятке**.

Человек поднял меч, чтобы **ударить** Гуалтьеро. Но в последний момент Гуалтьеро успел дотронуться до блестящего металла и сказал:

— То, что я вижу, — я вижу во сне. Но ты наяву приходи ко мне!

Исчезнуть — *to disappear*

И всё **исчезло**. Гуалтьеро спокойно спал до утра. А утром, когда он проснулся, он не мог поверить своим глазам: чудесный меч из его сна лежал около кровати.

Поле — *field*
Плащ — *cloak*
Копьё — *spear*

На следующую ночь Гуалтьеро приснилось, что он бежит по **полю**. А за ним — человек на лошади в чёрном **плаще** и с **копьём**. Во сне Гуалтьеро почувствовал, что он уже не может бежать, и упал. Человек в чёрном уже был около него. «Сейчас мне конец!» — подумал Гуалтьеро, но вдруг вспомнил слова синьора Рикардо. У человека в чёрном был очень красивый **конь** — и Гуалтьеро дотронулся до него и **произнёс волшебные** слова. И опять всё исчезло.

Конь — *horse*
Произнести — *to pronounce*
Волшебный — *magic*

Когда Гуалтьеро проснулся утром и подошёл к окну, он увидел в саду коня из своего сна.

— Зачем мне конь и меч?! — сказал Гуалтьеро. — Я хочу только **покоя**, а мои кошмары продолжаются.

Покой — *peace*

В следующий раз ему приснилось, что он идёт по какой-то **пещере**. Он хочет найти выход, но выхода нет. Тогда **в отчаянии** Гуалтьеро ударил по стене **кулаком**, и на него начали падать золотые **монеты**, **рубины** и **изумруды**. Их было так много, что через минуту они закрыли бы его с головой. Но в последний момент молодой человек успел крикнуть волшебные слова.

Пещера — *cave*
В отчаянии — *in despair*
Кулак — *fist*
Монета — *coin*
Рубин — *ruby*
Изумруд — *emerald*

Когда Гуалтьеро открыл утром глаза, посреди комнаты он увидел **кучу** золота и драгоценных камней.

Куча — *plenty*

Вдруг в дверь **постучали**. Гуалтьеро крикнул: «Войдите!», и в комнату вошёл маленький важный человечек в богатой одежде.

— Синьор Гуалтьеро! — сказал человечек. — Мой господин, король страны снов, очень **возмущён** вашим **поведением**. Сначала вы **украли** у него его любимый меч, потом — его любимого коня, а сегодня вы **унесли** все его драгоценности! Так не может **продолжаться**. Мой король прислал меня, чтобы я **договорился** с вами.

Постучать — *to knock*
Возмущён (а, ы) — *indignant*
Поведение — *behavior*
Украсть — *to steal*
Унести — *to bring away*
Продолжаться — *to continue*
Договориться — *to make an agreement*

— Ах вот как! — закричал Гуалтьеро. — А сколько лет я боялся закрыть глаза ночью, боялся заснуть... Пусть теперь он боится, когда я ложусь спать!

Маленький человечек быстро сказал:

— Но мой король обещает не посылать вам больше плохих снов. Он предлагает **договор**: вы вернёте всё, что вы взяли, и пообещаете не уносить у него никогда ни одной вещи. А король обещает посылать вам самые лучшие сны — те, которые любит смотреть он сам.

Договор — *agreement*

— Согласен, — сказал Гуалтьеро.

— Тогда — приятных вам снов! — сказал человечек и **исчез**.

Исчезнуть — *to disappear*

Вместе с ним исчезли меч, конь и драгоценные камни.

С этого времени у Гуалтьеро началось прекрасное время. Он весело **проводил** дни, а ещё лучше — ночи. Сны, которые посылал ему король страны снов, были самые приятные.

Проводить — *to spend*

Так прошло три года. И вот Гуалтьеро увидел во сне, что он гуляет в саду с прекрасной девушкой. Никогда он не был так счастлив, как сейчас. Он слушал её **нежный** голос и чувствовал, что с каждой минутой любит её всё больше. Вдруг он вспомнил, что это только сон, и попросил:

Нежный — *tender*

— Идём помедленнее! Я боюсь, что когда мы **дойдём** до конца аллеи, ты исчезнешь... А я так люблю тебя...

Дойти — *to reach*

Облако — *cloud*
Мечта — *dream*
Схватить — *to caught*
Рассердиться — *to be angry*

— Но ведь ты можешь сделать так, чтобы мы всегда были вместе! — сказала девушка. — Ты только должен дотронуться до меня и сказать волшебные слова.

— Но я обещал королю не уносить из его страны ни одной вещи.

— Разве я вещь? — удивилась девушка. — Я лёгкое **облако**, я **мечта**. И если ты дотронешься до меня, я тоже не буду вещью. Я буду живой девушкой, которая любит тебя. Но если ты не хочешь...

И девушка начала исчезать.

— Не уходи! Я не могу без тебя! — Гуалтьеро **схватил** её за руку и закричал:

— То, что я вижу, — я вижу во сне. Но ты наяву приходи ко мне!

И Гуалтьеро проснулся. Около кровати сидела девушка из его сна. Гуалтьеро женился на девушке, и они были очень счастливы. Но странное дело: с тех пор Гуалтьеро вообще не видел снов — ни плохих, ни хороших. Наверное, король страны снов очень **рассердился** на него и решил не посылать ему никаких снов. Но Гуалтьеро не был расстроен: с ним теперь всегда была та, которую он встретил во сне и любил наяву.

Учёный кот

(по итальянской народной сказке)

❄❄❄
- Существительные (единственное и множественное число) и прилагательные (единственное число) в разных падежах
- Выражение цели
- Виды глагол

Учёный — *educated*
Переделать — *to change*

Рассказывают, что много лет назад в Палермо жил принц, который был уверен, что весь мир может **переделать по-своему**. И, правда, в его **дворце** можно было увидеть много странных вещей: **лошадь** ела мясо, а **осел** умел танцевать тарантеллу.

Но больше всего принц гордился своим котом.

Десять учёных **потратили** 10 лет жизни, чтобы дать **образование** принцу, чтобы научить его в любой ситуации не забывать, что он принц. А принц потратил 5 лет, чтобы дать образование своему коту, чтобы кот забыл, что он кот. Когда, наконец, принц **достиг** того, чего хотел, он сказал друзьям:

— Приходите ко мне завтра на ужин, и вы увидите, что человек может изменить **природу**. Это **докажет** мой кот.

Друзья с удовольствием приняли приглашение. Один из них, человек **умный** и **догадливый**, подумал: «Если на ужине будет кот, неплохо взять с собой мышку!». Так он и сделал.

На следующий день, когда гости пришли на ужин, они увидели богатый стол. А в центре стола **неподвижно**, как статуя, сидел кот и **держал зажженную свечу**.

Гости сели за стол, и слуги начали приносить разные вкусные блюда — мясо, рыбу, паштеты... Все блюда так вкусно **пахли**! Но кот не реагировал. Он неподвижно сидел и держал свечу.

— Ну, что я вам говорил! — сказал принц. — Вы видите, что человек может изменить природу!

— Конечно, конечно! — закричали гости. Только один гость не кричал. Он положил рядом с собой на стол **шляпу** и незаметно посадил под шляпу мышку.

Мышка посидела минуту под шляпой, а потом осторожно **высунула** голову. Как только кот увидел мышку, он сразу забыл всё,

По-своему — *his way*
Дворец — *palace*
Лошадь — *horse*
Осёл — *donkey*
Гордиться — *to be proud of*
Потратить — *to spend*
Образование — *education*
Достичь — *to reach*
Природа — *nature*
Доказать — *to prove*
Умный — *clever*
Догадливый — *quick-witted*
Неподвижно — *motionless*
Держать — *to hold*
Зажжённый — *lighted*
Свеча — *candle*
Пахнуть — *to smell*
Шляпа — *hat*
Высунуть — *to stick out*

(ему) не удалось — *he didn't manage*

чему учил его принц. Свеча полетела в сторону, а кот бросился за мышкой.

Так принцу **не удалось** переделать по-своему не только всю природу, но даже своего кота.

Миссис Бриксби и подарок полковника
(по одноимённому рассказу Р. Даля)

❄❄❄
- Существительные, прилагательные и местоимения (единственное число) в разных падежах
- Неопределенные местоимения
- Глаголы движения
- Виды глагола
- Выражения времени

Полковник — *colonel*
Средний — *average*
Доход — *income*

Мистер и миссис Бриксби жили в маленькой квартирке в Нью-Йорке. Мистер Бриксби был зубным врачом со **средним доходом**.

Навестить — *to visit*
Ночевать — *to spend the night*

Его жена, миссис Бриксби, высокая энергичная женщина, раз в месяц, всегда по пятницам, ездила в Балтимор **навестить** свою старую тётю. Она **ночевала** у тёти и возвращалась на следующий день к вечеру. Мистер Бриксби знал, что тётя Мод живёт в Балтиморе совсем одна, что его жена очень любит старушку, и был очень рад, что жена не просит его ездить вместе с ней.

На самом деле — *in actual fact*
Богатый — *rich*

Но **на самом деле** миссис Бриксби ездила не к тёте. Именно в Балтиморе жил полковник — неженатый и очень **богатый** господин, к которому ездила миссис Бриксби.

Так прошло 8 лет.

Особенно — *especially*
Мил — *nice*

В рождественский вечер миссис Бриксби стояла на вокзале в Балтиморе и ждала поезд, чтобы вернуться домой в Нью-Йорк. У неё было прекрасное настроение. Сегодня полковник был **особенно мил**.

— Извините, — вдруг услышала она, — полковник просил **передать** Вам это.

И слуга полковника дал ей большую **коробку**.

— Это рождественский подарок для Вас!

Как только миссис Бриксби вошла в вагон, она, конечно, сразу открыла коробку. О, Боже! Там лежала шикарная **норковая шуба**! Такая шуба стоит 5—6 тысяч долларов, а может быть, ещё больше! В коробке лежал также конверт. Миссис Бриксби открыла конверт и увидела в нём письмо от полковника:

«Я помню, как ты говорила, что **безумно** любишь **норку**, поэтому я купил тебе эту шубу. Мне сказали, что это хорошая вещь. Извини, это мой **прощальный** подарок. К сожалению, мы не сможем больше встречаться. **Прости** меня и желаю тебе **счастья**».

— Жалко! — подумала миссис Бриксби. — Но всё хорошее когда-нибудь кончается. И потом шуба... Ах, какая шуба! **Мечта**!

Она хотела **выбросить** письмо в окно, но вдруг увидела, что в письме есть постскриптум:

«P.S. Скажи мужу, что твоя тётя подарила тебе шубу на Рождество».

— Моя тётя? — подумала миссис Бриксби. — Откуда у неё такие деньги? Да, но если не тётя, то кто подарил эту шубу? Как объяснить мужу, откуда у меня эта шуба?

Все два с половиной часа в поезде миссис Бриксби думала только об этом.

На вокзале в Нью-Йорке она взяла такси.

— В **ближайший ломбард**, пожалуйста, — сказала она **водителю**.

Через десять минут такси остановилось около ломбарда.

— Добрый вечер, — сказала миссис Бриксби **оценщику**. — Так случилось, что я вышла из дома и забыла дома все деньги. Сегодня

Передать — *to hand*
Коробка — *box*
Норковая шуба — *mink fur coat*
Безумно — *madly*
Норка — *mink*
Прощальный — *farewell*
Простить — *to forgive*
Счастье — *happiness*
Мечта — *dream*
Выбросить — *to throw away*
Ближайший — *nearest*
Ломбард — *pawnshop*
Водитель — *driver*
Оценщик — *valuer*

суббота, банки закрыты до понедельника, а мне ужасно нужны деньги на уикэнд. Я хотела бы **оставить** у вас свою шубу и получить 50 долларов. Это, конечно, очень дорогая шуба, она стоит в 100 раз больше, но мне очень нужны деньги до понедельника. А в понедельник я приду и **выкуплю** шубу.

Оставить — *to leave*

Выкупить — *to redeem*

— Как хотите, — сказал оценщик, взял **квитанцию** и начал **заполнять** её:

Квитанция — *receipt*

Заполнять — *to fill in*

— Фамилия?

— Это не нужно, — быстро сказала миссис Бриксби. — И адрес тоже не нужно. Понимаете, у меня есть **личные причины**...

Личные причины — *personal reason*

— Хорошо, но тогда не потеряйте квитанцию, потому что, если вы её потеряете, любой человек, который найдёт её, может прийти сюда и выкупить вашу шубу.

— Да, я понимаю. Я не потеряю. И ещё: не пишите, пожалуйста, в квитанции, какую вещь я у вас оставила. Просто напишите **залоговую сумму** — 50$.

Залоговая сумма — *deposit sum*

— Как хотите, — согласился оценщик. — Это ваша шуба! Мы берём 3 процента в месяц.

Миссис Бриксби взяла квитанцию и вышла из ломбарда. Через полчаса она уже была дома.

— Добрый вечер, дорогая, — сказал муж. — Как тётя Мод?

— Отлично, она передала тебе привет. Кстати, сегодня в такси я нашла какую-то бумагу. Тут есть номер, я подумала, что это **лотерейный билет** и мы можем **выиграть** деньги. Посмотри, **я права**?

Лотерейный билет — *lottery ticket*

Выиграть — *to win*

Я права — *I am right*

И она дала мужу квитанцию. Он внимательно посмотрел на бумагу и сказал:

— Это квитанция из ломбарда. Смотри, тут есть адрес ломбарда и фамилия оценщика. И **написана** залоговая сумма — 50$. Но не написано, какую вещь **сдали** в ломбард и кто сдал. Я думаю, что мы можем и должны выкупить эту вещь сами.

Написан (-а, о, ы) — *written dawn*

Сдать (в ломбард) — *to pawn*

— Ой, как интересно! — сказала миссис Бриксби. — А, может быть, это какая-нибудь **замечательная** вещь — **старинная** ваза или **кольцо**... Дай мне квитанцию, в понедельник утром я поеду в ломбард.

— Думаю, что лучше я сделаю это сам.

— Ну, нет! — сказала миссис Бриксби. — Это моя квитанция, я нашла её и я хочу поехать сама.

— Нет, дорогая, — сказал муж. — Ты не знаешь, какие **хитрые** люди работают в ломбарде, они могут **обмануть** тебя. Если хочешь, мы можем поехать вместе. Хочешь?

Миссис Бриксби уже **собиралась** сказать «да», но **вовремя вспомнила**, что оценщик **сразу узнает** её.

— Нет, — сказала она. — Я не поеду с тобой. Будет **гораздо** интереснее, если я подожду дома. Буду ждать сюрприз.

В понедельник мистер Бриксби взял квитанцию и сказал, что он **заедет** в ломбард до работы, а когда приедет в свою клинику, позвонит ей.

Он позвонил через час.

— Я взял эту вещь! — сказал мистер Бриксби.

— О! И что это? Что-нибудь хорошее?

— Да! Это фантастическая вещь! Попробуй **угадать**, что это!

— Кольцо?

— Нет.

— **Серьги**?

— Тоже нет. Хорошо, я приеду вечером домой, и ты увидишь. Я хочу, чтобы это был сюрприз для тебя.

— Нет! — **закричала** миссис Бриксби. — Я сейчас сама приеду к тебе на работу.

Через полчаса она вошла в рабочий кабинет мужа.

— Где? — сразу спросила она.

Замечательный (-ая, ое, ые) — *remarkable*
Старинный (-ая, ое, ые) — *ancient*
Кольцо — *ring*
Хитрый (-ая, ые) — *sly*
Обмануть — *to deceive*
Собираться — *to be going to*
Вовремя — *in time*
Вспомнить — *to recall*
Сразу — *at once*
Узнать — *to recognize*
Гораздо — *mach more*
Заехать — *to pop in*
Угадать — *to guess*
Серьги — *earnings*
Закричать — *to shout*

Меховой (-ая, ое, ые) — *fur*
Горжетка — *boa*

Тебе повезло — *you was lucky*

Убить — *to kill*

Бросить — *to throw*
Немедленно — *immediately*

Легко — *gracefully*
Королева — *queen*
Выглядеть — *to look*

— Сейчас, — сказал муж. — Но сначала закрой глаза!

Миссис Бриксби на минуту закрыла глаза, а когда открыла их, она увидела в руках мужа не шубу, а маленькую **меховую горжетку**!

— Это настоящая норка! — радостно сказал муж. — В магазине такая горжетка стоит триста баксов. **Тебе повезло**, дорогая. Пусть это будет подарок для тебя на Рождество. В чём дело, дорогая? Тебе не нравится?

— Нет, очень нравится, — с трудом улыбнулась миссис Бриксби. — Очень красивая горжетка...

«Я **убью** этого оценщика из ломбарда! — подумала она. — Я прямо сейчас пойду к нему, **брошу** горжетку ему в лицо и скажу, чтобы он **немедленно** вернул мне мою шубу!»

Миссис Бриксби взяла горжетку и вышла из кабинета. В коридоре она увидела мисс Палтни, ассистентку мистера Бриксби, которая шла обедать.

— Сегодня прекрасный день, правда? — улыбнулась мисс Палтни и пошла дальше.

Мисс Палтни шла **легко**, как **королева**. Она и **выглядела**, как королева, в шикарной норковой шубе, которую полковник подарил миссис Бриксби.

Убийца начал новую жизнь
(по рассказу из журнала «Отдохни»)

❄❄❄
- Существительные (единственное и множественное число) и прилагательные (единственное число) в разных падежах
- Виды глагола
- Выражение времени
- Безличные конструкции

Убийца — *murderer*
Убийство — *murder*

Эдвард Лакси, которого полиция Чикаго уже 3 месяца искала за **убийство** жены, спокойно сидел в офисе за письменным столом и читал утренние газеты. Его офис находился в **огромном** здании **биржи**. На двери висела **табличка**: «Уильям Дрейхам. Продажа **редких** книг».

Он не выходил из здания биржи все 3 месяца и не **собирался** этого делать, потому что только тут он чувствовал себя в **безопасности**.

Лакси **снял** этот офис на имя Уильяма Дрейхама за два_месяца до убийства жены и за три месяца прекрасно вошёл в роль продавца редких книг. Со дня убийства прошло уже много времени, и газеты всё **реже** писали об этом **преступлении**. Лору Лакси нашли **убитой** в **спальне**, а её муж сразу после убийства **исчез**.

Здание биржи было огромным. Тут было всё, что нужно современному человеку, — рестораны, магазины, парикмахерские, банк, спортивный зал, почта. Лакси ходил в рестораны и парикмахерские, **время от времени заказывал** на почте нужные ему книги и даже **заранее** открыл счёт в **местном** банке на своё новое имя. Деньги на **расходы** у него были, но **основной** капитал находился в Париже — там, где ждала его Глория.

Эдвард Лакси закончил читать газеты и, как всегда по утрам, подумал: «А не пойти ли к Мэрилин Боггс — выпить кофе?» Мэрилин всегда была рада его видеть, и кофе у неё прекрасный. Как приятно, подумал Лакси, что у него такая **милая соседка** и почти коллега: он продаёт редкие книги, она — антиквариат...

Мисс Боггс, хозяйка небольшого антикварного магазина, который находился в конце коридора, встретила его с радостной **улыбкой**:

Огромный — *huge*
Биржа — *exchange*
Табличка — *nameplate*
Редкий — *rare*
Собираться — *to be going to*
Безопасность — *safety*
Снять — *to rent*
Реже — *more seldom*
Преступление — *crime*
Убитый — *killed*
Спальня — *bedroom*
Исчезнуть — *to disappear*
Время от времени — *from time to time*
Заказывать — *to order*
Заранее — *in advance*
Местный — *local*
Расходы — *expenses*
Основной — *main*
Милая — *nice*
Соседка — *neighbour*
Улыбка — *smile*

Оглядеть — *to look around*
Обстановка — *furnishing*
Везде — *everywhere*
Старинный — *ancient*
Сундук — *trunk*
Гордость — *pride*
Чудесно — *wonderful*
Отпуск — *vacation*
К сожалению — *unfortunately*
Выставка — *exhibition*
Обещание — *promise*
Заходить — *to call in*
Ежедневно — *every day*
Пока не — *until*
Передумать — *to change one's mind*
Смело — *boldly*
Навстречу — *towards*
Усы — *moustache*
Борода — *beard*
Походка — *gait*
Направляться — *to make for*
Тем не менее — *nevertheless*
Нервничать — *to fret*
Вспомнить — *to recall*
Юрист — *lawyer*
Частные расследования — *private investigations*
Принять решение — *to take decision*

— Доброе утро, Уильям! Как хорошо, что вы пришли...

— Вы же знаете, как я люблю бывать у вас, — ответил Лакси и **оглядел** знакомую **обстановку**. **Везде** лежали, стояли и висели **старинные** вещи. В углу стоял старинный испанский **сундук** — **гордость** мисс Боггс.

Мэрилин дала ему чашку кофе.

— **Чудесно**! Надеюсь, вы когда-нибудь расскажете секрет вашего кофе? А как ваш **отпуск**? Поедете на следующей неделе?

— **К сожалению**, Уильям, мои планы изменились. Я прямо завтра поеду в Нью-Йорк, потом на 5 дней в Лондон на **выставку**... А оттуда — в Париж, Рим и Цюрих. Вы помните своё **обещание**? Вы **обещали** заходить сюда **ежедневно**, пока меня не будет.

Когда Лакси пошёл к себе, он увидел, как из офиса напротив вышел мужчина. Это был брат его жены Лоуренс Брайдвелл. Сначала Лакси решил вернуться к мисс Боггс и подождать там, **пока** Лоуренс **не** уйдёт. Но потом он **передумал** и **смело** пошёл по коридору **навстречу** Лоуренсу. Он был уверен, что его невозможно узнать: без **усов** и **бороды**, с синими контактными линзами, даже **походка** другая... И, правда, Лоуренс даже не посмотрел на него и **направился** к лифту. Но **тем не менее** Лакси **нервничал**. А вдруг Лоуренс всё-таки узнал его? Он посмотрел в сторону лифта — Лоуренс Брайдвелл ждал лифт, но смотрел на Лакси!

Лакси с трудом открыл дверь своего офиса — так он нервничал. Он **вспомнил** табличку на двери, из которой вышел Лоуренс: «Джексон и Фортворт, **юристы**. **Частные расследования**».

Всю ночь Лакси не спал и думал, что делать. За ночь он **принял решение**: нужно остаться в здании биржи до тех пор, пока он не **придумает**, как уехать из города. После того как он придумает, он **переедет** в Нью-Йорк, а потом в Париж, к Глории.

Всю следующую неделю он **вёл себя** очень **осторожно**: выходил из офиса только чтобы зайти в магазин мисс Боггс и проверить, всё ли в **порядке**. За это время он 2 раза видел **спину** Лоуренса Брайдвелла, который выходил из офиса Джексона и Фортворта. «Почему он так часто туда ходит?» — думал Лакси.

Придумать — *to invent*
Переехать — *to move*
Вести себя — *to be have*
Осторожно — *carefully*
Порядок — *order*
Спина — *back*

Через неделю к Лакси **неожиданно** зашёл Джексон, **старший компаньон** фирмы «Джексон и Фортворт». Лакси не был готов к такому визиту.

Неожиданно — *unexpectedly*
Старший — *elder*
Компаньон — *partner*

— Я давно собирался к вам, мистер Дрейхам, — сказал юрист. — Моя фамилия Джексон. Меня интересуют старинные и редкие книги. Можно мне посмотреть, что у вас есть?

— Рад познакомиться! — с трудом сказал Лакси. — Пожалуйста, смотрите всё, что вам интересно.

Минут сорок Джексон смотрел книги, а потом ушёл.

После его ухода Лакси начал думать: «Что **на самом деле** надо этому Джексону? Что он хочет узнать? А, может быть, он **действительно** интересуется книгами? **В любом случае** — надо **срочно** уезжать!»

На следующее утро кто-то **постучал** в дверь. Лакси открыл дверь и опять увидел Джексона.

— Доброе утро, — сказал юрист. — Можно к вам? Со мной **пара приятелей**, которые хотели бы с вами поговорить. Они из полиции.

Лакси почувствовал панику.

— Садитесь, пожалуйста. — Он с трудом улыбнулся. Потом он сел за стол и написал

На самом деле — *in actual fact*
Действительно — *indeed*
В любом случае — *in any case*
Срочно — *urgently*
Постучать — *to knock*
Пара — *couple*
Приятель — *friend*

Улыбнуться — *to smile*
Немедленно — *immediately*
Оставить — *to leave*
Почтовый ящик — *postbox*

Спрятаться — *to hide*
Влезть — *to climb into*
Узкий — *narrow*
Щель — *crack*
Воздух — *air war-step*
Крышка — *lid*
Щелчок — *click*

Задание — *task*
Полицейское управление — *police station*

Заметить — *to notice*
Уборщица — *office cleaner*
Вытирать пыль — *to dust*
Случайно — *accidentally*
Захлопнуться — *to slam shut*
Жалко — *it's a pity*
Позвать — *to ask*

адрес на одном из конвертов, которые лежали на столе.

— Извините, — сказал он. — Это очень срочное письмо, я должен послать его **немедленно**. Я **оставлю** вас на несколько минут... там, внизу, есть **почтовый ящик**...

— Конечно, — сказал один из полицейских. — Идите, мистер Дрейхам. Мы подождём.

Лакси вышел за дверь и побежал в магазин мисс Боггс. Конечно, через минуту или две полицейские поймут, что он убежал, и тогда... Нужно **спрятаться** в сундук!

Лакси **влез** в сундук. Он оставил **узкую щель** для **воздуха**, но вдруг услышал чьи-то **шаги** в коридоре. Он совсем закрыл **крышку**. Лакси услышал **щелчок**, в сундуке стало темно.

С тех пор как Лакси ушёл с письмом из офиса, прошло минут 30.

— Не понимаю, куда он исчез, — сказал сержант. — Нам нужно продать ещё 50 билетов.

— А вы оставьте билеты мне. Штук 10, — ответил Джексон. — Мистер Дрейхам — очень милый человек. Я уверен, что он их купит.

Двое полицейских, которые получили **задание** продавать билеты на футбольный матч между командами двух **полицейских управлений**, оставили билеты и ушли.

Уильям Дрейхам исчез из здания биржи, но почти никто этого не **заметил**. Через две недели об этом уже никто не вспоминал.

Только мисс Боггс, которая вернулась через месяц, удивлялась: почему Уильям не заходит к ней на чашку кофе?

Через несколько дней после приезда она увидела, что крышка сундука закрыта. «Наверное, **уборщица вытирала** пыль, и крышка **случайно захлопнулась**... **Жалко**, что у меня нет ключа. Ничего, на днях **позову** мастера. Пусть откроет крышку...»

Ночь в гостинице
(по рассказу М. Бретта)

❄❄❄ • Существительные, прилагательные и местоимения (единственное и множественное число) в разных падежах
• Виды глагола
• Прямая речь

Гостиничный детектив Оукс **заметил** эту **рыжую** девушку сразу. Она сидела около **стойки** бара. Оукс работал в гостинице уже четыре года и поэтому сразу понял, что она **аферистка**. Такие девицы приходят в бары, знакомятся с богатыми мужчинами, а потом **исчезают** с их деньгами.

Рыжая **красотка** заказала коктейль. Бармен Джимми поставил перед ней **бокал** с коктейлем.

Девушка взяла коктейль, **отпила глоток** и вдруг заплакала.

«Неплохо играет, — подумал детектив Оукс. — Талантливая актриса!»

Немолодой мужчина, который сидел недалеко от девушки, встал и подошёл к ней.

— Что с вами? Почему вы плачете? — спросил он.

— Я должна была встретиться здесь с **женихом**, но он не приехал, — начала рассказывать красотка. — Что мне теперь делать? Я так несчастна...

— Не плачьте, пожалуйста! — сказал мужчина. — Меня зовут Уиллис Хартли. Могу я вам чем-нибудь помочь?

Этот вопрос вызвал новые слёзы. Через несколько минут девушка встала и пошла в туалет **привести** себя **в порядок**.

Когда она ушла, детектив Оукс подошёл к Уиллису Хартли...

— Извините меня, мистер Хартли, — сказал он. — Прошу вас, поймите меня правиль-

Заметить — *to notice*
Рыжий — *red-haired*
Стойка — *counter*
Аферистка — *swindler*
Исчезать — *to disappear*
Красотка — *pretty girl*
Бокал — *glass*
Отпить глоток — *to take a sip*
Жених — *fiancé*
Привести в порядок — *to put in order*

но. Вы только что разговаривали с девушкой... Она уже три дня живёт в нашей гостинице. Одна. Мне кажется, она аферистка. Я знаю, о чём говорю. Мой **опыт**...

— Извините, но это не она подошла ко мне, это я подошёл к ней, — сказал Хартли. — Вы видели, она плакала.

— Да, — согласился Оукс. — Но, по-моему, её **слёзы** — это игра! Я уверен, что она аферистка.

— Интересно, — улыбнулся Хартли. — Что же она может со мной сделать?

— Она может вас **шантажировать**. Скажет, например, что вы её **напоили**. **Порвёт** своё платье и скажет, что вы хотели её **изнасиловать**... У неё точно **что-то на уме**.

— Думаю, что вы просто боитесь, что она уедет и не заплатит по счёту. Не волнуйтесь, я заплачу за неё. Я вижу, что она **порядочная** девушка.

— Конечно, мистер Хартли. Наверное, я ошибся. Извините.

В этот день, вечером, детектив Оукс опять увидел девушку и Уиллиса Хартли. Они вышли из ресторана и пошли в бар. Там они сели в самом тёмном углу и начали тихо разговаривать.

— Джимми, — сказал детектив бармену, — я сейчас пойду к себе. Позвони мне, когда эта пара пойдёт наверх.

В полночь бармен Джимми позвонил детективу:

— Они только что ушли. **Направились** к лифту.

Через 30 минут детектив поднялся на этаж, где жил Уиллис Хартли. Около двери его номера детектив остановился и **прислушался**. В номере было тихо. Детектив **бесшумно** открыл дверь **отмычкой** и вошёл в комнату.

Опыт — *experience*

Слёзы — *tears*

Шантажировать — *to blackmail*

Напоить — *to make plied (with vodka)*

Порвать — *to tear*

Изнасиловать — *to rape*

Иметь что-то на уме — *to have smth. in mind*

Порядочный — *decent*

Направиться — *to make for*

Прислушаться — *to listen to*

Бесшумно — *without noise*

Отмычка — *skeleton*

На кровати крепко спал Хартли. «Интересно, когда она **подсыпала** ему в стакан **снотворное**? Здесь или в баре? Очень профессиональная работа», — подумал Оукс.

Рыжая девушка лежала в ванной на полу. Её глаза были закрыты, а лицо было совсем синим...

Когда детектив вернулся в спальню, Уиллис Хартли открыл глаза и сел на кровати.

— Что вы здесь делаете? Почему вы здесь? — **возмутился** он.

— Кто-то позвонил **портье**, — сказал детектив, — и рассказал о каком-то шуме и крике в вашем номере. Я пришёл проверить. Вы лежали на кровати, а девушка там, в ванной. **Она мертва**. Я думаю, что её **отравили**.

Уиллис Хартли **бросился** в ванную, но через минуту в ужасе вернулся.

Детектив Оукс подошёл к телефону:

— Нужно позвонить в полицию.

— Подождите! — закричал Хартли. — Это не я! Это не я убил её! Но... я ничего не помню... Только ужасно болит голова...

— Вы расскажете это полиции, мистер Хартли.

Детектив взял трубку.

— Помогите мне, — попросил Хартли. — **Уберите** её отсюда. Я дам вам 1000$.

— Вы предлагаете мне **нарушить закон**?

— Но я не **виноват**...

— А может быть, вы просто забыли? Вы же сказали, что ничего не помните? Ладно, я помогу вам... Но за десять тысяч долларов. Вы уедете и завтра обо всём забудете... Согласны?

Уиллис Хартли заплатил немедленно. Детектив сходил за **тележкой**, на которой возят **бельё**, положил на него **тело** девушки, **накрыл простынёй** и **увёз**.

Через 20 минут Уиллис **Хартли** уехал из гостиницы...

key
Подсыпать — *to pour*
Снотворное — *sedative*

Возмутиться — *to be appalled*
Портье — *porter*
Она мертва — *she is dead*
Отравить — *to poison*
Броситься — *to rush (into)*

Убрать — *to take away*
Нарушить закон — *to break law*
Виноват (а, ы) — *guilty*
Тележка — *trolley*
Белье — *laundry*
Тело — *body*
Накрыть — *to cover*
Простыня — *sheet*
Увезти — *to take*

away

Делить — *to share*
Салфетка — *napkin*
Стереть — *to wipe off*
Краска — *paint*

Вредно — *harmful*
Кожа — *skin*

***

Детектив Оукс, бармен Джимми и рыжая девушка сидели в номере и **делили** 10 тысяч долларов.

Девушка взяла **салфетку**, **стёрла** с лица голубую **краску** и спросила Оукса:

— Эта краска не **вредна** для **кожи**?

— Ты можешь не бояться, — ответил Оукс. — До тебя я работал со многими девушками... Никто из них не жаловался на **качество** краски.

Призрак появлялся в октябре
(по рассказу из журнала «Отдохни»)

*** • Существительные и прилагательные (единственное число) в разных падежах.
• Глаголы движения
• Виды глагола
• Прямая речь

Качество — *quality*
Призрак — *ghost*
Появляться — *to appear*
Простудиться — *to catch a cold*
Крикнуть — *to shout*

Ледяной — *icy*
Грог — *grog*

Обидеться — *to be offended*

— Хорошо, дядя, я все передам маме. Приходи скорей домой, ты можешь **простудиться**!

Сара Вильсон, девочка лет четырнадцати, повесила трубку и побежала на второй этаж к двери ванной комнаты, где ее мать в этот момент принимала душ.

— Мама! — **крикнула** она из-за двери. — Дядя Том упал в море! В **ледяную** воду! Он только что звонил и просил приготовить к его приходу горячий **грог**. Кстати, в гостиной тебя ждет господин Бешар, уже 15 минут сидит. Он может **обидеться** и уйти, и тогда тебе придется искать для меня другого учителя французского языка.

— Скажи ему, что я буду через 10 минут, — сказала из-за двери мать.

Сара побежала на первый этаж, в гостиную, где сидел господин Бешар.

— Мама скоро **спустится**, — сказала девочка. — Если **вы не против**, я открою дверь? — Сара подошла к двери и открыла ее. — Дело в том, что мы ждем еще одного гостя... Он будет **с минуты на минуту**.

— Какой интересный портрет висит у вас над **камином**, — сказал учитель.

— Да, — сказала Сара, — этой картине уже 150 лет. Это портрет нашего **предка**, сэра Томаса Вильсона. Он **служил** во флоте у самого адмирала Нельсона. Во время Трафальгарской **битвы** он погиб вместе с адмиралом. От **взрыва** он упал в море, и его **тело** не нашли.

— Какая грустная, романтическая история! — **воскликнул** учитель. — Какое героическое время, какие **благородные** люди! Как жалко, что мы не можем встретиться с ними!

Девочка включила свет, **зажгла свечи** в бронзовом канделябре и подошла к Бешару.

— Это возможно, — **прошептала** она. — Если вы не боитесь, то можете через полчаса встретиться с сэром Томасом.

— Ты **фантазерка**, Сара, — сказал учитель и улыбнулся. — Ты веришь в призраков?

— **Зря** вы не верите. Сегодня вечером, когда станет совсем темно, сюда явится призрак. Он приходит раз в десять лет, в один и тот же день, — 21-го октября. Это день его **гибели**, — сказала девочка.

Господин Бешар с ужасом посмотрел в открытую дверь. На улице совсем **стемнело**.

— И что же он делает, когда приходит сюда? — спросил учитель.

— Пьет горячий грог, — ответила девочка. — Он приходит в морском **мундире** с **треуголкой** и **шпагой**... Весь **грязный** и **мокрый**. Говорит всегда одну и ту же фразу: «Эй, дайте грога! **Я замерз как собака**!»

— Прошу извинить, что я **заставила** вас ждать, — миссис Вильсон вошла в гостиную.

Спуститься — *to go down*
Вы не против — *you are not against*
С минуты на минуту — *any minute*
Камин — *fireplace*
Предок — *ancestor*
Служить — *to serve*
Флот — *navy*
Битва — *battle*
Взрыв — *explosion*
Тело — *body*
Воскликнуть — *to exclaim*
Благородный — *noble*
Зажечь — *to light*
Свеча — *candle*
Прошептать — *to whisper*
Фантазёрка — *dreamer*
Зря — *in vain*
Гибель — *death*
Стемнеть — *to darken*
Мундир — *uniform*
Треуголка — *triangular cap*
Шпага — *sword*
Грязный — *dirty*
Мокрый — *wet*
Я замерз как собака — *I am frozen as a dog*
Заставить — *to force*

Кувшин — *jug*
Меня устраивает — *it is suitable for me*

В руках она держала большой **кувшин** с горячим грогом. — Выпейте грога, сегодня такой холодный вечер, — сказала она и дала учителю стакан.

— Спасибо, — учитель взял стакан и начал разговор о деле. — Все, о чем вы написали в письме, **меня устраивает**. **Оплата** за мои уроки тоже. Вот мои рекомендательные письма. — Он встал, хотел **передать** миссис Вильсон бумаги, но посмотрел в открытую дверь и... Его глаза **наполнились ужасом**...

Оплата — *fee*
Передать — *to pass*
Наполниться — *to fill with*
Ужас — *horror*

В дверь вошел высокий мужчина в старинной морской форме и со шпагой в руке.

— Это Томас Вильсон, господин Бешар, — сказала Сара. — Наконец он вернулся.

Мужчина подошел к столу. Одежда его была совершенно мокрой, хотя дождя на улице не было.

— Эй, дайте грога! — **басом** сказал он. — Я замерз как собака.

Этого господин Бешар уже не мог **вынести**. Он **вскочил** и **стремительно** выбежал из дома.

Бас — *bass*
Вынести — *to stand, to bear*
Вскочить — *to leap to feet*
Стремительно — *rapidly*

— Кто этот странный тип? И почему он убежал? — спросил мужчина в морской форме.

— Это — учитель французского языка, которого я хотела пригласить для Сары, — ответила миссис Вильсон. — Он, правда, какой-то странный! Почему-то убежал!

— Дядя Том! — попросила Сара. — Пожалуйста, скажи маме, что мне не нужен французский язык... Ну, пожалуйста...

— Сестра, — сказал мужчина, — может быть, Саре, действительно, не нужен французский язык? Если она так не хочет...

— Ты всегда за нее **заступаешься**! Она еще ребенок и не знает, что ей надо, а ты...

— Ладно, давай не будем сейчас говорить об этом, — **перебил** ее Том. — У меня был трудный день. Сегодня **на съемках** я упал в воду, а потом не смог **переодеться**, потому

Заступаться — *to stand up for*
Перебить — *to interrupt*
На съёмках — *in shooting*
Переодеться — *to change clothes*

что костюмер с ключом куда-то ушел. Пришлось идти домой мокрым в этом маскарадном костюме.

Том **налил** себе еще стакан грога.

Налить — *to pour*

— Все-таки я не понимаю, — сказала миссис Вильсон. — Почему господин Бешар убежал?

***

Прошло много лет. Сара Вильсон так и не говорит по-французски, **зато** она стала писательницей. Ее книги знают во всем мире. А по одной из книг Сары ее дядя Томас Вильсон **снял** фильм. Хочется верить, что господин Бешар посмотрел этот фильм и тоже **оценил** талант девочки, которая должна была стать, но не стала его ученицей.

Зато — *but then*

Снять фильм — *to shoot film*

Оценить — *to appreciate*

Как я охотился на тигров
(по одноимённому рассказу А. Маруты)

***
- Существительные, прилагательные и местоимения (единственное и множественное число) в разных падежах
- Глаголы в частицей **-ся**
- Несогласованное определение
- Глаголы движения
- Виды глагола

Как-то раз я **оказался совершенно** без денег. Я не знал, как **поступить**, чтобы **заработать** деньги, и вдруг один из моих друзей дал мне интересный совет.

— Лучше всего, — сказал мой друг, — поехать в провинцию с **циклом лекций**. В провинции, знаешь ли, **лектор** из **столицы** всегда **вызывает** большой интерес публики.

— Ну, а какую тему ты мне посоветуешь? — спросил я. — Я, видишь ли, не слишком много знаю.

Охотиться — *to hunt*
Оказаться — *to find o.s.*
Совершенно — *absolutely*
Поступить — *to act*
Заработать — *to earn*
Цикл — *series*
Лекция — *lecture*
Лектор — *lecturer*
Столица — *capital*
Вызывать — *to arouse*

Успокоить — *to calm down*
Древний — *ancient*
Племена́ — *tribes*
Мне по душе — *I like*
Освобождать — *to release*
Необходимость — *necessity*
Скучный (-ая, ые) — *boring*
Выступление — *performance*
Состояться — *to take place*
Добраться — *to reach*
Рассмотреть — *to discern*
Огромный (-ая, ые) — *huge*
Афиша — *poster*
Животное — *animal*
Лапа — *paw*
Помещение — *room*
Битком набит — *jam-packed*
Повернуться — *to turn*
Зааплодировать — *to applaud*
Переждать аплодисменты — *to wait for applause to pass*
Первая мировая война — *First World War*
Столкнуться лицом к лицу — *to run into*
Крылья — *wings*
Заметить — *to notice*
Снижаться — *to descend*
Выстрелить — *to shot*
Качнуться — *to swing*
Броситься — *to rush*
Чучело (-а) — *scarecrow*
Трофей (-и) — *trophy*

— Любую, абсолютно все равно какую, — **успокоил** меня друг. — Например, «**Культура древних племён**» или «Иррациональная метафизика» или, наконец, просто «Как охотиться на тигров».

— О! — закричал я. — Вот это **мне по душе**: «Как охотиться на тигров».

Я немного подумал и решил, что моя лекция будет называться «Как я охотился на тигров». Таким образом, это, с одной стороны, должно было вызвать большой интерес у слушателей, с другой стороны, — **освобождало** меня от **необходимости** изучать **скучные** книги по биологии.

Мое первое **выступление** должно было **состояться** в городе N. Я **добрался** туда на автобусе, там меня встретил какой-то человек и повел к зданию клуба, где должна была быть лекция.

Около клуба я на минуту остановился, чтобы **рассмотреть огромную афишу** с моей фамилией. Удивил меня только рисунок тигра: бросалось в глаза, что у **животного** почему-то было несколько пар **лап**.

Я открыл дверь и вошел в **помещение** клуба. Зал был **битком набит**. Все сразу **повернулись** ко мне и **зааплодировали**. Я **переждал** аплодисменты и начал:

— Первый раз я встретился с тигром еще до **первой мировой войны** в деревне, где жил мой дядя. Однажды я направился на охоту и там первый раз **столкнулся лицом к лицу** с тигром... Я плыл на лодке, и вдруг над моей головой появились три тигра. Я сразу узнал их по большим **крыльям**. Тигры **заметили** меня и начали **снижаться**. Я **выстрелил**, два тигра **качнулись** в воздухе и упали. Моя собака **бросилась** в кусты, куда упали тигры, и принесла их мне. Два тигровых **чучела** до сих пор висят на стене моего кабинета как **трофеи**.

Зал долго аплодировал мне, а потом началась дискуссия. Один за другим вставали люди, которые хотели **выступить**. Эрудиция этих людей была фантастической! Одни рассказывали, что тигры могут **использоваться** как домашние птицы, от которых можно получать крупные и красивые яйца. Другие рассказывали, что главной **пищей** тигров являются **гусеницы** и **улитки**. Один рассказал, как тигр в течение многих лет был его начальником, другой рассказал, как много лет назад **ему пришлось драться** с тигром на **церковной колокольне**...

Когда дискуссия закончилась, ко мне подошел высокий человек в белом **халате** и с **благодарностью пожал руку**.

— Я доктор Иванов, — представился он. — Очень вам благодарен за сегодняшний вечер. До сих пор наши больные очень **неохотно** ходили на лекции **Общества по распространению научных знаний**. Если даже они приходили на лекцию, они, как правило, не слушали, **отворачивались** от лектора, **отвлекались** каждую минуту... Одним словом, **относились** к лекциям **враждебно**. Вам первому удалось **сломать лед**. Поздравляю! Ваша лекция очень поможет нам **в опытах** по **лечению словом**. Вы очень глубоко **подействовали** на **психику** наших больных: и **невротиков**, и **шизофреников**, и **психопатов**... Еще раз — спасибо!..

Выступить — *to perform, to make a speech*
Использоваться — *to use*
Пища — *food*
Гусеница — *caterpillar*
Улитка — *snail*
Ему пришлось — *he had to*
Драться — *to fight*
Церковная колокольня — *bell tower*
Халат — *robe*
Благодарность — *gratitude*
Пожать руку — *to shake hand*
Неохотно — *reluctantly*
Общество по распространению научных знаний — *Society of distribution of scientific knowledge*
Отворачиваться — *to turn away*
Отвлекаться — *to distract*
Относиться — *to have attitude*
Враждебно — *hostile*
Сломать лёд — *to break ice*
Опыт — *experiment*
Лечение словом — *treatment with words*
Подействовать — *to have an effect on*
Психика — *psyche*
Невротик — *person with neurosis*
Шизофреник — *schizophrenic*
Психопат — *psychopath*

УРОВЕНЬ Г (❄❄❄❄)

I. ТЕКСТЫ ПО МОТИВАМ РАССКАЗОВ РУССКИХ И ЗАРУБЕЖНЫХ ПИСАТЕЛЕЙ

Ночь перед судом
(по одноимённому рассказу А. Чехова)

❄❄❄❄
- Существительные прилагательные и местоимения (единственное и множественное число) в разных падежах
- Глаголы с частицей **-ся**
- Виды глагола
- Причастия

Суд — *court session*
Судить — *to try*
Двоеженство — *bigamy*
Замёрзнуть — *to freeze*
Переночевать — *to spend the night*
Осмотреться — *to look around*
Печь — *stove*
Ширма — *screen*
Прыгать — *to jump*
Согреть — *to warm up*
Представить себе — *to imagine*
Смутиться — *to be embarrassed*
Спрятаться — *to hide*

Я ехал в город N, где меня должны были **судить** за **двоеженство**. Погода была ужасная. В дороге я **замёрз** как собака. К ночи я доехал до почтовой станции. Начальник станции встретил меня и показал мне комнату, где можно было **переночевать**.

Войдя в комнату, я **осмотрелся**. Диван, на котором я должен был спать, был широкий и холодный, как лёд. Кроме дивана в комнате были ещё **печь** и **ширма**, закрывающая угол. За ширмой кто-то тихо спал. Осмотревшись, я стал раздеваться. Сняв обувь и брюки, я стал **прыгать** вокруг печки, высоко поднимая ноги. Эти прыжки **согрели** меня, но...

Я посмотрел на ширму... и **представьте себе** мой ужас! Из-за ширмы на меня смотрела смеющаяся женская головка с чудесными чёрными глазами! Я **смутился**. Головка, поняв, что я увидел её, тоже смутилась и **спряталась**. Я быстро лёг на диван.

«Как неудобно! — думал я. — Она видела, как я прыгал!»

Вспоминая чудесные глаза, я начал **мечтать** и **придумывать**, как познакомиться с незнакомкой.

— Боже мой! — вдруг я услышал в это время женский голос. — Эти **клопы**, наверное, хотят съесть меня!

В этот момент я вспомнил, что я взял с собой в дорогу **средство** от клопов. Теперь нужно предложить хорошенькой соседке это средство.

— Это ужасно! — повторил женский голос.

— Сударыня, — сказал я. — У меня есть прекрасное средство против клопов. Если вы хотите...

— Ах, пожалуйста!

— Тогда я сейчас... надену **шубу**, — **обрадовался** я, — и принесу...

— Нет, нет... Вы дайте через ширму, а сюда не приходите!

— Я так и хотел — через ширму. Не бойтесь! Я не бандит какой-нибудь... Я доктор! — **солгал** я.

— Вы правду говорите, что вы доктор? Серьёзно?

— Честное слово.

— Ну, если вы доктор, тогда пожалуйста... Но вы должны будете одеваться... Лучше я мужа пришлю, — сказала женщина. — Федя! Федя, **проснись**! Доктор предлагает нам средство от клопов.

Муж за ширмой — это была неприятная для меня новость. Вышедший из-за ширмы Федя мне совсем не понравился. Это был высокий худой человек лет пятидесяти.

— **Вы очень любезны**, доктор, — сказал он, принимая от меня средство и уходя к себе за ширму. — Merci...

Я лёг и **попробовал заснуть**. Но прошло полчаса, час... Я не спал. Мои соседи, как я понял, тоже не спали.

Мечтать — *to dream*
Придумывать — *to invent*
Клоп — *bedbug*
Средство — means
Шуба — *fur coat*
Обрадоваться — *to be glad*
Бояться — *to be afraid*
Солгать — *to lie*
Проснуться — *to wake up*
Вы очень любезны — *you are very kind*
Попробовать — *to try*
Заснуть — *to fall asleep*

Проворчать — *to growl*
Пахнуть — *to smell*

Стесняться — *to shy*
Шёпот — *whisper*

Дышать — *to breathe*
Кашель — *cough*

Лечить — *to treat*
Верить — *to trust*

Язык — *tongue*

Искать — *to look for*
Пульс — *heartbeat*
Задавать вопросы — *to ask questions*
Глядеть — *to look*

Сочинить — *to compose*

Прощаться — *to say goodbye*

— Удивительно, но ничего не помогает! — **проворчал** Федя. — Как их много, этих клопов! Доктор! Зиночка просит меня спросить: почему клопы так неприятно **пахнут**?

Мы разговорились. Поговорили о клопах, погоде, русской зиме, медицине, в которой я так же мало понимаю, как в астрономии...

— Ты, Зиночка, не **стесняйся**... Ведь он доктор! — услышал я **шёпот** Феди. — Твой доктор не помог, а этот, может быть, поможет.

— Спроси сам! — ответила Зиночка.

— Доктор, — начал Федя, — почему моей жене иногда трудно **дышать**? **Кашель** какой-то...

— Это длинный разговор, сразу нельзя сказать, — попробовал я уйти от ответа.

— Ну и что, что длинный? У нас есть время. Мы всё равно не спим... Посмотрите её! Пожалуйста! **Лечит** её наш доктор. Человек он хороший, но... я не **верю** ему! Вы посмотрите её, а я пока пойду попрошу самовар поставить.

Федя вышел. Я пошёл за ширму. Зиночка сидела на широком диване.

— Покажите **язык**! — начал я, садясь рядом с ней.

Она показала язык и засмеялась. Язык был обыкновенный, красный. Я начал **искать** пульс.

— Гм... — сказал я, не найдя пульса.

Сейчас я уже не помню, какие **вопросы** я **задавал**, **глядя** на её смеющееся личико...

Наконец, сидя около самовара с Федей и Зиночкой, я начал писать рецепт. Я **сочинил** его по всем правилам:

Rp. Sic transit 0,05
Gloria mundi 1,0
Aqua destillatae 0,1
Через 2 часа по столовой ложке

Г-же Съеловой
Д-р Зайцев

Утром, когда я, совсем уже готовый к отъезду, **прощался** с моими новыми друзьями, Федя **заставил** меня взять 10 рублей за **осмотр**.

— Нет, вы должны **взять**! — говорил он. — Я привык платить за **всякий** **честный** труд!

Мне пришлось взять деньги.

Так я **провёл** ночь перед судом. Не буду **описывать**, что я почувствовал, когда, войдя в зал суда, я увидел на прокурорском месте Федю! Он сидел и что-то писал. Глядя на него, я вспомнил клопов, Зиночку, свой рецепт... Закончив писать, он посмотрел на меня. Сначала он меня не узнал, но потом его глаза **расширились**... Он медленно встал. Я тоже почему-то встал, и несколько минут мы молча смотрели в глаза друг другу.

Наконец, **прокурор** сел и выпил стакан воды.

«Ну, будет плохо!» — подумал я. Было понятно, что прокурор решил посадить меня в **тюрьму**. Он всё время **раздражался**, переспрашивал свидетелей...

Пора заканчивать мои записи. Я пишу это в здании суда, во время обеденного перерыва... Сейчас будет речь прокурора.

Что будет?

Заставить — *to make to*
Осмотр — *examination*
Честный — *honest*
Труд — *job*
Провести — *to spend*
Описывать — *to describe*
Расшириться — *to dilate*
Прокурор — *prosecutor*
Тюрьма — *prison*
Раздражаться — *to be irritated*

Глупый француз
(по одноимённому рассказу А. Чехова)

❄❄❄❄
- Существительные, прилагательные и местоимения (единственное и множественное число) в разных падежах)
- Причастия
- Глаголы с частицей **-ся**
- Виды глагола
- Прямая речь

Генри Пуркуа, **клоун**, работающий в московском **цирке**, зашёл в **трактир** позавтракать.

Глупый — *stupid*
Клоун — *clown*
Цирк — *circus*

Трактир — *inn*
Приказать — *to order*

Сытно — *filling*
Ожидание — *expectation*
Полный — *fat*
Порция — *portion*
Тесто — *batter*
Проглотить — *to swallow*
Обратиться — *inquire*
Подать — *to give*
Штука — *piece*
Балык — *salted sturgeon*
Сёмга — *salmon*
Феномен — *phenomenon*
На пари — *to make a bet*
Бараньи котлеты — *mutton cutlet*
Гора — *mountain*
Рюмка — *wine-glass*
Закусить — *to have sth to eat with the vodka*
Приняться за (что) — *to get down to*
Очевидно — *obviously*
Чудак — *eccentric*
Воображать — *to imagine*
Треть — *third part*
Вытирать — *to wipe*
Салфетка — *napkin*
Зеленый лук — *green onions*

— Дайте мне омлет! — **приказал** он официанту.

— С салатом?

— Нет, с салатом слишком **сытно**. Без салата.

Занятый **ожиданием**, Пуркуа осматривал зал. Первое, что бросилось ему в глаза, был какой-то **полный** господин, сидевший за соседним столом и готовящийся есть блины.

«Какие большие **порции** в русских ресторанах!» — думал Пуркуа, глядя на соседа, кладущего на блины масло.

— Пять блинов! Разве один человек может съесть так много **теста**?

Сосед в это время положил на блины икру и **проглотил** их за пять минут.

— Человек! — **обратился** он к официанту. — **Подай** ещё порцию! Что у вас за порции такие? Подай сразу **штук** 10 или 15! Дай ещё **балыка** и **сёмги**.

«Странно, — подумал Пуркуа, удивлённый просьбой соседа. — Съел 5 блинов и ещё просит! Но, конечно, бывают **феномены**. У меня, например, был дядя Франсуа, который **на пари** съедал 3 тарелки супа и 6 **бараньих котлет**. Говорят, что есть также болезни, когда много едят».

Подбежавший официант поставил перед соседом **гору** блинов и 2 тарелки с балыком и сёмгой. Полный господин выпил **рюмку** водки, **закусил** сёмгой и **принялся** за блины. К удивлению Пуркуа, он ел их быстро, как голодный.

«**Очевидно**, он болен... — подумал француз. — И неужели он, **чудак**, **воображает**, что съест эту гору? Ему не удастся съесть даже **треть**, а придётся платить за всё!»

— Дай ещё икры! — крикнул сосед, **вытиравший** рот **салфеткой**. — Не забудь **зелёного луку**!

«Но уже половины горы нет! — **ужаснулся** клоун. — **Боже мой**, он всю сёмгу съел? Это **неестественно**! Не может быть! Если бы этот господин жил у нас во Франции, его показывали бы за деньги... Боже, уже нет горы!»

— Подашь бутылку Нюи... — сказал сосед, принимающий у официанта икру и лук. — Что ещё? Ещё порцию блинов... Поскорее только...

— Слушаю-с... А после блинов что прикажете?

— Что-нибудь полегче... Порцию **ухи из осетрины** и... Я подумаю, иди!

«Может быть, мне **это снится**? — подумал клоун. — Этот человек хочет **умереть**! Да, это видно по его грустному лицу. И **неужели** официанту не кажется **подозрительным**, что он так много ест? Не может быть!»

Пуркуа **подозвал** официанта, стоявшего у соседнего стола, и спросил **шёпотом**:

— Послушайте, зачем вы так много ему подаёте?

— То есть как зачем? Они заказывают! — удивился официант.

— Странно, но ведь так он может до вечера сидеть здесь и **требовать**! Если у вас **не хватает смелости** ему **отказать**, пригласите полицию!

Официант улыбнулся, **пожал плечами** и отошёл.

«**Дикари**! — **возмутился** про себя француз. — Они ещё рады, что за столом сидит **сумасшедший**, **самоубийца**, который может съесть на **лишний** рубль! Ничего, если умрёт человек. Главное для них — **прибыль**!»

— Ну и **порядки** тут! — обратился к французу сосед. — Меня ужасно **раздражают** эти длинные антракты! От порции до порции приходится ждать по полчаса... Так и аппетит потеряешь и опоздаешь... Сейчас 3 часа,

Ужаснуться — *to be horrified*
Боже мой — *My God*
Неестественно — *unnatural*
Уха из осетрины — *soup from a sturgeon*
Сниться — *to dream*
Умереть — *to die*
Неужели — *really*
Подозрительный — *suspicious*
Подозвать — *to call*
Шёпот — *whisper*
Требовать — *to demand*
У вас не хватает смелости — *you haven't enough boldness*
Отказать — *to refuse*
Пожать плечами — *to shrug shoulders*
Дикарь — *savage*
Возмутиться — *to be appalled*
Сумасшедший — *mad*
Самоубийца — *suicide victim*
Лишний — *extra*
Прибыль — *profit*
Порядки — *procedure*
Раздражать — *to irritate*

а к 5 часам мне надо быть на юбилейном обеде...

— Пардон, месье, — **побледнел** Пуркуа, — вы ведь уже обедаете...

— Не-ет... Какой это обед? Это завтрак... блины.

Тут соседу принесли уху. Он **посыпал** её **перцем** и начал есть.

«**Бедняга**... — продолжал ужасаться француз. — Или он болен и не **замечает** своего **опасного состояния,** или он делает всё это **нарочно**... **с целью самоубийства**... Боже мой, мои нервы не **выносят** таких **сцен**!»

И француз начал рассматривать лицо соседа, продолжающего с аппетитом есть уху.

«Человек на вид интеллигентный, молодой, полный сил... — думал он. — Возможно, имеет жену, детей... Одет хорошо, должно быть богат... Но что **заставило** его **решиться на такой шаг**? И неужели он не мог выбрать другой способ, чтобы умереть? Я должен прийти к нему на помощь! Боже мой, его ещё можно **спасти**!»

Пуркуа решительно встал из-за стола и подошёл к соседу.

— Послушайте, месье, — обратился он к нему тихим голосом. — **Я не имею чести быть знаком** с вами, но, поверьте, я ваш друг. Не могу ли я вам чем-нибудь помочь? Вспомните, вы ещё молоды у вас жена, дети...

— Я вас не понимаю! — удивился сосед.

— Ах, зачем **скрывать**, месье! Я **отлично** вижу! Вы так много едите, что... трудно не **подозревать**...

— Я много ем?! — ещё больше удивился сосед. — Я?! Почему я не могу поесть, если я с утра ничего не ел?

— Но вы ужасно много едите!

— Но ведь не вам платить! Что вы **беспокоитесь**? И потом, я совсем не много ем! Посмотрите — я ем, как все!

Побледнеть — *to turn pale*
Посыпать — *to pour*
Перец — *pepper*
Бедняга — *poor thing*
Замечать — *to notice*
Опасное состояние — *dangerous state*
Нарочно — *purposely*
С целью — *with the aim of*
Самоубийство — *suicide*
Выносить — *to stand (smth)*
Сцена — *scene*

Заставить — *to force*
Решиться на (что) — *to be decided on what*
Спасти — *to rescue*

Я не имею чести быть знаком — *I have not honour to be familiar*

Скрывать — *to hide*
Отлично — *perfectly*
Подозревать — *to suspect*

Беспокоиться — *to worry*

Пуркуа посмотрел вокруг себя и ужаснулся. Официанты, **налетавшие** друг на друга, носили горы блинов... За столами сидели люди и ели эти горы блинов, сёмгу, икру с таким же аппетитом, как и его сосед...

Налетать — *to run into*

«О, страна **чудес**! — думал выходивший из ресторана Пуркуа. — Не только **климат**, но даже **желудки** делают у них чудеса. О, странная удивительная страна!»

Чудеса — *miracles*
Климат — *climate*
Желудок — *stomach*

Эпоха и стиль
(по одноимённому рассказу А. Бухова)

❄❄❄❄
- Существительные, прилагательные и местоимения (единственное и множественное число) в разных падежах
- Глаголы с частицей **-ся**
- Несогласованное определение
- Обстоятельства образа действий
- Глаголы движения
- Виды глагола

Каждой **эпохе соответствует** свой стиль.

Из шести человек, собравшихся в гостях у режиссера Емзина, **пятеро** были с этим абсолютно согласны. Не согласен был только Женя Минтусов:

Эпоха — *epoch*
Соответствовать — *to correspond*
Пятеро — *пять человек*

— Вы посмотрите, — волновался он, — как сейчас пишут наши писатели, наши поэты! Разве это язык? Где наш настоящий, добрый, **великий** русский язык? Где он?

Великий — *great*

— Ты дурак, Женя, — сказал актер Плеонтов. — Пробовал ли ты разговаривать с **современниками** на языке другой эпохи?

Современник — *contemporary*

— Не пробовал, но могу! — ответил Женя.

— Нет, Женя, это невозможно. Хочешь, я покажу тебе на примере, что такое язык, не соответствующий эпохе?

Упрямо — *stubborn*

Настольная лампа — *table lamp*

Доказать — *to prove*

Вынуть — *to take out*

Схватить — *to catch*

Укоризненно — *reproachfully*

Сочный — *juicy*

Древний — *ancient*

Добрый молодец — (фолькл.) *brabe lad*

Красная девица — (фолькл.) *beautiful girl*

Поклониться — *to bow*

Пьяный — *drunk*

Разрешаться — *to be allowed*

Резко — *sharply*

Прервать — *to interrupt*

— Покажи! — **упрямо** согласился Минтусов.

— Хорошо. Мне нравится твой голубой свитер, а тебе, я знаю, — моя **настольная лампа**. Поэтому давай договоримся: если я **докажу** тебе, что разговаривать на языке, не соответствующем эпохе, нельзя, — ты отдашь мне свой свитер; если же я не сумею это доказать, — ты получишь мою настольную лампу. Идет?

— Идет! — сказал Минтусов.

Когда Плеонтов и Минтусов вошли в трамвай, Женя **вынул** из кармана 20 копеек и сказал кондуктору:

— 2 билета, пожалуйста.

Плеонтов быстро **схватил** его руку:

— Женечка, — сказал он **укоризненно**. — Я тебя не узнаю! Как ты разговариваешь с кондуктором? Где же настоящий, **сочный** язык **древней** Москвы, язык **добрых молодцев** и **красных девиц**?..

— Подожди, что ты хочешь делать? — Минтусов с удивлением посмотрел на Плеонтова.

— Как что? Разговаривать с кондуктором! — ответил Плеонтов, повернулся к кондуктору, **поклонился** ему в пояс и заговорил. — ***Ах ты гой еси, добрый молодец, ты кондуктор свет, чернобровый мой, ты возьми, орел, нашу денежку в свои рученьки во могучие, оторви ты нам по билетику, поклонюсь тебе в крепки ноженьки, улыбнусь тебе в очи ясные...**

— **Пьяным** ездить на трамвае не **разрешается**! — **резко прервал** его кондуктор. — Прошу выйти из вагона!

* Hey, you, sweetheart, you nice chap, you my dear dark eye-browed metermaid, you, my eagle, please do take my money in your mighty hands, please tear off the street car ticket for us. I will bow to your strong feet, I will smile to your bright eyes...

— **Я не пил, орел, зелена вина, я не капал в рот браги пенистой, — продолжил Плеонтов и схватил за рукав Минтусова, **бросившегося** к двери. — **Ты за что почто прогоняешь нас, ты кондуктор наш, родной батюшка...**

Красный от **злости кондуктор** и два помогавших ему пассажира **выбросили** Плеонтова и Минтусова из трамвая на **ближайшей** остановке.

***

На углу улицы сидел молодой **чистильщик обуви**. К нему подошли два хорошо одетых гражданина, один поставил ногу на **деревянную скамеечку** для **чистки** обуви, а другой в этот момент улыбнулся и начал:

***— **Отрок, судьбой обреченный на игрище с щеткой сапожной! В нежные пальцы свои взяв гуталин благовонный, бархатной тряпкой пройдись ты по носку гражданина...**

Чистильщик встал, **с подозрением** посмотрел на Минтусова и Плеонтова и сказал:

— С вас деньги **вперед**! С таких всегда деньги вперед брать надо!

— Пойдем отсюда, — сказал Минтусов.

— Пойдем, — согласился Плеонтов. — А какой прекрасный гекзаметр, какие стихи! **Разве** это не стиль? На таком языке **древние римляне завоевали** весь мир...

***

— Оставь, пожалуйста, эти шутки! — сказал Минтусов, когда они вошли в кафе. — Ты бы еще на языке **древних египтян** заговорил.

** I didn't drink, my eagle, neither green wine nor bubbled cider. So why are you pushing me away, you, metermaid, the star of my heart?!

*** You youngster, condemned by your destiny to play with a shoe-brush! Take in your tender fingers a scented shoe-cream and polish with a velvet cloth this gentleman's shoe...

Броситься — *to rush*

Злость — *anger*

Выбросить — *to throw out*

Ближайший — *nearest*

Чистильщик — *cleaner*

Деревянный — *wooden*

Скамеечка — *small bench*

Чистка — *cleaning*

Подозрение — *suspicion*

Вперед — *in advance*

Древние римляне — *ancient Romans*

Завоевать — *to conquer*

Разве — *if*

Древние египтяне — *ancient Egyptians*

— Значит, ты считаешь, — сказал Плеонтов, — что более современный стиль, скажем, язык Франции конца прошлого века больше подходит для нашей эпохи?

— Ничего я не считаю. Я хочу выпить чашку кофе, — ответил Минтусов.

— Девушка, подойдите к нам, пожалуйста.

Официантка, молодая девушка в белом **переднике**, подошла к их столу:

Передник — *apron*

— Что будете заказывать?

****— **Птичка**, — начал Плеонтов, — **забудьте на время того Жана, который шепчет вам слова любви и целует вас в садовой беседке...**

— Я ни с кем не целуюсь в беседках! — **возмутилась**, покраснев, официантка. — А если вы так будете разговаривать, я милицию позову...

Возмутиться — *to be indignated*

*****— **Прелестное дитя**! — **восхитился** Плеонтов. — **Какие розы зацвели на ее щечках! Кто сорвет поцелуй с этих розовых губок, кто**...

Прелестное дитя — *charming baby*

Милиционер **оказался поблизости**. Он выслушал официантку и спросил:

Оказаться — *to appear*
Поблизости — *nearby*

— На что жалуетесь?

— Слова плохие говорят, — ответила девушка.

— Как было дело? — милиционер повернулся к Минтусову.

— Видите ли, — начал Минтусов,— мы сидели за столом, а этот, — он с ненавистью посмотрел на Плеонтова, — говорит ей...

— Оставь, Минтусов, — перебил его Плеонтов, — каким языком ты говоришь! Какая **сухая** проза! А где у тебя сочный, пре-

Сухой — *dry*

**** You little birdy, forget for a while your Jean who whispers to you the words of love and kisses you in garden pavilion...

***** What beautiful roses blossoms on her cheeks! Who will get a kiss from these rosy lips, who...

красный язык 90-х годов прошлого века, на котором писали лучшие **представители** родной литературы? Эх, Минтусов! — Плеонтов положил руку на плечо Минтусова и повернулся к милиционеру. — Было так. ********Голубая даль исчезала там, где последние лучи света боролись с наступающей ночью. Тихая, она подошла к нашему столу. Тихая и, казалось, что она не подошла к столу, а стол...**

Представитель — *representative*

— Платите, гражданин, штраф. Три рубля, — сказал милиционер.

***

Когда друзья пришли домой, Плеонтов осторожно спросил:

— Ну, Минтусов? Как ты считаешь, соответствует ли каждой эпохе ее стиль или...

Минтусов быстро снял с себя голубой свитер и **протянул** Плеонтову:

— На! Бери!

Протянуть — *to hold out*

Главная роль
(по одноимённому рассказу Б. Ласкина)

****
- Существительные, прилагательные и местоимения (единственное и множественное число) в разных падежах
- Пассивные конструкции
- Глаголы с частицей **-ся**
- Безличные конструкции
- Глаголы движения
- Виды глагола

Недавно один человек из нашего офиса **прославился**. Зовут его Э.П.Зюзин, а как это было, я сейчас вам расскажу.

Прославиться — *to become famous*

****** A light blue faraway horizon was disappearing there where last beams of light were fighting with the coming night. Calm and quiet, she approached our table. So quiet that it seemed that it was not her approached the table but the table...

Направиться — *to make for*
Обратиться — *to inquire*

Шестого августа, в четверг, он **направился** пообедать в кафе рядом с офисом. После обеда он увидел, что у него еще есть время, и решил перейти на другую сторону, чтобы купить в киоске газету. Как только он перешел улицу, к нему обратился молодой человек:

— Разрешите вас поздравить!

— С чем?

— С тем, что вы остались живы. Посмотрите, какое движение, сколько машин! Если бы вы видели со стороны, как Вы переходили улицу...

Отказаться — *to refuse*

— Жаль, конечно, что не видел. Не **отказался** бы посмотреть.

Молодой человек сказал:

— В следующую среду мы сможем вам продемонстрировать, как это было!

— Как это? — удивился Зюзин.

— Дело в том, — объяснил молодой человек, — что, пока вы переходили улицу, наш кинооператор **снял** это, и в следующую среду в 17.30 миллионы **телезрителей** увидят вас на **экранах** своих телевизоров.

Снять — *to shoot a film*
Телезритель — *viewer*
Экран — *screen*
Обрадоваться — *to take pleasure*
Ему повезло — *he was lucky*

Зюзин, конечно, **обрадовался**! В первый момент даже не поверил своему счастью. Подумал, как **ему повезло**. А потом спросил:

— А по какой программе меня будут показывать?

— По 2-й!

Возражать — *to object*

— А почему не по 1-й? Ну, ладно, пусть по 2-й, я не **возражаю**. А как люди узнают, что на экране буду именно я — Э.П.Зюзин, а не Иван Иванович Иванов?

Желать — *to wish*
Ведущий — *presenter*

Молодой человек говорит:

— Если **желаете**, **ведущий** назовет ваше имя, отчество и фамилию.

Зюзин говорит:

— Пожалуйста, пусть назовет. Я не возражаю.

Вернулся Зюзин с обеда и **объявил** нам, что в следующую среду его покажут по телевизору. Все, конечно, удивились, многие не поверили, а главный бухгалтер спрашивает:

Объявить — *to announce*

— А на какую тему будет Ваше **выступление**?

Выступление — *performance*

Зюзин отвечает:

— На важную тему!

— На **международную**?

Международный — *international*

— На **внутреннюю**. О движении... вперед.

Внутренний — *internal*

В среду Зюзин пришел на работу в новом костюме. Весь день он звонил по телефону: сообщал и напоминал, что **передача** будет сегодня в 17.30. Наш начальник не очень любит, когда сотрудники весь день говорят по телефону, но в данной ситуации **запретить** это не мог.

Передача — *broadcast*

Запретить — *to ban*

Кто-то предложил остаться после работы и коллективно посмотреть эту передачу: в приемной стоит прекрасный телевизор.

К началу передачи в **приемной было полно народу**. И вот началась передача «Светофор».

Приёмная — *reception*

Полно народу — *a lot of people*

На экране мы увидели капитана милиции, который сказал:

— Добрый день, **уважаемые** телезрители! Приглашаю Вас на одну из центральных улиц столицы...

Уважаемый — *respectful*

И на экране — Новый Арбат: высокие дома, тысячи машин.

А капитан говорит:

— На днях с помощью **скрытой камеры** мы сняли такой сюжет.

Скрытая камера — *hidden camera*

И мы видим на экране нашего Зюзина. Он выходит из кафе, смотрит на часы, **зак-**

Заключать — *to conclude*
Подземный переход — *underground crossing*
Храбрый — *courage*
Бросаться — *to rush*
Проезжая часть — *road*
Увёртываться — *to swerve*
Опасный — *dangerous*
Быть на волоске от смерти — *to be within a hair's breadth of death*
Исправить — *to correct*
Гордо — *proudly*
Навстречу славе — *towards glory*

лючает, что у него еще есть время... А капитан в это время говорит:

— Обратите внимание, что в 10 шагах отсюда находится **подземный переход**, но этот человек очень спешит. Посмотрите, какую **храбрость** он сейчас продемонстрирует.

И тут наш Зюзин **бросается** на **проезжую часть**, **увертывается** от одной машины, от другой...

Все наши смотрят на экран, кто-то смеется, а Зюзин с любовью смотрит на себя, смотрит, как он заканчивает свой **опасный** путь.

А капитан милиции обращается к нему с экрана:

— Если вы смотрели нашу передачу, вы поняли, как опасно переходить улицу не по переходу. Будьте осторожны на улице! Мы адресуем эту фразу всем телезрителям и вам, герой нашего фильма, Э.П.Кузин.

Главный бухгалтер говорит:

— Да, немного ошиблись. Не Кузин он, а Зюзин.

Мы смотрим на Зюзина. Он молча встает и выходит. Кто-то говорит:

— Конечно, он расстроен. **Был на волоске от смерти**...

Мы уже собрались уходить и вдруг видим: стоит Зюзин около телефона и говорит в трубку:

— Прошу передать капитану милиции, что моя фамилия не Кузин, а Зюзин, Повторяю по буквам: Зина, Юра, Зина, Иван, Николай. Зюзин. Да, все!

Зюзин положил трубку и сказал:

— Через неделю повторение передачи. Ошибка будет **исправлена**.

Он **гордо** посмотрел на нас и ушел **навстречу славе**.

Под рубрику
(По одноимённому рассказу Э. Полянского)

❄❄❄❄
- Существительные (единственное и множественное число) в разных падежах
- Причастия
- Выражение времени
- Частицы
- Виды глагола

Я **изобразил** на лице **скромность**, открыл дверь первого редакционного кабинета и спросил:

— Куда мне **обратиться**? Я тут кое-что **совершил**.

Как только я это сказал, женщина, сидящая за столом, бросилась к шкафу и **спряталась** за него.

— Не пугайтесь! — успокоил я ее. — Я никого не **убивал** и ничего не **украл**. Я совершил **благородный поступок**. Для вашей рубрики — «Так **поступил** бы каждый».

Она вышла из-за шкафа и, перед тем как сесть за стол, внимательно оглядела мою **полную благородства** фигуру.

— Я нашел женскую сумочку с документами и крупной суммой денег. — Я **выдержал** актерскую **паузу** и **добавил**: — Хочу вернуть ее законной владелице.

— В чем же дело? — удивилась женщина. — Верните.

— Вернуть-то нетрудно, — сказал я, — тем более что в паспорте есть адрес. Трудно быть благородным. Все-таки не 5 рублей. На эту сумму можно холодильник купить или **шубу**. Но я **устоял перед соблазном**. И знаете почему?

— Нет, не знаю, — заинтересовалась она.

— Я сразу вспомнил все, что писала ваша газета о людском благородстве. И почувствовал в себе **полную готовность** к **аналогичным**

Рубрика — *column*
Изобразить — *to show*
Скромность — *modesty*
Обратиться — *to inquire*
Совершить — *to commit*
Спрятаться — *to hide*
Убивать — *to kill*
Украсть — *to steal*
Благородный поступок — *noble deed*
Поступить — *to act*
Полный — *full*
Благородство — *nobility*
Выдержать паузу — *to keep to pause*
Добавить — *to add*

Шуба — *fur coat*
Устоять перед соблазном — *to resist temptation*
Полная готовность — *full readiness*
Аналогичный — *analogous*

Живой герой — *living hero*
Предоставить — *to give*
Зафиксировать — *to record*
Плёнка — *film*
Торжественный акт — *ceremony*
Передача — *passing on*
Ценная находка — *valuable discovery*
Заметка — *short article*
Бюро находок — *lost property office*
Тёплый приём — *warm reception*
Поиск (и) — *search (es)*
Находка — *discovery*
Поддержать — *to support*
Благородный порыв — *noble surge*
Потребовать — *to demand*
Раздумье — *contemplation*
Достать — *to get*
Повтор — *repeat*
Взорваться — *to blow up*
Вероломство — *treacherousness*
Передумать — *to change mind*

поступкам. И вот я стою перед вами, **живой герой** еще не написанной статьи.

— Покажите сумочку, — сказала женщина.

— Показать-то легко. Взял и показал. А где у вас фотоаппарат?

— В нашем отделе нет фотоаппарата.

— Нету? — переспросил я. — И после этого я должен **предоставить** Вам сумочку?! А кто **зафиксирует** на **пленку торжественный акт передачи ценной находки**, чтобы проиллюстрировать **заметку** о моем благородном поступке?

— Никто. И вообще отнесите сумочку в **бюро находок**.

— Странно. Я надеялся на более **теплый прием**. По-моему, вы что-то недопоняли. Человек после совершения благородного поступка сам пришел к вам. Не нужно бегать за ним, посылать на его **поиски** корреспондентов. Этот человек стоит перед вами, готовый приносить в редакцию все свои **находки**.

— У вас есть и другие находки?

— Пока нет, но могут появиться. И если сейчас редакция не **поддержит** мой **благородный порыв**, в дальнейшем я еще подумаю, стоит ли быть благородным.

— Дайте-ка сюда сумочку, — **потребовала** моя собеседница.

— Так и быть, возьмите, — сказал я после некоторого **раздумья**. — В конце концов, после того как вы **достанете** фотоаппарат, торжественный акт передачи находки можно легко повторить.

— Никаких **повторов**! — **взорвалась** она, положила сумочку в сейф и закрыла его. — Так будет лучше.

— **Вероломство**! — закричал я. — Отдайте немедленно сумочку! Я **передумал** совершать благородный поступок. Все равно о нем никто не узнает. Лучше я жене шубу куплю.

— На **чужие-то** деньги? — спросила она и **в упор** посмотрела на меня. — Пожалуй, стоит написать о вас. Для рубрики **«Уголовная хроника»**.

— Ах, вот вы как! — **возмутился** я после такого вероломства. — Теперь понятно, для чего **существует** рубрика «Так поступил бы каждый». Чтобы **заманивать** дураков **вроде меня**.

— Именно для этого, — сказала она **издевательски**.

— Но со мной такое не повторится, — **предупредил** я ее. — Все свои находки я буду **приплюсовывать** к семейному бюджету. С этого момента вашу рубрику придется называть «Так поступил бы почти каждый».

И я **гордо** ушел.

Чужой (-ая, ие) — *someone else's*
В упор — *intently*
Уголовная хроника — *Criminal chronicle*
Возмутиться — *to appalled*
Существовать — *to exit*
Заманивать — *to entice*
Вроде меня — *like me*
Издевательски — *mocking, abusive*
Предупредить — *to warn*
Приплюсовать — *to add*
Гордо — *proudly*

II. «СКАЗКИ НОВОЙ РОССИИ» (ТЕКСТЫ ПО МОТИВАМ ЖУРНАЛЬНЫХ ПУБЛИКАЦИЙ ПОСЛЕДНИХ ЛЕТ)

Моцарт и Сальери
(по рассказу из журнала «Отдохни»)

❄❄❄❄
- Существительные (единственное и множественное число) и прилагательные (единственное число) в разных падежах
- Деепричастия
- Глаголы движения
- Виды глагола

Однажды летом Софья Матвеевна, жена **модного** композитора Ивакина, сидела на

Модный — *fashionable, popular*

Подоконник — *windowsill*

даче за роялем и играла Шопена. Вдруг она заметила большого красивого кота, который сидел на **подоконнике**, внимательно слушая музыку. Софья Матвеевна знала всех соседских котов, но этого видела первый раз.

Наоборот — *on the contrary*
Прыгнуть — *to jump*
Мяукать — *to miaow*

— Откуда ты пришел, красавец? — спросила она и встала. Кот почему-то не убежал, **наоборот**, он **прыгнул** в комнату, подошел к роялю и, глядя на клавиатуру, начал громко **мяукать**.

— Тебе нравится музыка? Ты хочешь, чтобы я сыграла? — со смехом спросила Софья Матвеевна. — Ну, пожалуйста, слушай.

Поднять — *to raise*
Клавиша — *key*
Слушатель — *listener*
(Она) была потрясена — *she was stunned*

Сев за рояль, она начала играть и скоро забыла о коте. Но в середине сонаты, **подняв** глаза от **клавиш**, она посмотрела на своего **слушателя** и **была потрясена**.

Меломан — *music-lover*
Сбиться — *to make a mistake*
Раздражённо — *irritably*
Качнуть — *to swing*
Исправиться — *to correct*
Пушистый — *fluffy*
Состояние — *state*
Транс — *trance*
Переставать — *to stop*
Наблюдать — *to watch*
Волнение — *excitement*

Стоя очень прямо, кот слушал так, как может слушать только человек, который по-настоящему любит классическую музыку. Софья Матвеевна много раз в жизни видела **меломанов**, и ей было ясно, что кот — один из них.

От удивления Софья Матвеевна на минуту **сбилась**. Услышав фальшивый звук, кот **раздраженно качнул** головой. Как только Софья Матвеевна **исправилась**, **пушистый** меломан опять вошел в **состояние** музыкального **транса**.

Следующие три часа Софья Матвеевна играла **не переставая**. Она экспериментировала: играла музыку разных композиторов, **наблюдая** за реакцией кота. Одни авторы нравились ему больше, другие меньше. Но когда Софья Матвеевна играла Моцарта, кот приходил в ужасное **волнение**: он начинал даже качать головой в такт музыке.

Для Софьи Матвеевны все было ясно. Она побежала в кабинет мужа.

Переселиться — *to move*

— Ваня! К нам в дом пришел кот, в которого **переселилась душа** Моцарта.

Скептически посмотрев на жену, Ивакин сказал:

— Ты же интеллигентная женщина, Соня! **Переселение душ** — сказка для взрослых...

— Пойдем, ты сам увидишь, — и Софья Матвеевна **потащила** его в гостиную.

В гостиной Софья Матвеевна начала играть, а Ивакин наблюдал за котом.

— Да, — наконец сказал он, — кот действительно необычный. Но... Кстати, а почему ты сказала, что в него переселилась душа именно Моцарта?

— Любому композитору больше всего нравится своя **собственная** музыка. А наш кот с **наибольшим** энтузиазмом реагирует именно на Моцарта. Это ПЕРВОЕ **доказательство**. ВТОРОЕ доказательство: я читала в книге, что Моцарт любил все сонаты Гайдна, кроме одной. Когда он слышал эту сонату, он всегда выходил из комнаты. А сейчас смотри — я сыграю именно эту сонату.

После первых же звуков кот подбежал к двери и начал громко мяукать, показывая, что хочет выйти из комнаты.

— Ну, видишь? — спросила Софья Матвеевна. — И, наконец, ТРЕТЬЕ доказательство, — она взяла кота на руки. — Все биографы Моцарта пишут, что в конце жизни у него на **шее** появились 2 **бородавки**. **Пощупай** шею кота.

Ивакин пощупал и сказал:

— Ты права. Есть две бородавки.

— О, я верю в переселение душ! — **воскликнула** Софья Матвеевна. — Почти никто не знает, кем он был в прошлой жизни. Знают только **негодяи** — это **наказание** для них от Бога... Мы должны показать людям нашего Моцарта. Его покажут по телевизору. И нас тоже! Я буду давать концерты: я играю, а Моцарт слушает...

Душа — *soul*
Скептически — *sceptical*

Переселение душ — *reincarnation*
Потащить — *to pull*

Собственный (-ая, ые) — *own*

Наибольший — *the biggest*
Доказательство — *evidence*

Шея — *neck*
Бородавка — *wart*
Пощупать — *to feel for*
Воскликнуть — *exclaim*
Негодяй — *scoundrel*
Наказание — *punishment*

Ивакин с неудовольствием посмотрел на кота и сказал:

— Нам Моцарты не нужны. В этом доме музыку пишу я! Кстати, а тебе не кажется, что он не совсем здоров? Глаза какие-то странные... Может быть, у него какая-нибудь инфекция?

— Абсолютно здоровый кот, — ответила Софья Матвеевна. — И глаза нормальные. Но он, наверное, голодный. Пойду в кухню, посмотрю, что можно дать ему поесть. А ты дай ему пока молока.

Наедине — *alone*

Оставшись с Моцартом **наедине**, Ивакин сказал, обращаясь к коту:

— А ты совсем не изменился за те 200 лет, что мы не виделись. Это **судьба**, что из всех домов на свете ты пришел именно в мой дом.

Судьба — *destiny*
Чулан — *storeroom*
Высыпать — *to pour*
Порошок — *powder*
Помешать — *to stir*
Вылить — *to pour*

Ивакин сходил в **чулан**, взял там белый пакетик и **высыпал** белый **порошок** из него в стакан с молоком. **Помешав** ложкой, **вылил** в тарелку и поставил перед котом. Кот благодарно мяукнул и начал есть.

— Да, — продолжал Ивакин. — Ты почти не изменился. Был **котярой** — стал котом. Всю свою короткую жизнь гулял, хулиганил, менял женщин... И легко, **не напрягаясь**, писал гениальную музыку. А я в это время работал, работал, работал как лошадь. И что? Меня помнят только **в связи** с тобой! И сейчас ты тоже ничего не делаешь и только гуляешь в кошачьей **шкуре**, а мне нужно работать, **кормить** семью, каждый месяц писать новый шлягер!..

Котяра — *slang: ladies man*
Напрягаться — *to become tense*

В связи с — *in connection with*
Шкура — *fur*
Кормить — *to feed*

Закончив пить молоко, кот поднял голову и посмотрел на Ивакина. Казалось, что еще минута, — и он узнает своего давнего-давнего друга.

Но через минуту по телу кота пробежала **судорога**, и он упал мертвый около того, кто в прошлой жизни был Сальери.

Судорога — *spasm*

Странный гость из 1798 года
(по рассказу С. Фомина)

❄❄❄❄ • Существительные, прилагательные и местоимения (единственное и множественное число) в разных падежах
• Пассивные конструкции
• Прямая речь
• Виды глагола

Галина Трофимовна работала в **приёмной столичной** газеты. Каждое утро она получала, **просматривала** и **разносила** по отделам почту. А потом начиналось **общение** с **посетителями**. Целый день к ней приходили разные люди. Одни приносили для **публикации** свои **труды**, другие требовали немедленно взять у них интервью, третьи жаловались на конфликты в коллективе и в семье, четвёртые предлагали самые **невероятные** проекты, как изменить мир... Всех их Галина Трофимовна слушала и **угощала** кофе, поэтому каждый день ей приходилось покупать **за счёт** редакции новую **банку**.

Пора было уже идти домой, когда дверь открылась, и **охранник** Коля сказал: «Сюда, пожалуйста». В комнату вошёл новый посетитель.

Гость сел на стул около стола Галины Трофимовны и тихо сказал:

— Только не удивляйтесь... Я хотел поговорить с главным **редактором**, но мне сказали, что его сейчас нет.

— Да, он сейчас в Англии... А что у вас случилось?

— Не у меня, а у вас...

— У нас? У нас всё в порядке.

— В порядке? А вы читали вашу сегодняшнюю газету?

— Да, — **соврала** Галина Трофимовна.

Приёмная — *reception*
Столичный — *metropolitan*
Просматривать — *to look through*
Разносить — *to deliver*
Общение — *communication*
Посетитель — *visitor*
Публикация — *publication*
Труд — *work*
Невероятный — *improbable*
Угощать — *to treat*
За счёт — *for the account*
Банка — *can*
Охранник — *security*
Редактор — *editor*
Соврать — *to lie*

Это у нас бывает — *it happens*
Принять меры — *to effect measures*
Сабля — *sabre*
Запасник — *storage room*
Оружие — *weapon*
Камень — *stone*
Эфес — *hilt*
Магический — *magic*
Вставлен (а, ы) — *is/are inserted*
Принадлежать — *to belong*
Комендант — *commandant*
Крепость — *fortress*
Ход — *course*
Знак — *sign*
Подпись — *signature*

— Последнюю страницу видели?

— А, вы нашли там ошибку? **Это у нас бывает**. Спасибо, что заметили и сообщили. Мы **примем меры**.

— Поздно, — сказал посетитель. — Слишком поздно.

Он взял со стола сегодняшний номер газеты и показал Галине Трофимовне фотографию на последней странице.

— Вы знаете, что это такое?

— Тут написано, — сказала Галина Трофимовна, — «**Сабля**, оставленная Наполеоном Бонапартом при уходе из Москвы, обнаружена недавно в **запасниках** Исторического музея. Фото Владимира Затворова». Это иллюстрация к репортажу с выставки старинного **оружия**.

— Дело в том, что один из **камней** на **эфесе** сабли...

— Фальшивый?

— Нет, не фальшивый. Это **магический** камень. В саблю он был **вставлен** в середине 16 века. А до этого **принадлежал** Тамерлану, потом Александру Македонскому, потом турецкому султану, до Наполеона сабля с камнем принадлежала человеку по имени Наушах-Паша. Он был **комендантом крепости** в Египте, взятой Наполеоном в 1798 году. Я не буду рассказывать всю историю камня, она слишком длинная. Повторяю: это магический камень, он может изменять **ход** истории.

— Камень?

— Точнее, **знаки** на этом камне.

— Но ведь фотография совсем маленькая. Здесь ничего не видно.

— Да, я согласен, на фото ничего не видно. Но **подпись**! Я знаю эту саблю, и я знаю, что камень там есть. Скажите, когда делали эту страницу?

— Вчера, часов в 9 вечера.

— Значит, камень начал действовать почти 20 часов назад. Уже что-то происходит... — Посетитель в отчаянии посмотрел на Галину Трофимовну.

— **Успокойтесь**, — сказала она. — Сегодня днём я слушала новости по телевизору, там не сообщили ничего ужасного. Кстати, почему вы спросили, когда делали эту страницу?

— Потому что знаки на камне начинают действовать только тогда, когда вокруг них в **определённом порядке расположены** 4 слова...

— Какие это слова?

— Это знаю только я. Кстати, слова самые обычные... А теперь смотрите, — фотография расположена в середине страницы. Вокруг неё — 4 статьи. В них есть те самые слова, и они находятся сейчас **по кругу** именно в том порядке. Я уверен, что это произошло **случайно**. Но, вы понимаете, очень часто **случайность приводит к самым невероятным последствиям**!

— Что же теперь делать?

— Я не знаю. Какой у вас **тираж** газеты?

— 200 000 экземпляров.

— Значит, магическая сила **умножена** во много раз! Я ещё не знаю как, но она уже действует. Я точно знаю...

— Но откуда вы знаете?

— Я был там.

— Где?

— В Египте. В 1798 году...

Галина Трофимовна **недоверчиво** посмотрела на гостя.

— Двести лет назад?

— Я был солдатом в **гвардии** императора. Когда мы взяли крепость, я **охранял пленных**. И один из них **уговорил** меня дать ему бежать, а **в обмен** рассказал мне эту тайну. С тех пор я знаю всё...

— Но прошло уже 200 лет, а вы живы...

Успокоиться — *to calm down*
Определённый — *certain*
Порядок — *order*
Расположен (а, ы) — *is/are arranged*
По кругу — *on a circle*
Случайно — *accidentally*
Случайность — *chance*
Привести к самым невероятным последствиям — *to result to very improbable consequences*
Тираж — *circulation*
Умножить — *to increase*
Недоверчиво — *mistrustfully*
Гвардия — *guards*
Охранять — *to guard*
Пленный — *captive*
Уговорить — *persuade*
В обмен — *in exchange*

— А, это совсем просто. В любой аптеке вы можете купить...

— Подождите, я запишу, — сказала Галина Трофимовна и отвернулась от гостя, чтобы найти блокнот и записать в него рецепт **эликсира бессмертия**. Через минуту блокнот был найден, и она повернулась к посетителю. Он исчез. Стул, на котором он только что сидел, был пуст. Галина Трофимовна выбежала в коридор. Там тоже никого не было.

Эликсир бессмертия — *elixir immortality*

Галина Трофимовна вернулась в свою комнату. Она села за стол и включила электрический чайник.

В комнату вошёл фотокорреспондент Володя Затворов.

— Кофе будешь? — спросила Галина Трофимовна. — Только сахара нет.

— Представляешь, Галя, опять фотографии **перепутали**, — грустно сообщил Володя. — Смотри! — Он показал на фотографию в газете. — Подпись правильная, а фотография — не та. Это не наполеоновская сабля, а **шашка атамана** Платова.

— А сабля?

— А сабля — вот. — Он **вынул** из своей сумки фотографию и положил её на фотографию в газете, прямо над подписью. — Вот так надо было!

Перепутать — *to confuse*
Шашка — *sabre (another type)*
Атаман — *cossack leader*
Вынуть — *to take out*

— Тебе сколько ложек кофе? — спросила Галина Трофимовна. Она положила в чашку кофе и **налила кипяток**. — Ты ещё останешься? Я домой пойду.

Налить — *to pour*
Кипяток — *boiled water*

Володя посмотрел на часы.

— Да, посижу ещё минут 10, новости посмотрю.

Он включил телевизор. На экране появился очень взволнованный диктор.

— Оставайтесь, пожалуйста, у телевизора, — сообщил он. — Через несколько минут мы передадим **экстренное** сообщение...

Экстренный — *emergency*

Жареная утка помогла следствию
(по рассказу из журнала «Отдохни»)

❄❄❄❄ • Существительные, прилагательные и местоимения (единственное и множественное число) в разных падежах
• Выражение условия
• Причастия
• Деепричастия
• Глаголы с частицей **-ся**
• Виды глагола

Когда майора Ершова вызвал к себе генерал, Ершов пошёл к нему в кабинет **с** большой **неохотой**. Дело о **похищении** из библиотеки старинных **кулинарных** книг, которое он должен был закончить, вот уже несколько дней стояло на месте.

Войдя в кабинет, Ершов уже приготовился выслушать в свой адрес разные неприятные слова, но вместо этого генерал предложил ему сесть, закурить и спросил:

— Вы иностранные языки знаете?

— Так точно, — ответил Ершов. — Но не все.

— А какие? — поинтересовался генерал.

— Я один знаю, — сказал Ершов, — английский.

Генерал **вынул** из стола небольшую книжку и открыл ее на первой странице.

— Прочтите-ка, — предложил он Ершову. — Сразу по-русски.

Ершов увидел перед собой английский текст, но это его не **смутило**. И он начал переводить:

— Ранним морозным утром, в 5 часов по местному времени, на станции стоял поезд, который...

— Спасибо, — сказал генерал. — Язык, я вижу, вы знаете.

Жареный — *fried*
Утка — *duck*
Следствие — *investigation*
С неохотой — reluctantly
Похищение — *theft*
Кулинарный — *culinary*

Вынуть — *to take out*

Смутить — *to embarrass*

Знания — *knowledge*
Ругать — *to scold*

Убийство — *murder*

Отложить — *to postpone*
Наболевший — *sensitive*
Отмечать — *to mark*
Блокнот — *notebook*
Партер — *stalls*

Случайно — *accidentally*
Оказаться — *to find oneself*
Кокетливо — *flirtatious*
Протянуть — *to stretch*
Управление — *office*

Пожать руку — *to shake hand*
Глядеть — *to look*

Участник — *participant*

— Это — Агата Кристи. — Ершов поспешил показать свои **знания**, обрадованный тем, что его не будут **ругать**.

— А точнее? — улыбаясь, спросил генерал.

— «**Убийство** в восточном экспрессе».

— Правильно, оно. А дело у меня к вам, Ершов, вот какое. У нас завтра открывается международный конгресс полицейских. А лейтенант Дыбенко, который иностранные газеты переводит, заболел. Поэтому вы, майор, **отложите** все свои дела и поезжайте на конгресс, будете работать там.

***

На конгрессе представители разных стран обсуждали **наболевшие** проблемы. Ершов коечто **отмечал** в своем **блокноте** и время от времени посматривал налево, где в **партере**, среди французской делегации, сидела молодая женщина, одетая в форму капитана.

В перерыве, когда участники конгресса пошли обедать, Ершов как будто **случайно оказался** за одним столом с французами и уже открыл рот, чтобы начать говорить по-английски, как вдруг увидел, что француженка **кокетливо протянула** ему руку.

— Жаннет Аджани, капитан полицейского **управления** города Руана, — сказала она по-русски с акцентом.

— Леня, — ответил Ершов, не зная, что делать с ее рукой: **пожать** или поцеловать.

— Ответьте мне, Леня, только честно, — сказала Жаннет, **глядя** в программу культурных мероприятий, — вы любите симфоническую музыку?

В этот вечер организаторы конгресса предлагали **участникам** конгресса пойти в консерваторию на концерт.

— Да как бы вам сказать... — ответил Ершов.

— Я так и подумала, — засмеялась француженка, — и я тоже. Давайте просто погуляем по городу.

Ершов **мысленно** пересчитал количество денег, лежащих сейчас в его **бумажнике** и, подумав, согласился.

Мысленно — *mentally*
Бумажник — *wallet*

***

Ершов пошёл с Жаннет туда, куда обычно он ходил с девушками: к стенам **древнего** Кремля, на площадь, где стоял памятник **известному полководцу**.

— А почему ему поставили **памятник**? — спросила Жаннет.

— Он **воевал** с Наполеоном... — объяснил Ершов.

— Ну и как?

— Сами знаете...

— Я хочу есть! — вдруг сказала Жаннет.

Древний — *ancient*
Известный — *famous*
Полководец — *commander*
Памятник — *monument*
Воевать — *to be at war*

Ершов осмотрелся. На площади продавали хот-доги. Но Ершов решил не предлагать француженке здесь, в России, американское народное **блюдо** и поэтому пригласил ее в ресторан «Гурман».

Блюдо — *dish*

— Интересно, интересно, — говорила Жаннет, читая меню. — А вот это — «Утка по-королевски». Это даже у нас редко где можно **попробовать**. Я должна знать, как ее делают в России.

Попробовать — *to try*

Через некоторое время им принесли «Утку по-королевски».

— Так, так... — удивленно повторяла она, — полная идентичность

— С чем? — спросил Ершов.

— Понимаете, Леня, эту утку действительно приготовили по очень старинному рецепту. Я попробовала ее только однажды, в Париже, в специальном ресторане. Тогда и сейчас **вкус** совершенно идентичный. Даже во Франции не каждый **повар** умеет так готовить. Где ваш повар научился?

Вкус — *taste*
Повар — *cook*

— А давайте спросим? — предложил Ершов.

Через пять минут молодой человек в белой одежде подошел к их столу и спросил:

Жалоба — *complain*

— Есть **жалобы**?

— Нет! — ответила Жаннет. — Я только хотела вас спросить: вы были когда-нибудь во Франции?

— Нет, — ответил повар. — Я здесь учился.

— Кто вас научил готовить это блюдо?

— Я из книги взял. У меня дома лежит старинная кулинарная книга на французском языке. Я перевел её со словарем.

Вмешаться — *to intervene*
Удостоверение — *identification card*

И тут Ершов понял, что пора **вмешаться**, и вынул свое **удостоверение**.

— У меня к вам есть несколько вопросов. Итак, вы сказали, что взяли рецепт из книги... Так или нет?

— Да, из книги, — удивился повар.

— А книгу где взяли?

Выгнать — *to throw out*
Из любопытства — *out of curiosity*

— Друг принес, целую сумку, попросил: «Можно они у тебя полежат, меня жена из квартиры **выгнала**». Ну а мне не жалко. Пусть полежат. Я их **из любопытства** посмотрел и вижу — кулинарные книги на французском языке.

— Вы знаете французский?

— Хороший повар должен знать французский. Только французский язык в этой книге странный. Сейчас уже так не пишут.

— Это наверное старо-французский, — сказала Жаннет.

— Да, наверное, — согласился повар. — Эти книги — все старые...

— Так они и сейчас у вас?

— У меня...

— А тот, кто их принес? Как его зовут? Где он живет?

Допрос — *interrogation*

— Это что, **допрос**? — опять удивился повар.

— К сожалению, да, — ответил Ершов.

***

Друг повара сидел в **тюремной камере**. Сумка со старинными кулинарными книгами лежала у генерала в сейфе, а сам генерал читал написанный Ершовым **отчёт** и думал о значении случая в детективной практике: «Если бы Дыбенко не заболел гриппом, я бы не послал Ершова на конгресс, и не встретилась бы ему эта Жаннет-капитан. Если бы он не пошёл с ней гулять, она бы не захотела есть. Если бы она не захотела есть, он бы не пригласить ее в этот ресторан. Если бы она не была француженка, она никогда бы не заказала эту утку... А что это мне тут Ершов пишет? «Прошу компенсировать стоимость двух порций блюда «Утка по-королевски». Он что, думает, если я никогда за границей не был, то не знаю, что там все женщины сами за себя в ресторане платят? Ну, за одну-то порцию надо деньги вернуть, в **оперативных** все-таки **целях** парень **потратился**...» И он поставил на отчете Ершова свою резолюцию.

Тюремный — *prison*
Камера — *cell*
Отчёт — *report*
Оперативный — *executive*
Цель — *aim*
Потратиться — *to spend*

Мать-одиночка и бандиты
(по рассказу из журнала «Отдохни»)

****
- Существительные, прилагательные и местоимения (единственное и множественное число) в разных падежах
- Пассивные конструкции
- Выражение причины
- Глаголы с частицей **-ся**
- Глаголы движения
- Виды глагола

Ольга положила сына Андрюшу спать и пошла **стирать**. Вдруг она услышала звонок в дверь.

— Добрый день, — улыбнулся в **глазок** незнакомый мужчина. — Ольга Николаевна? Я к вам от **участкового** детского **врача**.

Мать-одиночка — *unmarried (single) mother*
Стирать — *to wash*
Глазок — *peephole*

Участковый врач — *local doctor*

Подъезд — *entrance*

Благотворительный фонд — *charitable fund*

Одинокий — *single*

Питание — *feeding*

Скептически — *sceptical*

Просьба — *request*

Секретность — *secretness*

Обижаться — *to be offended*

Мешать — *to bother*

Собираться — *to get ready*

Заехать — *to go to fetch*

Ольга открыла дверь.

— Меня зовут Иван Обухов, — сказал мужчина. — Вот моя визитная карточка. Можно войти? Очень неудобно разговаривать в **подъезде**.

— Хорошо, входите, — сказала Ольга. — Вы сказали, что вы от нашего участкового педиатра?

— Не совсем, — сказал мужчина. — Ваш врач только рекомендовал вас нашему фонду. Дело в том, что я работаю в детском **благотворительном фонде**, мы помогаем **одиноким** матерям. Вы не хотите поехать с сыном на неделю в санаторий? Отдохнете, хорошее **питание**, врачи...

— И сколько это будет стоить? — **скептически** спросила Ольга.

— Платит наш фонд, — улыбнулся Иван. — Только у меня одна **просьба**: никому не говорите об этом.

— А почему такая **секретность**? — удивилась Ольга.

— Понимаете, мы не можем помочь всем. Те, кому мы не можем помочь, будут **обижаться**, писать письма в газеты, оттуда будут приезжать комиссии, проверять нас, **мешать** нам работать... Мы помогаем, сколько можем. Вы ведь сейчас не работаете? И с деньгами, как я думаю, у вас не очень хорошо... Неделя в санатории будет очень полезна и для вас, и для ребенка.

— Хорошо, — сказала Ольга, — и когда я смогу поехать?

— Если хотите, сегодня вечером. **Собирайтесь**, я **заеду** за вами в 7.

Ровно в 7 Иван позвонил в дверь. Дверь открыл Андрюша с пакетом игрушек...

— А, готовы! — улыбнулся Иван. — Пойдем!

На улице было темно, шел небольшой дождь. Около подъезда стоял микроавтобус.

— А вот и наш транспорт. — Иван открыл дверь салона. — Садитесь!

Через два часа микроавтобус с Ольгой, Андрюшей и Иваном подъехал к санаторию. Это был обычный санаторий в Подмосковье — длинное здание, 4 этажа, балконы.

Иван, Ольга и Андрюша вошли в холл. За столом сидела молодая женщина в белом **халате**.

Халат — *robe*

— Зоя, — сказал Иван. — Вот новые отдыхающие. Это Зоя Васильевна, наша главная **медсестра**, — объяснил он Ольге. — Она сейчас покажет Вам номер, где вы будете жить. Счастливо отдохнуть!

Медсестра — *nurse*

Иван вышел на улицу, сел в микроавтобус и уехал.

Зоя взяла у Ольги паспорт и положила его в сейф.

— Я верну вам паспорт, когда вы будете уезжать. Пойдемте, я покажу вам, где что находится.

Они вышли в коридор.

— Вон там наша **столовая**. Сегодня вы поужинаете в **номере**, потому что уже поздно, а завтра придете завтракать туда. Сейчас пойдем по этой **лестнице**, лифт, к сожалению, не работает. А вот и ваша комната. Входите, отдыхайте, сейчас вам принесут ужин. Да, **чуть не** забыла — после 9 часов вечера выходить из комнат **запрещено**, дети должны ложиться спать рано. Это **требование** врачей.

Столовая — *canteen*
Номер — *room (in hotel)*
Лестница — *stirs*
Чуть не — *nearly*
Запрещено — *is banned*
Требование — *demand*

Ольга **проснулась** от какого-то странного звука. Она **прислушалась** и поняла — это работает лифт. «А Зоя сказала, что лифт не работает!» Ольга посмотрела на часы: без десяти двенадцать. Она посмотрела на сына, увидела, что он спит, оделась и тихо подошла к двери.

Дверь была **заперта снаружи**.

Ольга достала из сумочки **пилочку для ногтей** и с ее помощью открыла **замок**. Она

Проснуться — *to wake up*
Прислушаться — *to listen*
Запереть — *to lock*
Снаружи — *on the outside*
Пилочка для ногтей — *nail file*
Замок — *lock*

тихо вышла из комнаты, осторожно подошла к лифту и **нажала кнопку**.

Когда лифт приехал, Ольга вошла в него и нажала самую нижнюю кнопку. Лифт поехал в **подвал**.

Через несколько секунд лифт остановился, двери открылись и Ольга оказалась **лицом к лицу** с парнем бандитского вида.

— Ты кто такая? — спросил он и тут же упал от сильного **удара** в **пах**. Ольга осмотрела его **карманы** и нашла пистолет. Она еще раз, на **всякий случай**, ударила его по голове и **осмотрелась**. Перед ней лежал **узкий** коридор, в конце которого была **железная** дверь. Ольга тихо подошла к двери и посмотрела в **щель**. Она увидела **операционный стол**, над ним яркую лампу, вокруг стола стояли люди в белых халатах.

Ольга **вынула** из кармана **рацию** и тихо сказала в нее:

— **Пора**, они в подвале.

Потом она открыла дверь и с пистолетом в руках вбежала в комнату.

— Стоять! Если эта женщина умрет, — она показала глазами на **тело**, которое лежало на операционном столе, — я обещаю: я убью всех!

Через час все было кончено. Когда **омоновцы** уже посадили врачей в машины, к Ольге подошел **полковник** Серегин.

— Спасибо тебе, **капитан**, — сказал он. — В среду жду тебя с **отчетом**.

Слухи о том, что **пропадают** молодые женщины с детьми, ходили уже давно. Но кто **исчез** и когда, никто не знал, пока в милицию не пришла **пожилая** женщина. У нее пропала соседка — мать-одиночка. В квартире соседки **поселились** какие-то незнакомые люди. Их проверили, но ничего криминального не нашли, — они купили эту квартиру

Нажать — *to press*
Кнопка — *button*
Подвал — *basement*
Лицом к лицу — *face to face*
Удар — *kick*
Пах — *groin*
Карман — *pocket*
На всякий случай — *just in case*
Ударить — *to hit*
Осмотреться — *to look around*
Узкий — *narrow*
Железный — *iron*
Щель — *crack*
Операционный стол — *operating table*
Вынуть — *to take out*
Рация — *wolkie-talkie*
Пора — *it's time*
Тело — *body*
Омоновцы — *polismen*
Полковник — *colonel*
Капитан — *captain*
Отчёт — *report*
Слух — *rumour*
Пропасть — *to disappear*
Исчезнуть — *to disappear*
Пожилая — *elderly*
Поселиться — *to settle*

легально, все документы были оформлены правильно. Но куда исчезла соседка с ребенком, — никто сказать не мог. Милиция **обнаружила**, что в районе было за последнее время 20 аналогичных случаев. И тогда капитан Власова предложила **устроить засаду**: сыграть роль матери-одиночки, которая живет со своим сыном одна в квартире.

В ходе следствия выяснилось, что бандиты через участковых врачей узнавали об одиноких женщинах с детьми и **забирали** их в «санаторий». Там под гипнозом бандиты **заставляли** женщин оформлять **продажу** квартир, а потом самих женщин **разбирали на органы**. Детей и органы **отправляли** за границу.

После ареста бандитов капитану милиции Власовой Ольге Николаевне было **присвоено звание майора**, а ее сыну Андрюшке была **вручена премия** — игрушечная пожарная машина.

Обнаружить — *to discover*
Устроить засаду — *set up an ambush*
В ходе следствия — *in the course of investigation*
Забирать — *to take*
Заставлять — *to force sb to do*
Продажа — *sale*
Разбирать на органы — *to break up for organs*
Отправлять — *to send*
Присвоить — *to confer*
Звание — *rank*
Майор — *major*
Вручить — *to hand*
Премия — *prize*

III. ТЕКСТЫ ПО МОТИВАМ РАССКАЗОВ ЗАРУБЕЖНЫХ ПИСАТЕЛЕЙ

Золото и любовь
(по одноимённому рассказу О'Генри)

❄❄❄❄
- Существительные, прилагательные и местоимения (единственное и множественное число) в разных падежах
- Причастия
- Деепричастия
- Пассивные конструкции
- Виды глагола

Старик Энтони Рокволл, отошедший от дел фабрикант и **владелец** патента на мыло

Отошедший (отойти) — *retired*

Владелец — *owner*
Заорать — *to start to yell*
Зов — *call*

Отложить — *to put aside*
Почём? — *How much?*
Мыться — *to wash*
Дюжина — *dozen*

Решительно — *resolutely*
Всё-таки — *nevertheless*
Вести себя — *to behave*
Скромно — *modestly*
Поколение — *generation*
Создать — *to create*

Мрачно — *gloomy*

От корки до корки — *from cover to cover*

Вздохнуть — *to sigh*

Неладно — *uneasy*

Догадаться — *to guess*

«Эврика», подошёл к дверям и **заорал:** «Майк!». Слуге, пришедшему на этот **зов**, он приказал:

— Скажите моему сыну, чтобы он зашёл ко мне перед уходом из дома.

Когда молодой Рокволл вошёл в библиотеку, старик **отложил** газету и спросил:

— Ричард, **почём** ты платишь за мыло, которым **моешься**?

— Кажется, 6$ за **дюжину**, папа, — удивлённо ответил сын.

— А за костюм?

— Обычно долларов шестьдесят.

— Ты джентльмен, — **решительно** сказал Энтони. — Мне говорили, что молодые аристократы тратят по 24$ за мыло и больше чем по сотне за костюм. У тебя денег не меньше, чем у любого из них, а ты **всё-таки ведёшь себя скромно**. Повторяю, ты — джентльмен. Я слышал, будто нужно три **поколения** для того, чтобы **создать** джентльмена. Это раньше так было. А теперь с деньгами всё получается быстрее и легче. Деньги сделали тебя джентльменом. Да я и сам почти джентльмен!

— Есть вещи, которых не купишь за деньги, — **мрачно** сказал молодой Рокволл.

— Нет, неправда — не согласился Энтони. — Я прочитал всю энциклопедию **от корки до корки**: всё искал, что нельзя купить за деньги — и не нашёл. Ну, скажи мне, что нельзя купить за деньги?

Ричард **вздохнул.**

— Я попросил тебя зайти, мой мальчик, — продолжал старик, — потому что я вижу, что с тобой что-то **неладно**. Расскажи, что с тобой случилось.

Ричард опять вздохнул.

— Ага, и как её зовут? — **догадался** Энтони.

Ричард начал ходить взад и вперёд по комнате.

— Почему ты не **делаешь предложение**? — спросил старик Энтони. — Я думаю, она будет рада. У тебя есть деньги и красивая **наружность**, ты хороший парень.

— Всё не было **случая**, — вздохнул Ричард.

— Сделай так, чтобы был, — сказал Энтони. — Пойди с ней в парк или проводи домой из церкви. Случай! Тьфу!

— Вы не знаете, что такое **свет**, папа. Каждый час, каждая минута её времени **расписаны** на много дней вперёд. Я не могу жить без этой девушки, папа! А написать ей я не могу — просто не **в состоянии**, и потом я слишком долго **откладывал**. Послезавтра она уезжает в Европу на 2 года. Я увижусь с ней завтра вечером на несколько минут. Сейчас она **гостит** у своей тёти. Туда я поехать не могу. Но мне разрешено встретить её завтра вечером в 8.30 на Центральном вокзале. Мы поедем по Бродвею до театра, где её мать и **остальная** компания будут ждать нас в **вестибюле**. От вокзала до театра 6 минут. Неужели вы думаете, что она захочет **выслушать** меня за эти 6 минут? Нет, папа, это не так просто, ваши деньги здесь не помогут. Нет никакой надежды поговорить с мисс Хэнтри до её отъезда.

— Ладно, Ричард, мой мальчик, — весело сказал Энтони. — Не буду тебя **задерживать**, иди в свой клуб.

В этот вечер к Энтони, читавшему вечернюю газету, вошла его сестра Эллен, сентиментальная, старенькая, и, вздыхая, начала разговор о **влюблённых**.

— Всё это я от него уже слышал, — **зевая**, ответил Энтони. — Я сказал ему, что мой счёт **к его услугам.** Тогда он начал говорить, что деньги ему не помогут.

— Ах, Энтони, — вздохнула тётя Эллен. — **Богатство** ничего не значит там, где речь идёт

Делать предложение — *to propose*
Наружность — *exterior*
Случай — *chance*
Свет — *high society*
Расписан (а, ы) — *arranged*
Быть в состоянии — *to be not able to do*
Откладывать — *to postpone*
Гостить — *to stay*
Остальной — *the rest*
Вестибюль — *lobby*
Выслушать — *to hear out*
Задерживать — *to hold up, to delay*
Влюбленный — *person in love*
Зевать — *to yawn*
К его услугам — *to his service*
Богатство — wealth

Настоящий — *real*
Отказать — *to refuse*
Счастье — *happiness*
Старинный — *ancient*
Кучер — *coachman*
Уронить — *to drop*
Принадлежать — *to belong*
Коляска — *carriage*
Загородить — *to block out*
Фургон — *covered wagon*
Перегородить — *to block*
Пробка — *traffic jam*
Сердито — *angrily*

о **настоящей** любви. Если бы он мог поговорить с ней раньше, она бы не смогла **отказать** нашему Ричарду. А теперь, боюсь, уже поздно. Всё твоё золото не может дать **счастья** нашему мальчику.

На следующий вечер тётя Эллен дала Ричарду **старинное** золотое кольцо.

— Надень его сегодня, Ричард, — попросила она. — Твоя мать, подарившая мне это кольцо, сказала, что оно приносит счастье в любви.

Молодой Рокволл взял кольцо и попробовал надеть его, но кольцо было слишком мало. Ричард положил его в карман и поехал на встречу с мисс Хэнтри.

В 8.32 он встретился с ней на вокзале.

— Мы не можем задерживать маму и всех остальных, — сказала она.

— К театру, как можно быстрее! — сказал **кучеру** Ричард.

Около 34-й улицы Ричард попросил кучера остановиться.

— Я **уронил** кольцо, — сказал он. — Оно **принадлежало** моей матери, и мне было бы жаль потерять его. Я не задержу вас — я видел, куда оно упало.

Через минуту он вернулся с кольцом.

Но за это время прямо перед их **коляской** остановился трамвай. Кучер хотел объехать его слева, но там дорогу **загородил** почтовый **фургон**. Он попробовал повернуть направо, но с этой стороны дорогу **перегородил** фургон с мебелью. Он хотел повернуть назад — и не смог. Везде стояли экипажи и лошади. Это была одна из тех уличных **пробок**, которые иногда останавливают всё движение в большом городе.

— Почему мы остановились? — **сердито** спросила мисс Хэнтри. — Мы опоздаем.

Ричард посмотрел в окно и сказал:

— Простите, но на дороге пробка и это как минимум на час. Это моя **вина**. Если бы я не уронил кольцо...

— Покажите мне ваше кольцо, — сказала мисс Хэнтри. — Теперь уже ничего не поделаешь, так что мне всё равно.

В 11 часов вечера кто-то тихо **постучал** в дверь Энтони Рокволла.

— Войдите! — крикнул Энтони, читавший в этот момент книгу о пиратах.

Это была тётя Эллен.

— Они **обручились**, Энтони, — сказала тётя Эллен. — Она дала слово нашему Ричарду. По дороге в театр они 2 часа стояли в пробке. Знаешь, Энтони, никогда не **хвастайся силой** своих денег. Деньги — это просто **мусор по сравнению** с истинной любовью. Маленький символ любви, кольцо, помогло нашему Ричарду.

И она рассказала о том, что случилось на дороге.

— Ну ладно, — сказал старик. — Я очень рад, что всё закончилось хорошо. Я говорил ему, что не **пожалею** никаких денег на это дело, если...

— Но как могли помочь твои деньги?

— Сестра, — сказал Энтони Рокволл. — Дай мне дочитать **главу**. Ты **прервала** меня на самом интересном месте.

Тётя Эллен вышла из комнаты.

На следующий день человек с красными руками и в синем галстуке, назвавшийся Келли, пришёл в дом к Энтони Рокволлу.

— Так, — сказал Энтони, **доставая** чековую книжку. — Вы неплохо сделали своё дело. Итак, я дал вам 5 тысяч?

— Я заплатил 300$ своих, — сказал Келли. — Фургоны я **нанимал** по 5$, шоферы требовали не меньше 10$, а трамваи — по 20. Больше всего пришлось заплатить полицейс-

Вина — *fault*

Постучать — *to knock*

Обручиться — *to get engaged*

Хвастаться — *to boast*

Сила — *power*

Мусор — *garbage*

По сравнению — *compared with*

Пожалеть — *to grudge*

Глава — *chapter*

Прервать — *to cut short*

Достать — *to take out*

Нанимать — *to hire*

ким. А правда, хорошо получилось, мистер Роквoлл?

Толпа — *crowd*
Лук — *bow*
Стрела — *arrow*
Голый — *naked*

— Вот вам 1300, Келли, — сказал Энтони, подписывая чек. — Ваши 1000 плюс те 300$, что вы потратили из своих. Да, вот ещё что. Вы не заметили там в **толпе** толстого мальчишку с **луком** и **стрелами** и совсем **голого**?

Выглядеть — *to look*

— Не видел, — ответил удивлённый Келли. — Если он **выглядел** так, как вы говорите, то, наверное, полиция арестовала его ещё до меня.

Шалун — *mischievous boy*

— Я так и думал, что этого **шалуна** не было на месте, — засмеялся Энтони. — Всего хорошего, Келли!

Семейная жизнь
(по рассказу О'Генри «Маятник»)

❄❄❄❄
- Существительные, прилагательные и местоимения (единственное и множественное число) в разных падежах
- Причастия
- Деепричастия
- Пассивные конструкции
- Безличные конструкции
- Виды глагола

Маятник — *pendulum*
Повседневный — *everyday*
Ожидать — *to expect*
Предстоящий — *forthcoming*
Пахнуть — *to smell*
Жевательная резинка — *chewing gum*
Тушёный — *braised*
Клубничное желе — *strawberry jelly*

Джон Перкинс медленно шёл к своей квартире. Медленно, потому что в его **повседневной** жизни не было слов «а вдруг?». Никакие сюрпризы **не ожидают** человека, который 2 года как женат и живёт в дешёвой квартире. Джон абсолютно точно представлял себе **предстоящий** вечер.

Кэти встретит его у дверей поцелуем, **пахнущим жевательной резинкой**. Он снимет пальто, пройдёт в комнату, сядет на диван и прочитает новости в вечерней газете. На обед будет **тушёное** мясо, салат и клубничное желе, покрасневшее, когда к нему **приклеили этикетку** «натуральный продукт». В половине восьмого Джон и Кэти положат на диван и кресло газеты, чтобы встретить куски **штукатурки**, которые **посыпятся** с потолка, когда сосед из квартиры наверху начнёт заниматься гимнастикой. Ровно в 8 соседи из квартиры напротив — мюзик-хольная парочка без работы — начнут скандалить, бить посуду и **опрокидывать** стулья. Потом жилец из дома напротив сядет у окна со своей **флейтой**... В общем, всё будет, как обычно.

Джон Перкинс знал, что всё будет именно так. И ещё он знал, что в четверть девятого **соберётся с духом** и **потянется** за шляпой, а его жена скажет **раздражённым тоном** следующие слова:

— Куда это вы, Джон Перкинс, хотела бы я знать?

— Думаю зайти к Мак-Клоски, — ответит он. — Сыграть в преферанс с друзьями.

За последнее время это вошло у него в привычку. В 10 или 11 он вернётся домой. Иногда Кэти уже спит, иногда ждёт его, готовая **растопить** ещё немного **позолоты** с **золотых цепей** Гименея.

В этот вечер Джон Перкинс, войдя в квартиру, обнаружил удивительное **нарушение** повседневной **рутины**. Кэти не встретила его обычным поцелуем. В квартире был **зловещий** беспорядок. Вещи Кэти были **разбросаны повсюду**. Туфли **валялись** посреди комнаты, **халат**, **косметичка** были брошены **как попало** на диван и на стулья. Это было необычно для Кэти.

На видном месте лежала бумажка. Джон **схватил** её, это была записка от Кэти:

«Дорогой Джон, только что получила телеграмму, что мама очень больна. Еду поез-

Приклеить — *to glue*
Этикетка — *label*
Штукатурка — *plaster*
Посыпаться — *to sprinkle*
Опрокидывать — *to knock over*
Флейта — *flute*
Собраться с духом — *to pluck up the courage*
Потянуться — *to stretch*
Раздражённый тон — *irritated tone*
Растопить — *to melt*
Позолота — *gilding*
Золотая цепь — *gold chain*
Нарушение — *break*
Повседневная рутина — *everyday routine*
Зловещий — *sinister*
Разбросать — *to scatter*
Повсюду — *everywhere*
Валяться — *to lie about*
Халат — *dressing gown*
Косметичка — *makeup bag*
Как попало — *anyhow*
Схватить — *to catch*

дом 4.30. Мой брат Сэм встретит меня на станции. В шкафу есть холодное мясо. Надеюсь, что это у неё не сердце. Заплати молочнику 50 центов. Прошлой весной у неё тоже был тяжёлый **приступ**. Не забудь написать в Газовую компанию про **счётчик**, твои хорошие носки в верхнем **ящике**. Завтра напишу. Спешу. Кэти».

Приступ — *attack, fit*
Счётчик — *counter*
Ящик — *drawer*

За два года **супружеской жизни** они не провели **врозь** ни одной ночи. Джон перечитал записку. Обычный порядок его жизни был **нарушен**. Он обошёл квартиру. **На спинке стула** висел красный **фартук** Кэти, который она всегда надевала, готовя обед. Пачка её жевательной резинки лежала на диване, ещё не открытая. На полу валялась газета с **дыркой** в том месте, где из неё вырезали **расписание** поездов. Всё в комнате говорило об **утрате**, о том, что жизнь и душа ушли из неё.

Супружеская жизнь — *marital life*
Врозь — *separately*
Нарушить — *to break*
Спинка (стула) — *back*
Фартук — *apron*
Дырка — *hole*
Вырезать — *to cut out*
Расписание — *timetable*
Утрата — *loss*

Джон начал, как умел, **наводить порядок** в квартире. Когда он **коснулся** платьев Кэти, ему стало страшно. Он никогда не думал, чем была бы его жизнь без неё. Он так привык к ней, что она стала для него как **воздух**, которым он **дышал** — необходимый, но почти незаметный элемент жизни.

Наводить порядок — *to clean up*
Коснуться — *to touch*
Воздух — *air*
Дышать — *to breathe*

Теперь она ушла, исчезла... Конечно, это на несколько дней, самое большое — на неделю или две, но ему казалось, что это **навсегда**.

Навсегда — *forever*

Джон поставил на стол холодное мясо. Есть не хотелось, но всё-таки он поужинал. После ужина он сел у окна.

Курить ему не хотелось. За окном **шумел** город. Ночь **принадлежала** ему. Он может уйти, никого не спрашивая, и провести вечер, как любой свободный весёлый **холостяк**. Он может, если захочет, до утра играть в преферанс у Мак-Клоски... Но...

Шуметь — *to make a noise*
Принадлежать — *to belong*
Холостяк — *bachelor*

Джон Перкинс не привык анализировать свои чувства. Но сейчас, сидя один в квартире, он безошибочно **угадал**, почему ему так нехорошо. Он понял, что Кэти необходима для его счастья.

Угадать — *to guess*

«Какая же я **свинья**! — думал Джон Перкинс. — Как я **обращаюсь** с Кэти? Каждый день я играю в преферанс и выпиваю с друзьями, вместо того чтобы посидеть с ней дома. Бедная девочка всегда одна, без всяких **развлечений**, а я так себя веду! Джон Перкинс, ты **сволочь**. Но с сегодняшнего дня всё будет иначе. Я буду водить мою девочку в театры, **развлекать** её. И забуду о преферансе».

Свинья — *pig*
Обращаться — *to treat*
Развлечение — *entertainment*
Сволочь — *bastard*
Развлекать — *to entertain*

Справа от Джона Перкинса стоял стул. На его спинке висела голубая блузка Кэти. Джон взял блузку, и слёзы **выступили** у него на глазах. Когда Кэти вернётся, всё пойдёт иначе, он **вознаградит** её за своё невнимание. Зачем жить, когда её нет?

Выступить — *to break out*
Вознаградить — *to reward*

Дверь открылась. Кэти вошла в комнату с маленьким саквояжем в руках. Ничего не понимая, Джон молча смотрел на неё.

— Фу, как я рада, что вернулась, — сказала Кэти. — Мама, оказывается не так уж больна. Сэм встретил меня на станции и сказал, что приступ был лёгкий и всё прошло сразу после того, как они послали телеграмму. Поэтому я вернулась со следующим поездом. Ужасно хочется кофе!

Джон Перкинс посмотрел на часы. Было четверть девятого. Он взял шляпу и пошёл к двери.

— Куда это вы, Джон Перкинс, хотела бы я знать? — спросила Кэти раздражённым тоном.

— Думаю пойти к Мак-Клоски, — ответил Джон, — сыграть в преферанс с приятелями.

Пурпурное платье
(по одноимённому рассказу О'Генри)

****
- Существительные, прилагательные и местоимения (единственное и множественное число) в разных падежах
- Пассивные конструкции
- Причастия
- Несогласованное определение
- Виды глагола

Пурпурный — *burgundy*
В моде — *in fashion*
Носить — *to wear*
Карий — *hazel*
Брошка — *brooch*
День Благодарения — *Thanksgiving Day*
Шить — *to sew*
Портной — *tailor*
Быть без ума от чего-н. — *to be wild about smth*
В складку — *pleated*
Воротник — *collar*
Промахнуться — *to blunder*
С видом знатока — *looking as expert*
Прищуриться — *to screw up one's eye*
Пуговица — *button*
Роскошный — *splendid*

Давайте поговорим о цвете, который известен как **пурпурный**. Все женщины любят этот цвет — когда он **в моде**.

А теперь как раз **носят** этот цвет. Каждый выходной я вижу его на улице.

Вот почему Мейда — девушка с большими **карими** глазами и каштановыми волосами, продавщица из галантерейного магазина «Дамское счастье», обратилась к Грейс, девушке с **брошкой** из искусственных бриллиантов, с такими словами:

— У меня будет пурпурное платье ко **Дню Благодарения**. Я **шью** его у **портного**.

— Да что ты! — сказала Грейс. — А я хочу красное. Все мужчины **без ума** от красного цвета.

— Мне больше нравится пурпурный, — сказала Мейда, — старый Шлегель обещал сшить за восемь долларов. Это будет прелесть! Юбка **в складку**, белый **воротник** и...

— **Промахнёшься**! — **с видом знатока прищурилась** Грейс.

— ...и белые **пуговицы** и...

— Промахнёшься, промахнёшься! — повторила Грейс. — Ты думаешь, что пурпурный цвет нравится мистеру Ремси. А я вчера слышала, что он говорил, что самый **роскошный** цвет — красный.

— Ну и пусть, — сказала Мейда, — я предпочитаю пурпурный, а кому не нравится, может перейти на другую сторону улицы.

За восемь месяцев экономии Мейда **скопила** 18 долларов. Этих денег ей хватило, чтобы купить всё необходимое для платья и дать Шлегелю 4 доллара вперёд за **шитьё**. Накануне Дня Благодарения у неё **наберётся** как раз достаточно, чтобы заплатить ему остальные 4 доллара. И тогда в праздник надеть новое платье — что на свете может быть **чудеснее**!

Ежегодно в День Благодарения хозяин магазина «Дамское счастье», старый Бахман, давал своим служащим праздничный обед. Во все остальные 364 дня, если не считать воскресений, он каждый день напоминал о последнем банкете и удовольствиях **предстоящего**, чтобы служащие **проявляли** ещё больше **рвения** в работе. Посреди магазина **накрывался** праздничный стол. Витрины закрывались бумагой, и в магазин вносились **индейки** и другие вкусные вещи, купленные в **угловом** ресторанчике. И за обедом в День Благодарения мистер Ремси всегда... Ох, чёрт возьми! **Мне** бы **следовало** прежде всего рассказать о мистере Ремси. Мистер Ремси был **управляющим** магазином, и я о нём самого **высокого мнения**. Кроме того, что мистер Ремси был настоящим джентльменом, он отличался ещё несколькими странными и необычными качествами. **Он** был **помешан** на здоровье и **полагал**, что **ни в коем случае** нельзя **питаться** тем, что считают полезным. Он **решительно** протестовал, если кто-нибудь удобно **устраивался** в кресле, или носил **галоши**, или принимал лекарства, или ещё как-нибудь **берёг собственную** персону. Каждая из десяти молоденьких продавщиц каждый вечер, прежде чем заснуть, мечтала о том, как она станет миссис Ремси. Все они знали, что старый Бахман собирался в следующем году

Скопить — *to accumulate, to save*
Шитьё — *sewing*
Набираться — *to accumulate*
Чудесный — *wonderful*
Предстоящий — *forthcoming*
Проявлять рвение — *to display enthusiasm*
Накрывать стол — *to lay the table*
Индейка — *turkey*
Угловой — *corner*
Мне следовало — *I needed*
Управляющий — *manager*
Быть высокого мнения о ком-либо — *to appreciate*
Он был помешан — *he was crazy about*
Полагать — *to suppose*
Ни в коем случае — *never*
Питаться — *to feed on*
Решительно — *resolutely*
Устраиваться — *to set*
Галоши — *galosh*
Беречь — *to save*
Собственный — *own*

Получить — *to get*
Выбить — *to knock out*
Перестать — *to stop*
Свадебный — *wedding*
Пирог — *pie*
Скрипач — *violinist*
Арфист — *harpist*
Задуман (а, ы) — *thought up*
Покорить — *to conquer the heart of*
В счёт не идут — *don't count*
Стоящий — *worthwhile*
По сравнению — *compared with*
Великолепный — *marvelous*
Накопить — *to accumulate*
Торопиться — *to hurry*
Пытаться — *to try*
Уверить — *to assure*
Застать — *to caught*
Переполох — *hullabaloo*
Вся в слезах — *in tears*
Съехать — *to move out*
Крыса — *rat*
Выставить — *to put out*
Запереть — *to lock*
Некуда — *there is nowhere*
Ни цента — *even one cent*

сделать его своим компаньоном, и каждая из них знала, что если она получит мистера Ремси, то **выбьет** из него все его дурацкие идеи насчёт здоровья раньше, чем **перестанет** болеть живот от **свадебного пирога**.

Мистер Ремси был главным устроителем праздничного обеда. Каждый раз приглашались два итальянца — **скрипач** и **арфист** — и после обеда все немного танцевали.

И вот, представьте, **задуманы** два платья, которые должны **покорить** мистера Ремси, одно — пурпурное, другое — красное. Конечно, в платьях будут и остальные девушки, но они **в счёт не идут**. Скорее всего, на них будут какие-нибудь блузки и чёрные юбки — ничего **стоящего по сравнению** с **великолепием** пурпурного или красного цвета.

Грейс тоже **накопила** денег. Она собиралась купить готовое платье.

Подошёл вечер накануне Дня Благодарения. Мейда **торопилась** домой. Она была уверена, что ей пойдёт пурпурный цвет, и — уже в тысячный раз — она **пыталась** себя **уверить**, что мистеру Ремси нравится именно пурпурный, а не красный. Она торопилась домой, чтобы взять 4 доллара, а потом пойти к Шлегелю и забрать платье.

Грейс жила в том же доме. Её комната была как раз над комнатой Мейды.

Дома Мейда **застала** шум и **переполох**. Через несколько минут Грейс спустилась к Мейде **вся в слезах**, с глазами краснее, чем любое платье.

— Хозяйка требует, чтобы я **съехала**, — сказала Грейс. — Старая **крыса**! Потому что я должна ей 4 доллара. Она **выставила** мой чемодан в переднюю и **заперла** комнату. Мне **некуда** идти. У меня нет **ни цента**.

— Вчера у тебя были деньги, — сказала Майда.

— Я купила платье, — сказала Грейс. — Я думала, она подождёт с платой до следующей недели.

Она **всхлипнула**, **вздохнула**, опять всхлипнула.

Миг — и Мейда **протянула** ей свои 4 доллара — могло ли быть **иначе**?

— Спасибо! — закричала Грейс. — Сейчас отдам деньги этой **скряге** и пойду **примерю** платье. Оно такое чудесное! Зайди посмотреть. Я верну тебе деньги по доллару в неделю, **обязательно**!

На следующий день, в День Благодарения, обед был назначен на полдень. Без четверти двенадцать Грейс зашла к Мейде. Да, **она** и правда **была очаровательна**. **Она была рождена** для красного цвета. Мейда сидела у окна в старой юбке и синей блузке.

— Господи! Ты ещё не одета! — **ахнула** Грейс. — Почему ты не одета, Мейда?

— Моё платье не готово, — сказала Мейда, — я не пойду.

— Вот несчастье! Правда, Мейда, ужасно жалко. Надень что-нибудь и пойдём, будут только свои из магазина, ты же знаешь, никто не обратит внимания.

— Я так **настроилась**, что будет пурпурное, — сказала Мейда, — раз его нет, лучше я совсем не пойду. Не беспокойся обо мне. Беги, а то опоздаешь. Тебе очень к лицу красное.

И всё долгое время, пока там шёл обед, Мейда просидела у окна.

В 4 часа она медленно направилась к Шлегелю и сообщила ему, что не может заплатить за платье оставшиеся 4 доллара.

— Боже! — сердито закричал Шлегель. — Возьмите платье, оно готово. Заплатите потом, когда сможете. Оно **удачно** сшито, и если вы будете хорошенькая в нём — очень хорошо.

Всхлипнуть — *to sob*
Вздохнуть — *to sigh*
Миг — *moment*
Протянуть — *to hold out*
Иначе — *differently*
Скряга — *skinflint*
Примерить — *to try on*
Обязательно — *without fail*
Она была очаровательна — *she was charming*
Она была рождена — *she was born*
Ахнуть — *to express surprise*
Настроиться — *to be disposed to*
Удачно — *successfully*

Обрадованный — *joyfull*
Схватить — *to catch*
Полить — *to pour*
Шагать — *to go*
Буря — *storm*
Безоблачный — *cloudless*
Загородить — *to block of*
Гореть — *to burn*
Восхищение — *admiration*
Вы великолепны — *you are magnificent*
Здравомыслящий — *sensible*
Разумный — *intelligent*
Укреплять — *to strengthen*
Пройтись — *to stroll*
Чихнуть — *to sneeze*

Обрадованная Мейда **схватила** платье и побежала домой. На улице начался лёгкий дождь. Она не заметила его.

В 5 часов она вышла на улицу в своём пурпурном платье. Дождь **полил** сильнее. Люди торопились домой или к трамваям. Многие из них удивлённо смотрели на девушку со счастливыми глазами, которая **шагала** сквозь **бурю**, как будто гуляла по саду в **безоблачный** летний день.

Кто-то вышел из-за угла и **загородил** ей дорогу. Она подняла голову — это был мистер Ремси, и глаза его **горели восхищением** и интересом.

— Мисс Мейда, — сказал он, — **вы великолепны** в новом платье. Мне очень жалко, что вас не было на обеде. Из всех моих знакомых девушек вы самая **здравомыслящая** и **разумная**. Ничто так не **укрепляет** здоровья, как прогулка в дождь. Можно мне **пройтись** с вами?

Мейда покраснела и **чихнула**.

Комод работы Чиппендейла
(по рассказу Р. Даля «Радость священнослужителя»)

- Существительные, прилагательные и местоимения (единственное и множественное число) в разных падежах
- Выражение времени
- Деепричастия
- Виды глагола
- Прямая речь

Комод — *chest of drawers*
Счастливчик — *lucky person*
Появляться — *to appear*

Лондонские антиквары обычно говорили о мистере Боггисе, что он **счастливчик**: в его магазине регулярно **появлялись уникальные** вещи. А началось это так.

Лет десять назад мистер Боггис возвращался из деревни, где жила его мать. Он остановил машину у **ближайшего** дома, чтобы попросить стакан воды. Хозяйка пригласила его в комнаты. И там, в гостиной небогатого фермерского дома, антиквар увидел два **старинных** кресла.

— Не хотите ли вы **продать** эти кресла? — **как бы случайно** спросил он. — Я дал бы неплохую цену.

— Сколько? — спросила хозяйка.

— 30 фунтов.

— Боже! Тридцать фунтов за эту **рухлядь**! Конечно!

После реставрации кресла ушли за 1500 фунтов.

С тех пор фермерские дома стали как бы забытым **рудником** для Боггиса. Их хозяева были счастливы получить за свою «рухлядь» 15—20 фунтов, которые предлагал какой-то добрый и глупый **путешественник**.

В последнее время Боггис начал переодеваться **священником**, потому что думал, что священнику люди **доверяют** и с ним как-то стыдно **торговаться**.

В тот день антиквар оставил свою машину в полумиле от фермерского дома.

На **стук** в дверь из дома вышли хозяева — братья Клод и Берт.

— Нет ли у вас какой-нибудь старинной мебели? — спросил Боггис. — Дело в том, что мы организуем «**Общество** по **спасению** старинной мебели».

— Старая мебель у нас, конечно, есть, но только ничего интересного.

— Как знать! — сказал **мнимый** священник. — Один фермер сказал мне то же самое. А я увидел у него один стульчик. По моему совету хозяин повёз его в антикварный магазин и продал за 400 фунтов.

— 400 фунтов?! За старый стул?! Входите, **святой отец**! — сказал Клод.

Уникальный *unique*
Ближайший — *nearest*
Старинный — *antiquarian*
Продать — *to sale*
Как бы случайно — *as if accidentally*
Рухлядь — *junk*
Рудник — *mine*
Путешественник — *traveler*
Священник — *priest*
Доверять — *to trust*
Торговаться — *to haggle*
Стук — *knock*
Общество — *society*
Спасение — *rescue*
Мнимый — *fake*
Святой отец — *holy father*

Побледнеть — *to grow pale*
Прийти в себя — *to come to*
Испугаться — *to be scared*
Выдать — *to give out*
Восторг — *delight*
Схватиться — *to catch*
Пройти — *to pass*

Пережидать боль — *to wait for pain pass*
Знаменитый — *famous*
Сохраниться — *to survive*

Осмотреть — *to inspect*
Проводить — *to accompany*

Низкий — *low*
Крепкий — *strong*
Ножка — *leg*
Отпилить — *to saw off*
Приделать — *to fix to*

Когда мистер Боггис вошёл в гостиную, он не поверил своим глазам. Сначала он **побледнел**. Потом покраснел. Только через полминуты он **пришёл в себя** и **испугался**, как бы не **выдать** своё удивление и **восторг**. Нужно было что-то делать. Он **схватился** за сердце.

— Что с вами? Вам плохо? — испугался Берт.

— Ничего, это сердце. Сейчас **пройдёт**.

— А я уже подумал, что вы увидели что-то интересное, — сказал Клод.

Мистер Боггис сел и закрыл глаза, как бы **пережидая** боль.

«Трудно поверить, — думал он, — но в этой комнате стоит комод работы Чиппендейла, самого **знаменитого** мастера 18 века. До сих пор считали, что **сохранились** только три таких комода! Последний недавно был продан на аукционе «Сотбис» за 30.000 фунтов. И вот — четвёртый комод из этой серии! Правда, какой-то дурак покрасил его дешёвой белой краской. Но краску нетрудно снять».

— Ну, мне уже лучше, — сказал мистер Боггис. Он встал и внимательно **осмотрел** всю мебель. — Вы правы, тут нет ничего интересного. Всего доброго.

Берт и Клод **проводили** его до двери, но в последний момент Боггис остановился и сказал:

— Мне пришла в голову одна идея. У меня дома есть очень красивый столик, но слишком **низкий**. А у вашего комода — **крепкие** и длинные **ножки**. Я мог бы **отпилить** эти ножки, чтобы **приделать** их к моему столику.

— Вы хотите купить комод? — обрадовался Берт.

— Да нет, этот кошмарный комод мне не нужен, — сказал мистер Боггис. — Только ножки.

— Продавать только ножки нам не интересно, — ответил Клод, — но может быть, вы посмотрите ещё раз?

Мистер Боггис подошёл к комоду и осмотрел его.

— Это, конечно, не антиквариат, — сказал он. — Дешёвая **подделка.**

Подделка — *forgery*

— Сколько дадите? — спросил Берт.

— 10 фунтов, не больше.

— 10 фунтов! Здесь только **дерева** для **печки** на 30 фунтов. А ведь ещё работа! Сто фунтов — вот моё последнее слово! — сказал Берт.

Дерево — *wood*
Печка — *stove*

Они торговались минут 40 и **сошлись** на 50-ти фунтах. Антиквар сказал, что его машина стоит в полумиле от дома, и он её сейчас **подгонит**.

Сойтись — *to agree on a price*
Подогнать — *to drive up to*

— Но вы вернётесь? Не **передумаете**? Мы ждём! — сказал Берт.

Передумать — *to change one's mind*

Мистер Боггис побежал к машине. Его **душа** пела.

Душа — *soul*

Братья тоже радовались.

— Деньги упали с **неба**! — повторял Берт. — Как хорошо, что есть такой дурак, который готов заплатить 50 фунтов за старую рухлядь!

Небо — *sky*

— Да, ты молодец! — сказал Клод. — Торговался как надо. Только не знаю, **влезет** ли комод в машину. Если нет, то покупатель может **отказаться** от покупки.

Влезть — *to fit*
Отказаться — *to refuse*

— Да, — сказал Берт, — комод может не влезть...

— Давай мы сделаем вот что, — предложил Клод. — Ему ведь нужны только ножки? Давай отпилим для него ножки, а всё **остальное порубим на дрова**.

Остальной — *the rest*
Порубить на дрова — *to chop for firewood*

Через пять минут всё было сделано. Братья с удовольствием полюбовались на сделанную работу и стали ждать священника.

Привычка противоречить
(по рассказу из журнала «Отдохни»)

❄❄❄❄ • Существительные, прилагательные и местоимения (единственное и множественное число) в разных падежах
• Деепричастия
• Виды глагола
• Прямая речь

Привычка — *habbit*
Противоречить — *to contradict*
Холостяк — *bachelor*
Племянник — *nephew*
Вмешиваться — *to interfere*
Воспитание — *education*
Порка — *beating*
Вдова — *widow*
Воскликнуть — *to exclaim*
Задавить — *to crush*

Перси Рассел, симпатичный **холостяк** 38-ми лет, не очень-то любил своего **племянника** Тедди.

— Редко бывая в Англии и проводя здесь слишком мало времени, я не считаю возможным **вмешиваться** в его воспитание, — говорил Перси своим лондонским друзьям. — На мой взгляд ему нужна хорошая **порка**.

Однажды утром Перси, Тедди и Мэри, **вдова** его брата и мать Тедди, сидели у окна, глядя на мокрую улицу.

Старая собака собиралась перебежать улицу.

— О Боже, — **воскликнула** Мэри, — это бедный старый Чарли, собака нашей соседки! Лишь бы его не **задавили**!

— А я хочу, чтобы его задавили, — громко сказал Тедди.

— Ах, Тедди, как тебе не стыдно, — сказала его мать.

Оказаться — *to find o.s.*
Колёса — *wheels*
Придать значение — *to attach*
Инцидент — *incident*

В эту же минуту несчастное животное, не заметив появившуюся машину, **оказалось** под **колёсами**.

Перси не **придал значения** этому **инциденту** — в конце концов в жизни всякое бывает.

Но он сразу вспомнил этот эпизод после странного случая с бренди, купленным подругой Мэри миссис Тернер.

Миссис Тернер зашла к Мэри взять какую-то книгу. Глядя на полную сумку продуктов в руках подруги, Мэри сказала:

— Ты уверена, что твоя сумка достаточно **прочная**? Хочешь, я дам тебе свою? Я вижу у тебя там бутылка бренди. Жалко, если она **разобьётся**.

— Нет-нет, дорогая, не волнуйся, — ответила миссис Тернер, — эта сумка достаточно прочная.

Проводив подругу до лифта, Мэри сказала:

— Надеюсь, что сумка у неё не **порвётся**...

— А я надеюсь, — сказал Тедди, вставая со стула, — что бутылка разобьётся, как только миссис Тернер выйдет из нашего подъезда.

— Ах, Тедди, — сказала Мэри, — как тебе не стыдно! Разве можно так говорить?

Но сумка миссис Тернер порвалась. Бутылка бренди, упав на пол, разбилась.

Странное дело, но сам Тедди, казалось, совсем не **связывал** свои пожелания с конечным результатом. Каждый раз, сказав какую-нибудь **гадость**, он спокойно возвращался к своим играм.

***

В следующий свой приезд Перси Рассел был выведен из себя поведением племянника. Сидя у телевизора, Перси и Мэри слушали новости. Появившись на экране, комментатор Би-би-си сказал:

— Только что, как сообщают наши корреспонденты, было **совершено покушение** на индийского лидера Раджасвами. Направляясь к президенту США, Раджасвами **был ранен выстрелом** неизвестного террориста. К счастью, индийскому лидеру повезло — его **рана** оказалась не смертельной. Весь мир **выражает надежду**, что мистер Раджасвами скоро **поправится**...

— Я тоже надеюсь, что он будет жить! — сказала Мэри.

Прочный — *durable*
Разбиться — *to break*
Порваться — *to tear*
Связывать — *to link*
Гадость — *nasty thing*
Совершить — *to commit*
Покушение — *attempt*
Он был ранен — *he was wounded*
Выстрел — *shot*
Рана — *wound*
Выражать надежду — *to express hope*
Поправиться — *to recover*

— А я хотел бы, чтобы он умер, — сказал Тедди. — Прямо сейчас же!

— Ну как ты можешь, Тедди, — сказала Мэри, — разве можно так...

Вдруг Рассел почувствовал, что у него **похолодели** руки. Комментатор вдруг сказал:

Похолодеть — *to go cold*

— Пожалуйста, минутку! Только что мы получили какое-то сообщение... Прошу прощения...

Он поднял трубку и несколько минут молчал, внимательно слушая. Потом, положив трубку, сказал:

— Мы получили сообщение пресс-службы президента. К сожалению, мы должны сообщить, что несколько минут назад мистер Раджасвами **скончался**...

Скончаться — *to die*

Рассел посмотрел на Тедди. Мальчик сидел на полу, рисуя **усы** на портретах в каталоге Рембрандта.

Усы — *moustache*

— **Не смей портить** книгу! — закричала Мэри, забирая каталог из рук сына.

Не смей! — *don't dare!*
Портить — *to spoil*

***

В этот момент Расселу в голову пришла одна мысль.

— А не пора ли тебе спать, Тедди? — спросил он.

— Ладно, могу пойти, — ответил мальчик, внимательно посмотрев на дядю.

— Не могу понять, как это у тебя получается, Перси? — спросила Мэри, глядя на сына. — У меня он никогда не ложится без скандала.

— Просто Тедди уже взрослый **парень**, — ответил Рассел, чувствуя, как у него сильно **забилось сердце**. В этот момент он не хотел, чтобы племянник заметил его волнение.

Парень — *lad, boy*
Забиться — *to a start beating*
Сердце — *heart*

Ребёнок улыбнулся **довольной** улыбкой.

Довольный — *satisfied*

— Взрослый парень? — удивлённо переспросила Мэри. — Но ему только восемь лет...

— Тут ты, конечно, права. Я хочу сказать, что Тедди достаточно большой, чтобы не верить всяким глупостям, в которые верят малыши. Например, в глупую сказку о **чудовищах**, которые ждут детей в спальне...

— Перси! — воскликнула Мэри. — Ты **напугаешь** ребёнка!

— Я напугаю Тедди? Он большой парень и знает, что в его спальне нет никакого чудовища...

Привычка всегда противоречить взрослым **проявилась** у мальчика и на этот раз.

— Нет! — закричал он. — Я уверен, что в спальне меня ждёт огромное страшное чудовище! — И, быстро открыв дверь гостиной, он бросился вверх по лестнице.

Остановившись на площадке, Тедди закричал:

— Ну, что я говорил? Вот оно, огромное страшное чудо...

Чудовище — *monster*

Напугать — *to frighten*

Проявиться — *to show itself*

Как Гонелла держал пари
(по итальянской народной сказке)

❄❄❄❄
- Существительные, прилагательные и местоимения (единственное и множественное число) в разных падежах
- Причастия
- Виды глагола
- Прямая речь

Во **дворце герцога** Лоренцо Медичи каждый вечер **собирались** к ужину учёные, поэты, музыканты и просто богатые горожане. Одни приходили поговорить, послушать умные разговоры, другие — просто вкусно поесть.

Однажды вечером за столом говорили о том, что Флоренция богата не только прекрасными зданиями, фонтанами, статуями, но и прекрасными мастерами.

Держать пари — *to bet that*

Дворец — *palace*

Собираться — *to gather*

Портной — *tailor*
Пышно — *splendid*
Ерунда — *nonsense*
Дворянин — *nobleman*
Драться — *to fight*
Оружейник — *armourer*
Перебить — *to interrupt*
Драгоценность — *treasure*
Ювелир — *jeweler*
Шут — *jester*
Остальной — *the rest*
Заботиться — *to take care*
На самом деле — *in actual fact*
Лечиться — *to get treatment*
Шутить — *to joke*
Нахмуриться — *to frown*
Доказать — *to prove*
Список — *list*
Достать — *to take out*
Обвязать — *to tie round*
Щека — *cheek*
Шерстяной — *woolen*
Шарф — *scarf*

— Больше всего в нашем городе **портных**, — сказал судья, всегда одевающийся так **пышно**, что все над ним смеялись.

— **Ерунда**, — ответил ему молодой **дворянин**, больше всего любивший **драться** на дуэлях, — во Флоренции больше всего **оружейников**.

— Ах, нет, — **перебила** его прекрасная дама, увешанная **драгоценностями**, — больше всего у нас **ювелиров**.

— А что ты скажешь, Гонелла? — спросил Лоренцо своего **шута**, сидящего около него.

— Во Флоренции больше всего докторов, — ответил Гонелла.

Герцог очень удивился.

— Что ты! — сказал он. — Во Флоренции только три доктора: мой личный врач Антонио Амброджо и ещё два врача для всех **остальных**.

— Ай-ай-ай! Как мало знает герцог о своих гражданах! Если мессер Амброджо день и ночь **заботится** о вашем здоровье, то вам кажется, что остальные флорентийцы здоровы. **На самом деле** они всё время болеют и **лечатся**. А кто их лечит? Говорю вам, Лоренцо, что во Флоренции каждый десятый — врач!

Герцог, всегда охотно смеявшийся, когда Гонелла **шутил** над его гостями, но не над ним, **нахмурился**.

— Ты ошибаешься. И я с удовольствием заплачу тебе 100 флоринов, если **докажешь** мне, что я не прав.

— Хорошо! — ответил Гонелла. — Я докажу вам. Завтра вечером я принесу вам **список** врачей.

Герцог взял кошелёк, **достал** из него 100 флоринов и положил их в вазу, стоящую на столе.

На следующее утро Гонелла **обвязал щёку шерстяным шарфом** и вышел из дворца.

Скоро он встретил богатого **купца**, **торговавшего** шёлком.

— Что с тобой, Гонелла? — спросил купец.

— Ой, мои зубы, — сказал Гонелла, — ужасно болят!

— Я **посоветую** тебе хорошее средство, — сказал купец. — В ночь под Новый год ты должен **поймать** на улице чёрного кота и **вырвать** из его хвоста 3 **волоса.** Зубная боль сразу **пройдёт**.

— Благодарю вас, мессер! Жалко, что Новый год был неделю назад. Но если мои зубы доболят до следующего Нового года, я так и сделаю. А пока **разрешите** записать ваш совет, чтобы я не забыл.

Вторым человеком, встретившимся с шутом, был **монах**.

— Ах, **святой отец**, — заговорил Гонелла, — я всю ночь не спал. У меня страшно болят зубы.

— Хорошо, что ты встретил меня, — сказал монах. — Я знаю одно средство. Пойди домой и **согрей** красного вина. **Подержи** вино во рту и прочитай про себя **молитву**. Когда закончишь молитву, **проглоти** вино. Потом повтори всё сначала.

— И много надо проглотить... Я хотел сказать, прочитать молитв? — спросил Гонелла.

— Чем больше, тем лучше, — ответил монах.

— Ваш **совет** мне нравится, — сказал Гонелла. — Я люблю красное вино. Пойду читать молитву.

Гонелла записал имя монаха и его совет в свой список и пошёл дальше.

Список быстро **пополнялся**. Учёные, поэты, музыканты, все, когда видели Гонеллу, обвязанного шарфом, **останавливались** и давали советы. Гонелла записывал всё, что они говорили.

Купец — *merchant*
Торговать — *to trade*
Посоветовать — *to advice*
Поймать — *to catch*
Вырвать — *to tear out*
Хвост — *tail*
Волос — *hair*
Пройти — *to get away*

Разрешить — *to allow*

Монах — *monk*
Святой отец — *holy father*

Согреть — *to warm up*
Подержать — *to hold for a while*
Молитва — *pray*
Проглотить — *to swallow*

Совет — *advice*

Пополняться — *to be expanded*
Останавливаться — *to stop*

Усталость — *tiredness*
Лестница — *stairs*

Разрешение — *permission*
Обратиться — *to inquire*
Разбираться — *to understand*
Шалфей — *sage*
Заварить — *to brew*

Обещанный — *promised*
Проиграть пари — *to lose bet*

Хоть — *although*

Случайно — *by chance*

Под вечер Гонелла, с трудом идущий от **усталости**, вернулся во дворец. На дворцовой **лестнице** он встретил герцога Лоренцо, вышедшего погулять перед ужином.

— Мой бедный Гонелла! — удивился герцог. — У тебя болят зубы?

— Ужасно, ваше величество! — ответил шут. — Я даже хотел попросить у вас **разрешения обратиться** к вашему врачу — мессеру Антонио Амброджо.

— Зачем тебе Амброджо? Я **разбираюсь** в таких делах лучше, чем он. Возьми листья **шалфея**, **завари** их и делай горячие компрессы. Зубная боль сразу пройдёт.

Вечером за столом герцога Лоренцо опять сидели гости, пришедшие на ужин. Герцог сидел во главе стола, а рядом с ним сидел Гонелла, уже снявший шарф.

— Ну, Гонелла, — сказал герцог. — Где **обещанный** список медиков? Я не вижу его. Будем считать, что ты **проиграл пари,** и возьмём обратно свои деньги.

— Нет, — сказал Гонелла, — я принёс список врачей. Вот он.

Герцог Лоренцо взял его и начал читать:

— Мессер Лючано, флорентийский купец, советует... монах Фра Бенедетто советует...

Герцог и его гости начали громко смеяться. В списке было триста имён и тысяча советов. Герцог читал долго. Наконец, он сказал:

— Вот и всё.

— Как всё? — удивился Гонелла. — Вы забыли ещё одно имя!

Он взял список и прочитал:

— **Хоть** и последний в списке, но первый из первых медиков нашего прекрасного города — его величество Лоренцо Медичи. Не **случайно** его фамилия Медичи — значит, в его семье были медики. Лоренцо и сам говорит, что лечит лучше, чем его врач Антонио Амброджо. При зубной боли герцог советует...

Тут **зазвенела** даже хрустальная **люстра** — так смеялись герцог и его гости.

— Ну, Гонелла, ты выиграл, — сказал Лоренцо.

— Не могло быть **иначе**! — ответил шут. — Я хорошо знаю людей и знаю, что только одну вещь они любят давать бесплатно — это советы.

Зазвенеть — *to start ringing*
Люстра — *chandelier*
Иначе — *differently*

Роковая ошибка
(по рассказу из журнала «Отдохни»)

❄❄❄❄
- Существительные, прилагательные и местоимения (единственное и множественное число) в разных падежах
- Несогласованные определения
- Обстоятельства образа действий
- Причастия
- Деепричастия
- Виды глагола

— Прекрасная идея! — **восторженно одобрила** моя партнерша по бизнесу, когда я **вкратце изложил** ей план **ограбления**.

Эта симпатичная брюнетка с короткой стрижкой и живыми глазами, по имени Дикси, всегда хорошо меня понимала, поэтому с ней было так легко работать.

— Да, неплохая — сказал я с **ложной скромностью**. — **Провала** быть не должно. И главное, план операции **на редкость** прост.

Дикси задумалась.

— Единственное, что меня беспокоит, Профессор, это проблема ребенка. — Дикси

Восторженно — *rapturous*
Одобрить — *to approve*
Вкратце — *briefly*
Изложить — *to recount, to state*
Ограбление — *robbery*
Ложная скромность — *false modesty*
Провал — *flop*
На редкость — *unusually*

зовет меня Профессором, потому что я — **мозговой центр** нашей маленькой группы.

— Почему ребенок тебя **смущает**? — спросил я.

— Все-таки это будет **похищение**...

— Похищение? — удивился я. — Совсем нет. Мы не собираемся брать малыша навсегда, и **выкуп** за ребёнка нам тоже не нужен. Мы только **одолжим** его минут на 40, а потом вернем — **в целости и сохранности**.

— Хорошо, Профессор, — согласилась Дикси. — Нам осталось найти ребенка на завтрашний день... И где нам его взять?

— Ну, Дикси, это уже твоя работа. Думаю, что это не проблема для тебя. У тебя все получится. Как всегда.

Дикси кокетливо улыбнулась:

— Я могла бы взять ребенка у соседки по дому, но тогда придется с ней **делиться**.

— Это не подходит. Я не хотел бы **привлекать** еще кого-либо. **Из соображений безопасности**, — объяснил я. — Нам нужно достать чужого ребенка.

— Тогда **ясли** на углу Дорсет-Авеню. Каждое утро туда приводят не меньше сотни детей. Мамы оставляют их на целый день и едут на работу. Я это точно знаю, потому что из окна моего дома открывается **вид** на ясли. В половине одиннадцатого, если погода хорошая, всех детей **выводят** гулять. А самых маленьких по двое-трое сажают в **манеж**.

— Да, и **следят** за ними, наверное, в три глаза.

— **Не особенно**. Так что взять оттуда ребенка будет несложно.

— И никто не заметит?

— До конца **прогулки**, думаю, что нет.

— Прекрасно! — обрадовался я. — И какой транспорт подойдет для нашего малыша?

Мозговой центр — *intellectual center*
Смущать — *to embarrass*
Похищение — *kidnapping*
Выкуп — *ransom*
В целости и сохранности — *in one piece*
Одолжить — *to lend*
Делиться с — *to share with*
Привлекать — *to attract*
Из соображений — *for reasons*
Безопасность — *safety*
Ясли — *day nursery*
Вид — *a view of*
Выводить — *to take out*
Манеж — *playpen*
Следить — *to watch*
Не особенно — *not particularly*
Прогулка — *walk*

— **Прогулочная коляска**. Нам ведь нужен годовалый ребенок, чтобы он уже умел сидеть, но еще не ходил... **Складную** коляску легко спрятать в машину.

— Хорошо, только не забудь **парик** для **конспирации** и темные очки.

— Не волнуйся, Профессор, даже ты меня не узнаешь.

***

На следующий день в 10.40 я остановил машину около дома на углу Дорест-Авеню. На машине висели **краденые** номера, на **заднем сиденье** лежала складная коляска.

Дикси была **неузнаваема** в светлом парике и огромных солнечных очках. Нижнюю часть ее лица закрывал яркий шарф **в клетку**. Она быстро пробежала между **кустами** и через минуту появилась снова с маленьким улыбающимся мальчиком в синем комбинезоне на руках. В руке малыш держал **леденец** на **палочке**, подаренный Дикси.

Я внимательно оглядел улицу. Все было тихо. Я открыл дверь, и Дикси села на переднее сиденье, **прижав** к себе малыша. Машина **тронулась** по дороге в центр города. В **зеркало заднего вида** я следил — нет ли **погони**. Через 10 минут мы сделали остановку в тихом **переулке**. За углом находился дорогой ювелирный магазин, который мы собирались **ограбить**.

Я быстро **вытащил** коляску из машины, Дикси посадила в нее ребенка и **скрылась** за углом.

— Не **глуши** мотор, Профессор, — на прощанье сказала она, — увидимся через 5 минут.

Итак, первая часть плана **прошла как по маслу**. Я сидел в машине и старался **представить себе**, что происходит в магазине за углом. Вот Дикси входит в магазин, везя перед

Прогулочная коляска — *stroller, pram*
Складная — *folding*
Парик — *wig*
Конспирация — *conspiracy*
Краденные — *stolen*
Заднее сиденье — *back seat*
Неузнаваема — *unrecognizable*
В клетку — *checked (material)*
Куст — *bush*
Леденец — *fruit drop*
Палочка — *small stick*
Прижать — *to press to*
Тронуться — *to move off*
Зеркало заднего вида — *rear view mirror*
Погоня — *pursuit*
Переулок — *lane*
Ограбить — *to rob*
Вытащить — *to pull out*
Скрыться — *to take cover*
Глушить (мотор) — *to turn off*
На прощанье — *on parting*
(Идёт) как по маслу — (*is going*) *smoothly*
Представить себе — *to imagine*

собой коляску с малышом. Вот она подходит к прилавку и заговаривает с продавцом. Малыш **липкими** ручками **пачкает** прилавок с ювелирными украшениями. Сейчас Дикси, играя роль молодой богатой женщины, покупающей себе подарок на день рождения, интересуется золотым браслетом **толщиной** в три сантиметра с **бриллиантами** и **изумрудами**. В газетах писали, что только на этой неделе этот браслет продается по **сниженной** цене — «всего только за 22.000 долларов».

Сейчас продавец достает браслет и показывает его Дикси. Она **робко** просит разрешения рассмотреть браслет у дверей — там больше света. А продавец **любезно** соглашается **присмотреть** за ребенком. Потом Дикси должна **выскочить** с браслетом на улицу, завернуть за угол, где ее **ожидаю** я с включенным мотором.

Я поднял глаза и увидел Дикси. Она бежала **изо всех сил**. Я открыл дверь машины.

— Давай! — крикнула Дикси, упав на сиденье. — Скорее!

Рванув с места, я проехал переулок и повернул на большую шумную улицу. Дикси **сорвала** с себя шарф в клетку, темные очки и светлый парик и **сунула** все это под сиденье.

Только когда мы отъехали достаточно далеко, я решил спросить:

— Ну, и где же браслет?

Она промолчала.

— **То есть как**? — не понял я. — Его нет?

— Нет. Я на него даже не **взглянула**...

У меня опустились руки. Я **чуть не вылетел** на **встречную полосу**.

***

— Захожу я в магазин, — начала объяснять моя партнерша. — Навстречу мне вы-

Липкий — *sticky*
Пачкать — *to get dirty*
Толщина — *thickness*
Бриллиант — *diamond*
Изумруд — *emerald*
Сниженная (цена) — *lowered (price)*
Робко — *shy*
Любезно — *kindly*
Присмотреть — *to look after*
Выскочить — *to jump out*
Ожидать — *to expect*
Изо всех сил — *as hard as one can*
Рвануть — *to shoot off*
Сорвать — *to tear off*
Сунуть — *to put in*
То есть как? — *What?*
Взглянуть — *to glance at*
Чуть не — *nearly*
Вылететь — *to hurtle out*
Встречная полоса — *oncoming line*

ходит продавщица с **приветливой** улыбкой... И тут она видит мальчика... И как закричит:

— Почему у вас мой ребенок?!!

Приветливый — *friendly*

Учебное издание

Новикова Наталья Степановна
Щербакова Ольга Маратовна

УДИВИТЕЛЬНЫЕ ИСТОРИИ
116 текстов для чтения, изучения и развлечения

Учебное пособие

Подписано в печать 30.04.2012. Формат 60×88/16.
Гарнитура «Таймс». Печать офсетная.
Усл. печ. л. 22,5. Уч.-изд. л. 19,8. Тираж 1000 экз. Изд. № 2603. Заказ 786.

ООО «Флинта», 117342, г. Москва, ул. Бутлерова, д. 17-Б, комн. 324
Тел.: (495)336-03-11; тел./факс: (495)334-82-65.
E-mail: flinta@mail.ru, WebSite: www.flinta.ru

Издательство «Наука», 117997, ГСП-7, Москва В-485,
ул. Профсоюзная, д. 90

ООО «Великолукская типография»
182100, Псковская область, г. Великие Луки, ул. Полиграфистов, 78/12
Тел./факс: (811-53) 3-62-95
E-mail: zakaz@veltip.ru
Сайт: http://www.veltip.ru/